岩波文庫

31-024-9

島崎藤村短篇集

大木志門編

岩波書店

目　次

島崎藤村短篇集

津軽海峡

自分の家内は耳が遠いものですから、傍へ倚って余程大な声を出さないと聞えません。乗船の時刻が近いたのに、まだ家内は仕度もしないで、旅舎の二階の窓に倚り凭っておりました。丁度その窓の外には青森の港が見える。暗碧の色の海、群れて飛ぶ「ごめ」(1)、またはこれから自分等夫婦を乗せて、函館へ向けて出帆するという二本檣の駿河丸、その郵船会社の定期船が湾頭に碇泊している光景を眺めて茫然思い沈んでいたのです。いつもこういう時には亡くなった悴を憶出して泣いている、ということは、直にその後姿で知れた。自分は丁と一つ家内の肩を叩いて、

「さあ、仕度だ、仕度だ。」

と急きたてました。

その日は航海をするに申分ない天気でした、浦汐(2)の露艦が一度この津軽海峡を通過し

てから、太平洋沿岸に出没するというので、定期の航海はすべて断絶のきのうきょう、ただこの青森函館間ばかりは五、六日以前から汽船の往復があるとのことでした。自分等夫婦も折角ここまで来て引返すのは残念ですし、それに露艦は伊豆の大島沖あたりを遊弋しているという話で、昨夜はまた敵艦隊殲滅の噂が伝わると同時に、ある新聞社は号外を発した位ですから、あるいはそれが事実に近いことかとも思って、格別其様なことは気にも留めないで旅舎を出ました。

町の角々には代赭色の夏服着た厳しい兵士が控えて、桟橋の方へ急ぐ自分等を眺めておりました。家内は考え考え歩くものですから、足が遅くて困る。急に立留って、何を言出すかと思うと、

「ああ、ああ、柳之助が生きて居たなら、こういう処へ一緒に連れて来て喜ばしてやるものを。」

こう嘆息するのでした。柳之助は悴の名なんです。自分はもう持余してしまって、

「困るじゃないか、左様どうも思出してばかり居ては。」

と耳の側へ口を寄せて叱るように言いました。すると家内は直に顔色を真紅にして、

「そんな貴方のような邪見な——せめて思出すのを慰藉にして、こうして私は生きて居りますんですよ。思出すなと仰るなら、いっそ死ねと仰って下さい。」

家内にも困ってしまいます、宛然児童なんですから。宛然自分は四十にもなる女の児童の保姆をさせられるようなものですから。「馬鹿、馬鹿、往来の真中で其様なことを言出す奴があるものか――見ろ、人がみんな是方を向いて笑ってらあ。」とは言ったものの、それは家内の耳へよく通じないようでした。噫、人の生涯ほど測り知られないものはない。まさか悴があんな悲惨な最後をしようとも思わなければ、それがために夫婦してこんな旅行に出ようとも思わなかったのです。日々の出来事――誰にそれが解りましょう。こんな奥州の東の隅で夏の一夜を明すのも思いがけないのです。こんな船に乗るのも思いがけないのです。第一、こうして津軽海峡を通るのも思いがけないのです。

艀の出たのは間もなくでした。勇しい南部訛(3)りの船頭の掛声と一緒に、四挺艪(4)で漕ぎ離れました。水夫の群は本船の舷に倚り凭って、旅客を満載した幾艘の小舟の近いて行くのを下瞰していたのです。生憎その日は一等も二等も満員。家内を連れての旅ですから、荷物扱いの三等ではどうかとも気遣われたものの、こういう天気には甲板の上に限る、とそこは自分に経験があるので、本船へ着くと直ぐ舳先の方に陣取りました。

やがて十時を報せる鐘と同時に、錨を抜く響が囂しく耳朶を打つ。別離を告げるような蒸気の音は、ぷぷぷぷぷと高く港の空に鳴り渡りました。

船は解纜けたのです。

自分等が陣取った甲板の上というのは、一抱擁も以上もある大な檣の側でした。「下り」の風が未申(5)の間から冷々と吹いて、花やかな日の光を送って来た時は、漸く自分も蘇生ったような心地になりましたのです。「ズック」張の日除の下に蓙を敷いて、積み重ねた手荷物に倚り凭りながら息みました。やがて一服やる積りで、腰の周囲を捜してみると、煙草入が無い。その時家内は自分の顔を熟視めて、「それ御覧なさいな、必定また旅舎へ置忘れていらしったんですよ。」と言って笑った。いや、これには自分でも驚いた。実に身の周囲のものを忘れたり落したりするとは、我ながら酷しい不覚。これでも自分は余程確乎している積りで、二言目には家内を叱り飛ばして、激励ますようにして来たのですけれど、この失策でみると、自分の喪心は家内以上です。「こりゃあ、乃公も余程どうかして居るわい」と考えると、さあ自分ながら心細く感ぜられる。敗けまい、敗けまい、と思うだけ、自分の頭脳は最早深い悲哀に撃砕かれて、白痴のようになっていたに相違ないのです。

平舘(6)の燈台を遠く白く背後に見て、青森湾を出はずれた頃は、日も次第に高くなりました。日本海の方面から押寄せて来る深藍色の暖流は舷の左右に鳴り溢れて、日の光に照り輝くのでした。船旅の徒然に、人々は甲板の上を往ったり来たりして眺める。自分もまた舷の欄干に倚り凭って、夏潮の音に聞き恍れて、その清爽な七月下旬の海の声に

心を澄ましていると——ついまた悴のことを考える。烈しい追憶の情は胸壁を衝いて湧き上りました。親の口から言うのも異なものですが、夭死する位の奴ですから、早くから世の中の歓しいや哀しいが解って、同じ学校の生徒仲間でも万事に敗を取る柳之助ではなかったのです。世間を観るに、信仰の無い今の時代は青年の心を静にさせておきません。悴の短い生涯が矢張それでした。飽くことを知らない悴のような精神は、ありとあらゆるこの世の事業と光栄と衰頽とを嗅ぎ尋ねて、人生というものの意味を窮めずにはいられなかったのです。飛んだ量見違いの大箆棒と、物見高い人々には睨ませておいて、言うに言われぬ悲慨を懐中にしながら、黙って現世を去る時のその心地はどんなでしたろうか。思想の上の絶望——ということが彼様な青年の一生にも言えるものなら、それは確に柳之助の儚い潔い最後でしょう。凡夫のかなしさ、学問して反って無学ということを知りましたのが悴の不幸でした。噫、悴は学問を捨てたのです。学問もまた悴を捨てたのです。到頭日光へ出かけて行って、華厳の滝へ落ちて死にました。忘れもしない、悴が突然に吾家へ帰って来て、それとなく別離の言葉を告げて行ったのは、自分が彼に意見をした最後の夜でした。思えばその翌朝——翌々朝——いやもうそれからは毎朝の悲嘆。家内は逆上して、「そんな意見をしたがわるい、悴を活かして返してよこせ、今すぐ。」と泣くやら叫くやら。拠なく取って押えて、蒲団で包むようにして、

馬乗りに乗りながら叱っても賺(すか)しても、そんなことで制しきれる狂女の力ではないのでした。七日ばかりは自分も碌々(ろくろく)食わず眠らず。実際、その頃の家内の様子は、あの忰のあとを追って、日光山中の懸瀑(たき)の中へ同じように身を投げないともかぎらなかった。漸く家内の気分も治った時、自分の心に浮んだのがこの旅行(たび)です。諸国の名所を見せ、寺々へ参詣させ、しるしのあるという温泉へも入れてみたら、あるいは家内の心も快愈(いえ)よう、それにあんな風でもなかなかの洒落者(しゃれもの)、気に入った帯があったら買ってもやろう、すこしは当世の風俗を見て精神を晴せ、とまあ児童(こども)を慫慂(そそのか)すようにして、こうして二人して旅に上ったのです。ああ、忰が傷(いたま)しい思を為尽(しつく)して、死ということに想い到った時にも、よもやそのために父が白痴(たわけ)になり、母が狂(きちがい)になって、昼は昼で哭(な)き、夜は夜で思い、こうして北海までもさまよって行こうとは、夢にも想像しなかったことでしょう。こういう自分は、平々凡々な、しかし安静(しずか)な無事な生涯を田舎に送って来た男なんです。どうでしょう、この平和な生涯が四十三年目にがらりと一変してしまったとは。実に、自分等夫婦は漂泊する巡礼の思でした。七月の海の空気を吸って、二人の馬鹿は互(たがい)に一人息子(むすこ)の死を瞑想しながら、夢のように潮の鳴る音を聞いておりましたのです。

深秘(ふしぎ)な空想(かんがえ)はいつのまにか自分の胸に宿りました。もし忰の死屍(しかばね)があの滝壺から浮上って、急流のために押流されたとすれば、落ち行くところは何処(どこ)でしょう。いずれこの

大海の中だ。左様だ、左様だ、この風濤の片時も静息まないところ、ここが悴の墳墓であろう、ここに柳之助が恒久眠るのであろう。とまあ、こんなことを思い耽っておりますと、やがて十二時の鐘が船中に鳴り響きました。

その時、昼飯といって乗客へ一個ずつ重箱形の弁当が渡る。烏賊の煮付のにおいを嗅いでみたばかりでも、自分等はもう食う気にならないのですが、その弁当を持った二人の青年が丁度自分等の側へ来て腰懸けて、さも甘そうにやり始めたのです。見れば一人は労働の経験もありそうな男、酒と女に身を持崩して、五稜郭あたりへ行って雪橇を曳くという、流れ渡りの「あんこさん」(7)を想い出させる。一人は二つ三つも年少で、まあ悴と丁度同年配。書生ということは、まだ初心な様子でも解る。それにあの眼鏡越しに海を眺める眼付の若々しさは、亡くなった柳之助に彷彿でした。他人の空似ということは有ますが、こうもまた克く肖た男があるものか知らんと、自分は心に驚いてしまった。どんなに自分は双方の眼を擦って、その書生の横顔を熟視りましたろう。家内は、と見ると、これも矢張同じ思です。自分等夫婦が互に顔を見合せた時は、言わず語らずの二人の心がもう悉皆通じたのでした。噫、こんな船の中で、死んだ子に邂逅うというはずもないのですが、そこがそれ思做しの故で、もし是方から声を掛けたら、「父上さん、父上さん。」と自分の手を執って、幽界の深秘と恐怖と苦痛とを訴えはすまいか——ど

う見ても悴だ、柳之助だ、と親馬鹿の迷想から、こんな途方も無いことを考えました。幾度(いくたび)自分は心の中で、「柳之助、柳之助」と呼んでみたか知れません。終(しまい)には大な声を出そうとして、自分で自分の無法に呆(あき)れたのです。

とうとうこんな風に切出(きりだ)しました。

「失礼ですが、君等はどちらでいらっしゃいます。」

「僕ですか。」とその書生は微笑(ほほえ)んで、「僕は江州(ごうしゅう)の方からやって来ました。」

「江州？　それはまた非常な御遠方から御出懸(おでかけ)ですな。」

「はあ。仙台に叔父が有ましてね、そこを頼って出て来たんです。ところがその叔父は戦争に行って居ないもんですから……まあ、これから一つ北海道へ職業(しごと)を見つけに行こうと思いまして――札幌にはおもしろい職業があるといいますからね――札幌が不可(いけな)けりゃ旭川あたりまで。」

「へえ、左様(そう)ですか。若い時はそれでなくちゃあ不可(いけない)。なあに、心配することは要りませんよ。働く気さいあれば、いくらも職業は見つかりますよ。」

と言い慰めて、自分はこの書生の質樸(しつぼく)な、快活な、しかも男らしい気象を見て取りました。年嵩(としかさ)な連(つれ)の男は、時々可厭(いや)な目付をして、盗むように是方(こちら)を見る。この書生に彼(あん)様な連があるということは、どうしても自分に合点が行かない。聞いてみると、偶然

同伴者(みちづれ)になったとかで、別段友達でもなければ、同国のものでも無いらしい。いわばただ同じような漂泊者であったのです。

家内は包の内から林檎(りんご)を取出しました。それは昨夕、青森で果実(くだもの)売る女の群に取囲(とりま)かれて、籠にあるのを買取って来たのです。柳之助はこうした淡泊(あっさり)したものを好みました。家内はまたそれを憶出したとみえて、丁度悴にでも呉(く)れるような気で、その色のまだ青々とした中でもすこしは黄ばんで甘(うま)そうなやつを、択(よ)って二人に薦めました。自分は悴を失くなしたことから、耳の遠い家内を連れてこうして旅行(たび)に出掛けて来たことまで、一伍一什(いちぶしじゅう)を話出して、「いえ、これも何かの御縁というものでしょう。何卒(どうか)まあ御遠慮なさらないで、一つ召上ってみて下さい。」とつけたして言いました。

「どうです、君、折角(せっかく)の御思召(おぼしめし)だ。一つ頂戴(ちょうだい)してみようじゃ有ませんか。」と連の男はあつかましく出る。

「さあさあ。」と自分は小刀(ナイフ)を出して薦めた。

家内は児童(こども)のように自分に倚り凭って、林檎を剝(む)く書生の手つきを見とれておりました。追憶(おもいで)の涙はその蒼(あおざ)めた頬を伝って、絶間(とめど)も無く流れ落ちるという様子でした。自分等夫婦はもう慾も得も無く、この肉身(からだ)までも忘れてしまって、現世で二度とは逢えないと思ったその悴の俤(おもかげ)にあこがれたのです。書生も、連の男も、果実(くだもの)を齧(かじ)る様子は丁度饑渇えた獣のようで、音を聞いてすら、さもさも甘そうに、食慾と血気とで震えながら食いました。

「甘いねえ、君。」

と書生は連の男に私語きながら、目を細くして林檎のにおいを嗅ぐのでした。

「甘い。」

と連の男も舌鼓を打った。

やがて一時の鐘が鳴る頃は、乗客がいずれも倦み果ててしまって、手荷物を枕に横になるのもあれば、魚のように口を開いて甲板の上で眠っているのもある。檣の周囲で盛に起った日露戦争の噂も、いつのまにやらぱったり止んでしまった。函館へ、早く。今は船の中でこう願わないものは無いのでした。ただ一時でもこうして長く居たいという思想の旅人は――恐らく、自分等夫婦ばかり。何故。というのは、こうしてこの青年と一緒に居て、あの柳之助を憶出すというのも、最早たった三時間しか無いのですから。というのは、ここでこの青年に別れてしまえば、再び邂逅う機会があるやら無いやら、いやもう一生忰に逢えないばかりでなく、その面影ですら三時間後には見ることが出来なくなってしまうのですから。

「何か君はしきりに睽めてるねえ。」

と書生はつかつかと舷の方へ歩いて行って、連の男の肩を叩いた。連の男は振返りながら、

「見給え、まあ彼の煙を。」

「煙?」

「どうも彼様なところに煙が見えるというのは不思議だ。」

「どれ、何処に――ちっとも見えないじゃないか、そのようなものは。」

「あれ彼の煙が君の目には見えないのかい。」

この二人の対話に不審を打って、自分も檣の側を離れた。遠く海峡の東を眺めると、烏賊の水族が乗って下るという暗濁色の「親潮」、その千島海流は水平線のところを浸して、日光の反射を受けて、白く黄に光りました。天空に横わるものは団々とした雲の群。七月三十日の午後の日ざかりで、盛夏極熱の暑はこの海を焼くかと思われました。水平線の上はただ一面紫がかった灰色。空気は濁って、別に煙らしいものが、目に入るでもなかった。先刻から安楽倚子の上に長くなって、静に『共同海損法』(8)を読んでいた船長は、と見ると、いつの間にか観橋に登って、しきりに望遠鏡で眺め入っていたのです。

急に自分等は不安の念に襲われました。船は青森を抜錨してから、彼是四十海里(9)も進

行して来ましたろうか、右舷大澗崎を望んで駛航してまいりますと、丁度その大澗崎の方角にあたって、雲のような煙が認められるようになった。二十分ばかりして、同じような第二の煙が顕出れる。つづいて第三。それは太平洋沿岸に出没するという噂のあった浦汐艦隊(10)で、大澗崎から竜飛崎の方角を望んで、三海里ばかりの沖合を海岸に沿いながら徐行して来たのです。次第に接近して、やがて彼我の距離が五海里ほどになると、艦影も判然しました。黒鼠色の三隻の敵艦が、武装の無い自分等の船の方へ向いて、殺気を帯びて寄り進んで来た時は、船員も乗客も総立になった。敵の陣形は単縦(11)で、各艦約半海里の間隔を置いて、先頭に「ロシヤ」――「グロンボイ」――後れて、「リュウリック。」

歓し哀しい追憶も、幻想も、この意外な翹望のために破砕されてしまいました。

その時は最早暗い船房に留っているものが一人も無かった。眩暈も、嘔吐も、疲労の苦痛も忘れてしまって、百四、五十人の乗客が一時に甲板の上へ集ったから堪りません。艫(12)の方に居た人々は、いずれも炊事室の側を通り抜けて、舳先へ舳先へと押寄せました。

「降りろ、降りろ、生命が惜しくば下へ降りろ」と呼ばっても叱っても、やたらに激昂し力みかえる人々、泣き叫ぶ女子供――とても船員の力で制しきれる混雑(13)では有ません。恐しい機関の音は一層の凄じさを添えました。敵はあの帆船の清渉丸をすら撃沈して、

船荷と金銭とを掠奪したというほどの手合ですから、こりゃ一刻も油断する場合で無いと、いずれも素足に尻端折、[14]なるべく身軽になって、風呂敷包は襷に背負いました。

「奥さんは僕が引受けます。」

と言ってくれた書生の言葉も僅に聞取れた位。家内はもう顔色を失って、書生の傍へ倚添いながら戦慄えました。

死――自分等は今その力の前に面と向って立ったのです。水夫の群は「ズック」の雨掩を取除けて、いざと言えば短艇を下す用意をしました。もし全速力で疾走して行ったら、一時間足らずに要塞の掩護に入ることが出来よう、というのが船長の覚悟でしたから、船はあらん限りの速力を出して、速力というよりは死力を出して進みました。

こういう危険な位置に陥った時、急に函館の方面から、丁度露艦と同一の方向に疾駆して来たのは吾艦艇でした。敵もまた同艦艇を見て、躊躇したものか、その進行を止めた模様。もっとも、敵のこの躊躇は、津軽海峡再度の通過の最後の決心を固めた時らしいので、遽然盛な黒煙を揚げて、飛鳥のように遁走をはじめました。

「万歳、万歳」の叫び声と一緒に、甲板の上の人々はいずれも吾艦艇の方へ向いて、帽子を振り動かしたのです。

「最早大丈夫。」

と自分は家内の方へ振返って、ホッと深い溜息を吐(つ)いた。

「大丈夫。」

と二度まで繰返した。家内はまだ書生の肩にとりすがって、容易にはその側(そば)を離れそうにも見えないのでした。

自分等夫婦がふたたび追憶(おもいで)の夢に帰って、残りすくなの時間を書生との物語に送ろうとした頃は、臥牛山(がぎゅうさん)(15)が眼前(めのまえ)に顕出(あらわ)れました。赤々とした断崖の一角が険しい傾斜になって、海の方へ落ちているところを見ると、その日をうけて白く光るのは函館の港の空。一羽の海鷗(かもめ)は舷(ふなべり)近く飛んで、まず自分等の無事を祝うかのように見えるのでした。

四時の定刻には港口に着きました。ああ甲板の上から函館の市街を望んだ時のその人々の歓喜(よろこび)は奈何(どんな)でしたろう。山腹の傾斜に並ぶ灰色の板屋根、石と砂とを載せた南部風の家々の間には、新しく高い甍(いらか)も聳(そび)えて、松、橅(ぶな)、「いたや」(16)の緑葉(みどりば)につつまれたその光景(ありさま)、または日に輝く寺院の高塔から、税関と病院と多くの学校の建築物(たてもの)まで——その新日本の港の眺望は、煙と空気とにつつまれて、自分等の眼前(めのまえ)におもしろく展(ひら)けました。海岸に集る黒山のような人々は、狂うばかりに歓喜(よろこび)の声を揚げて、この定期船の無事な入港を迎えたのです。駿河丸(17)もまた嬉しそうな蒸汽の音を鳴り響かせました。この港に碇泊していた多くの帆前船、蒸汽船、または大艀(おおはしけ)、弁才(べんざい)(18)、川崎船(かわさきぶね)(19)のたぐいから、

思い思いの目印に白く赤く化粧板を彩った三ぱ(20)、磯舟などの間を潜り抜けて、急いで桟橋の方へ近いた時の駿河丸は——丁度脅された水禽が危いところを遁れて、友呼ぶ声を揚げながら、早く岸へと焦心るかのよう。船が停って溜息を吐けば、波は囁きながら動揺しました。

　船客一同が艀に飛び移って、争って桟橋へ上った時は、迎えるもの、迎えられるもの、その狂喜した人々の光景といったら——親は子を、姉は妹を、抱きメるやら、武者振付くやら。女はいずれも嬉しさのあまりに泣いて、傍で観る人の心にすら実に深い震動を伝えるのでした。

　いよいよ書生と別れる時が来ました。名残惜しさに茫然として、群集の中に佇んだまま、自分等を取囲く宿屋の引のことは愚か、そこに置いた手荷物も、手に提げた鞄も、何もかもそのようなものは忘却れてしまって、ただただこの青年と最後の言葉を交していたのです。どんなに自分はこの一日の船旅を考えて、思いがけない人の親交と別離とに胸を打たれましたろう。

　急に連の男の姿が見えなくなったので、気が注いて振返った時は、見上げるような大な巡査が書生の胸を確乎と押えておりました。「それ、攫徒だ」と人々は自分等の周囲を取巻く。

「こら、貴様は何を茫然してる。物を奪られて知らずに居る奴があるか。」

とその巡査に言われて、はじめて自分はそこに置いた手荷物の無いに驚いたような仕末。

「何です、失敬な。」と書生は激昂して、押えられた腕を振解きながら、「僕はそのような不正なことをするような人間では有ません。」

「まあ、静にせい。貴様は一体何処の者か。貴様が不正なことをしたとは乃公も認めない——しかし不正なことをした男の連であろうが。」

こう巡査が言うので、自分の知っているだけの事実を並べて、決してこの青年が烏散なものでは無いと弁解をしてやりました。巡査は一々首肯いて、どうしてあんな胡麻の蠅(21)のような奴と同伴者になったか、それを書生から聞取った後、なおいろいろ尋問したり説諭したりして、自分にも早速盗難の手続をせよと言いました。

「あ、ちょと、貴様の住処姓名を聞いておこう。」

と巡査は手帳を取出して、書生の顔を眺めた。

「住処は何処か。」

「近江国栗太郡草津町。」

「姓名は。」

「西川廉太郎。」

「年齢は。」

「十九歳。」

この問答の後、書生は自分等夫婦に別離(わかれ)を告げて、ふたたび漂泊の旅に上ったのです。自分はその後姿を眺めて、亡くなった柳之助を憶出さずにいられないのでした。家内はまた其処(そこ)へ倒れるばかりに泣いて、漸く自分に取縋(とりすが)りながら見送りました。終(しまい)には二人して延び上り延び上り眺めて、麦藁(むぎわら)の夏帽子、白地の飛白(かすり)(22)の書生姿、その青年の形像(かたち)が群集(ひとびと)の中に没(はい)って、最後に隠れて見えなくなるまでも見送りました。

並木

近頃相川の怠ることは会社内でも評判になっている。一度弁当を腰に着けると、八年や九年位提（さ）げているのは造作もない。齷齪（あくせく）とした生涯を埃塵深（ほこりぶか）い巷（ちまた）に送っているうちに、最早（もう）相川は四十近くなった。彼は外国文学に精通した大家で、英語のほかに、仏語、それから露語もいける。もともと会社などに埋（うず）もれているべきはずの人ではないが、年をとった母親（おふくろ）を養うために、こういうところの椅子（いす）にも腰を掛けない訳にいかなかった。ここは会社といっても、営業部、銀行部、それぞれあって、まず官省（やくしょ）のような大組織。外国文書の翻訳、それが彼の担当する日々の勤務（つとめ）であった。足を洗おう、早く――この思想（かんがえ）は近頃になって殊に烈（はげ）しく彼の胸中を往来する。そのために深夜（よふけ）[1]までも思い耽（ふけ）る、朝も遅くなる、つい怠りがちになるような仕末。彼は長い長い腰弁生活に飽き疲れてしまった。全くこういうところに縛られていることが相川の性質に適（む）かないのであって、

あえて自ら恣（ほしいまま）にするのではない、と心を知った同僚は弁護してくれる。のみならず、苦労人といったような人々は沢山あっても、彼のように知り、彼のように気節というものを重んじ、彼のように数奇の境涯を通り越して来たものは――恐らくこの会社内にあるまいとは、見習の書記まで左様（そう）思っている。「相川さん、遅刻届は活版摺（かっぱんずり）にしておおきなすったら奈何（いかが）です、」などと、小癪（こしゃく）なことを吐（ぬか）す受付の小使（こづかい）までも、心の中（うち）では彼の貴い性質を尊敬して、普通の会社員と同じようには視（み）ていない。

日本橋呉服町に在る宏壮（おおき）な建築物（たてもの）の二階で、堆（うずだか）く積んだ簿書の裡（うち）に身を埋（うず）めながら、相川は前途のことを案じ煩（わずら）った。奈何（どう）いう事業（こと）をしよう、奈何（どう）いう方法にして辞職と同時に受取るべき手当の金を費そう、とその計画に心を労した。尤（もっと）もこういう計画に耽るのが相川の癖である。思い疲れているところへ、丁度（ちょうど）小使が名刺を持ってやって来た。原としてある。原は金沢の高等学校に奉職していておよそ八年振（ぶり）で尋ねて来たのであった。旧友――という人は数々ある中にも、この原、大学に教鞭を執（と）っている乙骨（おツこつ）、英吉利（イギリス）留学中の永田、新進作家の高瀬なぞは、相川が若い時から互いに往来した親しい間柄（あいだがら）だ。永田は遠からず帰朝するというし、高瀬は山の中から出て来たし、いよいよ原も家を挙げて出京するとなれば、連中は過ぐる十年間の辛酸を土産話（みやげばなし）にして再び東京に落合うこととなる。不取敢（とりあえず）、相川は椅子を離れた。高く薄暗い灰色の壁に添うて、用事

ありげな人々と摩違いながら、長い階段を下りて行った。

原は応接室に待っていた。八年ばかり見ないうちに、この友達の変ったことは。まず目につくは何かというに立派な口髭で、濃く厚く生えて、いかめしく長いところは「カイゼル[2]」とも言いたかった。

「君の出て来ることは、乙骨からも聞いたし、高瀬からも聞いた。」と相川は馴々敷、「時に、原君、今度は細君も御一緒かね。」

「いいえ。」と原はすこし改まったような調子で、「僕一人で出て来たんです。」

「ああ左様ですか、君一人ですか。」

「種々都合があって、家の者は彼地に置いて来ました。それにまだ荷物も置いてあるしね――」

「それじゃ、君、もう一度金沢へ帰らんけりゃなるまい。」

「ええ、帰って、家を片付けて、それからまた出て来ます。」

「そいつは大変だねえ。何しろ、家を移すということは容易じゃないよ――加之に遠方と来てるからなあ。」

原はただ嘆息していた。相川は金縁の眼鏡を取除して、丁寧に白い帕子で拭いて、やがてそれを掛添えながらつくづく友達の顔を眺めた。

「相川君、まだ僕は二、三日東京に居る積りですから、いずれ御宅の方へ伺うことにしましょう。」こう原は言出した。「いろいろ御話したいこともある。」

「では、君、こうしてくれ給え。明日午前に僕の家へやって来てくれ給え。久し振でゆっくり話そう。」

「明日？」と原は驚いた。「明日は君、土曜――会社があるじゃないか。」

「なあに、一日位休むサ。」

「そんなことをして可いんですか、会社の方は。」

「構わん。」

「じゃあ、左様しようかねえ。明日は御邪魔になりに伺うとしよう。久し振で僕も出て来たものだから、電車に乗っても、君、薩張方角が解らない。小川町から九段へかけて――あの辺は恐しく変ったねえ。まあ東京の変ったのには驚く。実に驚く。八年ばかり金沢に居る間に、僕はもうすっかり田舎者になってしまった。」

「左様さ、八年といえばやがて一昔だ。すこし長く居過ぎた気味はあるね。」

と言われて、原は淋しそうに笑っていた。この友達は矢張相川と同じように、外国文学の研究で一家を成した人で、素養が素養だけに英吉利風の紳士とでもいったような、質素な、高尚な、気象の面白い学者である。有体に言えば、原は金沢の方を辞めてしま

ったけれども、都会へ出て来てまだこれという目的（めあて）が無い。このたびの出京はそれとなく職業を捜すためでもある。不安の念は絶えず原の胸にあった。

「では失礼します、君も御多忙（おいそがしい）でしょうから。」原は帽子を執って起立（たちあが）った。「いずれ――明日――」

「まあ、いいじゃないか。」と相川は男らしい眉を揚げて、自分で自分の銷沈（しょうちん）した意気を励ますかのように見えた。煙草（たばこ）好きな彼は更に新しい紙巻を取出して、それを燻（ふか）してみせて、自分は今それほど忙しくないという意味を示したが、原の方では左様（そう）も酌（と）らなかった。

「乙骨君は近頃なかなか壮（さか）んなようだねえ。」

と不図（ふと）思出（おもいだ）したように、原は戸口のところに立って尋ねた。

「乙骨かい。」と相川は受けて、「乙骨は君、どうして。」

「何卒（どうぞ）、御逢（おあ）いでしたら宜敷（よろしく）。」

「ああ。」

匆々（そこそこ）にして原は出て行った。

その日は、人の心を腐らせるような、ジメジメと蒸暑い八月上旬のことで、やがて相川も翻訳の仕事を終って、丁度鍛冶屋がそこへ槌（つち）を卸したようにペンを投出（ほうりだ）した頃は、

もう沮喪してしまった。いつでも夕方近くなると、無駄に一日を過したような後悔の念が湧き上って来る。それがこの節相川の癖のようになっている。昨夜なぞは殊に非常な奮発をしたもので、

「まず朝は三時に起きる、そこいらを散歩して来る、一時間ばかり勉強する、飯を食って、新聞を読んで、それから会社へ出掛ける、」と考えて寝たが、今朝になってみると七時に眼が覚めて、新聞は床の中で読んだ。計画は一つも実行されなかった。余計に頭脳の中は煩悶する。「ええ、今日は最早仕方がない、」――こう相川は独語のように言って、思うままに一日の残りを費そう、と定めた。

沈鬱な心境を辿りながら、彼は飯田町六丁目の家の方へ帰って行った。途々友達のことが胸に浮ぶ。確かに老けた。朝に晩に逢う人は、恰も住慣れた町を眺めるように、近過ぎて反って何の新しい感想も起らないが、稀に面を合せた友達を見ると、実に、実に、驚くほど変っている。高瀬という友達の言草に、「人間には二通りある――一方の人はじりじり年をとる、他方の人は長い間若くて居て急にドシンと陥没ちる、」と言って笑ったことがある。相川は今その言葉を思出して、原をじりじり年をとる方に、自分をドシンと陥没ちる方に考えてみたが、しかし友達も彼様変っていようとは思いがけなかった。原ともあろうものが今から年をとって奈何する。と彼は歩きながら嘆息した。実際、

相川はまだまだ若いつもりでいる。「君は変らないよ」と言われたことのある彼は、だから、久し振で出て来た友達のことを考えて、歯癢(はがゆ)いような気がした。

「田舎に長く居過ぎた故(せい)だ。」

こう言ってみたのである。

古本を猟(あさ)ることはこの節彼が見つけた慰藉(なぐさめ)の一つであった。これほど費用(ついえ)が少(すくな)くて快楽(たのしみ)の多いものはなかろう、とは持論である。既に幾冊か洋書を手に入れもした。その日も何か珍本を掘出すつもりで、例のように錦町から小川町の通りへ出た。そここと尋ねあぐんで、やがてぶらぶら裏神保町まで歩いて行くと、軒を並べた本屋町が彼の眼前(めのまえ)に展(ひら)けた。あらゆる種類の書籍が客の眼を引くように飾ってある。罵(ののし)るものも、罵られるものも、ここでは同じように砂塵(すなぼこり)を浴びていた。棚曝(たなざら)しになった聖賢の伝記や、読み捨てられた物語や、獄中の日誌や、それから世に忘れられた詩歌もあれば、酒と女と食物との手引草(3)もある。およそ今日までの代の変遷(うつりかわり)を見せる一種の展覧会、とでもいったような具合に、あるいは人間の無益な努力、徒(いたずら)に流した涙、滅びて行く名――そういうものが雑然(ごちゃごちゃ)陳列してあるかのように見えた。諸方(ほうぼう)の店頭(みせさき)には立(たっ)て素見(ひやか)している人々もある。こういう向の雑書を猟ることは、尤(もっと)も、相川の目的ではなかったが、不図ある店の前に立って見渡しているうちに、意外なものを発見したのであった。まず彼は

胸を打たれた。

何気なく取上げて、日に晒された表紙の塵埃を払ってみる。紛もない彼自身の著書だ。自然と彼の手は震えて来た。それは二年ばかり前に出版したもので、今は版元でも品切になっている。貸失して彼の手許にも残っていない。兎に角、一冊出て来た。生意気な小僧がそこに居て、十八銭にまけておくと言われた時は、あまり好い心地もしないのであったが、自分の書いたものを直切るのも変だ、と思って、言い値で買って、やがて相川はその店を出た。雨はポツポツ落ちて来た。家へ帰ってから読むつもりであったのを、その晩は青木といって彼の弟子分にあたる大学生に押掛けられた。割合に蚊の居ない晩で、二人で水瓜を食いながら話した。はじめて例の著書が出版された当時、ある雑誌の上で長々と批評して、他人が見てはむしろ著者を嘲ったような言葉でありながら実は相川のために万斛(4)の涙をそそいで、あるいは「超人ならぬ凡人の告白」であると言ったり、あるいは「ツルゲネエフの情緒あって、ツルゲネエフの想像なし」と評したりしたのは、この青木という男である。青木は八時頃に帰った。それから相川は本を披けて、畳の上に寝ころびながら読み初めた。種々なことが出て来る。原や高瀬なぞの友達のこともある。何処へ嫁いて奈何なったかと思うような人々のこともある。

「人は何事にても或事を成さば可なりと信ず。されどその或事とは何ぞや。われはそ

を知らむことを求む、されど未だ見出し得ず。さらば、斯く闇黒の中に座するは、吾事業なるか――」

ずっと旧いところの稿には斯様なことも書いてある。

豪爽な感想のする夏の雨が急に滝のように落ちて来た。屋根の上にも、庭の草木の上にも烈しく降りそそいだ。むっくと起直って、冷しい雨の音を聞きながら、今昔のことを考えると居ても起ってもいられないような気がする。友にも言えず、妻にも話されず、まして青年の時代には自分でも思いよらなかったようなこの一夜の心――誰が知ろう。蚊帳の中へ潜り込んでからも、相川は眠られなかった。多感多情であった三十何年の生涯をその晩ほど想い浮べたことはなかったのである。

「飽くまでも戦おう。」

こう憤慨に堪ないような調子で言って、寝苦しさのあまりに戸を開けてみた頃は、雨も最早すっかり止んでいた。洗ったような庭の内が何となく青白く見えるは、やがて夜が明けるのであろう。

「ああ、短夜だ。」

と呟いて、また相川は蚊帳の内へ入った。

翌日、原は午前のうちに訪ねて来た。子供へと言って、手土産の「ビスケット」なぞ

を忘れずに用意して来るところは、流石田舎で長く苦労した人だけある。相川の家族はかわるがわる出て、奈何にこの珍客を款待したろう。七歳になる可愛らしい女の児を始め、四人の子供はめずらしそうに、この髭の叔父さんを囲繞いた。

　御　届

　私儀、病気につき、今日欠勤仕り度、此段御届に及び候也。

こう相川は書いて、それを車夫(5)に持たせて会社へ届けることにした。

「あれ、原さんで御座ましたか。すっかり私は御見それ申してしまいましたよ。」

と国訛りのある語調で言って、そこへ挨拶に出たのは相川の母親である。吾子の友達を見るにつけても、直に往時を思出すという風で、老の涙はこの母親の慈悲深い眼に輝いていた。

「どうも私のために会社を御休み下すっては御気の毒ですなあ。」と原は相川の妻の方へ向いて言った。

「なんの、貴方、稀にいらしって下すったんですもの。」と相川の妻は如才なく、「どんなにか宿でも喜んで居りますんですよ。」

　こういう話をしているうちに、相川は着物を着更えた。やがて二人の友達は一緒に飯田町の宿を出た。

昼飯は相川が奢った。その日は日比谷公園を散歩しながら久し振でゆっくり話そう、ということに定めて、街鉄(6)の電車で市区改正(7)中の町々を通り過ぎた。日比谷へ行くことは原にとって始めてであるばかりでなく、電車の窓から見える市街の光景はすべて驚くべき事実を語るかのように思われた。道路も変った。家の構造も変った。店の飾り付も変った。そこここに高く聳ゆる宏大な建築物は、壮麗で、斬新で、燻んだ、従来の形式を圧倒して立つように見えた。何もかも進もうとしている。動揺している、活気に溢れている。新しいものが旧いものに変ろうとしている。八月の日の光は窓の外に満ちて、家々の屋根と緑葉とに映り輝いて、この東京の都を壮んに燃えるように見せた。見るもの聞くものは烈しく原の心を刺激したのである。原は相川と一緒に電車を下りた時、馳せちがう人々の雑沓と、混乱れた物の響とで、すこし気が遠くなるような心地もした。

新しい公園の光景はやがて二人の前に展けた。池と花園との間の細い小径へ出ると、「かくれみの」の樹の葉が活々と茂り合っていて、草の上に落ちた影は殊に深い緑色に見えた。日に萎れたような薔薇の息は風に送られて匂って来る。それを嗅ぐと、急に原は金沢の空が恋しくなった。畠を作ったり、鶏を飼ったりした八年間の田園生活、奈何にそれが原の身にとって、閑散で、幽静で、楽しかったろう。原はこれから家を挙げて引越して来るにしても、角筈(8)か千駄木あたりの郊外生活を夢みている。足ることを知る

という哲学者のように、原は自然に任せて楽もうと思うのであった。

美しい洋傘を翳した人々は幾群か二人の側を通り過ぎた。昔のように内輪に歩いている娘は一人も無い。いずれも親泣かせといったような連中が、互に当世の流行を競い合っての風俗は、華麗で、奔放で、絵のように見える。色も、好みも、皆な変った。中には男に繊弱な手を預け、横から私語かせ、軽く笑いながら樹蔭を行くものもあった。妻とすら一緒に歩いたことのない原は、この大胆な振舞に怖毛を震って、時々立留っては嘆息した。これが首を延して翹望れていた「新しい時代というものであろうか。」こう原は心に驚いたのである。

(9)奏楽堂の後へ出た頃、原は眺め入って、

「しかし、お互いに年をとったねえ。」

と言い出した。相川は忌々敷そうに肩を動りながら、

「年をとった?　僕は今までそんなことを思ったことはないよ。」

「そうかなあ。」と原は微笑んで、「僕はある。一昨日も大学の柏木君に逢ったがね、ああ柏木君も年をとったなあ、と左様思ったよ。誰だって君、年をとるサ。僕などを見給え。頭に白髪が生えるならまだしもだが、どうかすると髯にまで出るようになったからねえ。」

相川は答えなかった。

「心細いことを云い出したぜ。」と相川は腹の中で云った。年をとるなんて、相川に言わせると、そんなことは小欠にも出したくなかった。誰やらの言草ではないが、まだ海老茶(10)の香もする気でいる。昔の束髪連(11)なぞが蒼い顔をして、光沢も失くなって、まるで老婆然とした容子を見ると、他事でも腹が立つ。それ、そういう気象だ。「お互いにまだ三十代じゃないか――僕なぞはこれからだ」と相川は心に繰返していた。

二人は並んで黙って歩いた。

やや暫時経って原は金沢の生活の楽しかったことを説き初めた。大な士族邸を借て住んだこと、裏庭には茶畠もあれば竹藪もあったこと、自分で鍬を取って野菜を作ったこと、西洋の草花もいろいろ植えて、鶏も飼う、猫も居る――丁度、八年の間、百姓のように自然な暮しをしたことを話した。

「ふむ。」

と相川は歩きながら答えた。恐しく気乗りのする時と、しない時とある人で、「ふむ」と答えるには答えたが、全く別の事を考えながら返事をしていた。

原は聞いてもらう積りで、市中には事業があっても生活が無い、生活のあるのは郊外だ――そこで自分の計画には角筈か千駄木あたりへ引越して来る、兎に角家を移す、ま

ず住むことを考えてそれから事業の方に取掛る、こう話した。

「それじゃあ、家の方は大凡見当がついたというものだね。」と相川は尋ねた。

「左様さ君。」

「はははは。原君と僕とは大分違うなあ。僕ならまず事業を探すよ——家の方なんざあ奈何でも可い。」

「しかし、出て来てみたら、何かまた事業があるだろうと思うんだ。」

「容易に無いね——まず一年位は遊ぶ覚悟でなけりゃあ。」

家を中心にして一生の計画を立てようという人と、まず屋の外に出てそれから何事かしようという人と、この二人の友達はやがて公園内の茶店へ入った。涼しい風の来そうなところを択んで、腰を掛けて、相川は洋服の落袋(12)から巻煙草を取出す。原は黒絽(13)の羽織のまま腕まくりして、帕子で手の汗を拭いた。

黄に盛り上げた「アイスクリイム」、夏の果物、菓子等がそこへ持運ばれた。相川は左の手に「アイスクリイム」の匙を持って、右の手で巻煙草を燻しながら、

「時に、原君、今度は奈様かいう計画があって引越して来るかね。」

「計画とは?」と原は帕子で長い口髭を拭いた。

「だって君、左様じゃないか、やがてお互いに四十という声を聞くじゃないか。何と

か計画をしなけりゃなるまい。」

「だから僕も田舎を辞めて来たような訳さ。それに、まあ差当りこれという職業も無いが、その内には奈様かなるだろうと思って——」

「いや、僕は差当ってのことを言ったんじゃないよ。」と相川は原の言葉を遮った。

「その何さ——これからの方針さ。もう君、一生の事業に取掛っても可かろう。」

「それには僕はこういうことを考えてる。」と原は濃い眉を動して、「しかし君、笑っては困るよ。」

「誰が笑うものか。こりゃあ真面目な問題だ。」と相川は腹立しそうに。

「僕はねえ、一つ図書館をやってみたいと思ってる。」こう原は言い出した。

「むむ、図書館も好かろう。」と相川は力を入れて、「君が一生の事業として行ろうというんなら、それも好かろう。」

「既に金沢の方で、学校の図書室を預って、多少その方の経験もあるがね、こう幽静で、世間の声が聞えなくって、(14)丁度中世紀あたりの寺院にでも居るような気がする。周囲にはダンテも居る。ボッカシオも居る——何となく僕の趣味に適するんだね。」

「尤も、君は昔から左様いう性質の人だった。」

「まず柄にある方かネ。はははは。」

「しかし、」と相川は堅く自分の手を握り〆めて、「図書館も好いが、そこに物が無くッちゃあ仕様があるまい。まず準備が要る、金をかける人がある、建築物が出来る、それから君のような人を要する、こういう順序だから、それを待っているのは容易じゃない。果して左様いう機会にうまく遭遇すか奈何か。」

「僕は斯様なことも考えてる。あの議院に附属した大な図書館でもあると、一つ行ってみたいと思うんだが――」

「まず出来そうもないね。今の政事家が、君の思うような図書館を要するのは――左様さ、何十年の後だろうよ。」

「ははははは。」と原は口髭を捻りながら笑った。

茶店の片隅には四、五人の若い給仕女が集って小猫を相手に戯れていた。時々高い笑声が起る。小猫は黒毛の、眼を光らせた奴で、いつの間にか二人の腰掛けている方へ来て鳴いた。

「しッ、しッ」と相川が追うようにすると、小猫は彼の方を遠廻りして、やがて原の膝の上に登った。

「まあ、その猫を下し給え。」と相川は靴を鳴しながら言って、

「左様してると、何だか見ても暑苦しそうだ。」

「ナニ、僕はこういうものが好きなんでね。」と笑って、原は黒い小猫の頭を撫でてやった。

「好きな人は解るものとみえるなあ。」と相川は顔を顰めて、「それはそうと、原君、長く田舎に居て随分勉強したろうねえ。君はこの節奈何いうものを読んでる。」

「僕かい。」と原は苦笑した。「僕なぞは別に新しいものを読まないさ。此頃も英吉利の永田君から手紙が来たがね、お互いにチョン髷党(15)だッて――」

「左様謙遜したものでもなかろう。バルザックやドウデエなぞを読出したのは、君の方が僕より早いぜ――それ、見給え。」

「あの時分は夢中だった。」と原は言消して、やがて気を変えて、「君こそ勉強したろう。君は大陸通だ、という評判だ。」

「大陸通というほどでもないがね、まあ露西亜物は大分集めた。」と相川は思出したように、「この節、またツルゲネエフを読出した。晩年の作で、ホラ、『ヴァジン、ソイル(16)』――あれを会社へ持って行って、暇に披けて見てるが、ネズダノオフという主人公が出て来らあね。何だかこう自分のことを書いたんじゃないか、と思うようなところがあるよ。」

「ホウ。」

「その主人公は、理想はあるが、実行することの出来ない人なんだ。事業をしようしようと思っても、どうしてもそれが出来ないような性質だから仕方がない。可愛そうに、ネズダノオフの生涯は自殺で終る。」と言って、相川は力を入れて、「畢竟――空想家では駄目なんだねえ。」

急に相川の眼は輝いた。

その時、大学生の青木が、布施という友達と一緒に、この茶店へ入って来た。「やあ」という声は双方から一緒に出た。相川の周囲は遽然賑かになった。

「原君、御紹介しましょう。」と相川は青木の方を指して、「これは青木君です。大学の英文科に居て、来年卒業される方です。」

「ああ、貴方が青木さんですか。御書きになったものは克く雑誌で拝見して居ました。」と原は丁寧に挨拶する。

青木は銀縁の眼鏡を掛けた、髪を五分刈にしている男で、原の出様が丁寧であったために、すこし極りのわるそうに挨拶した。

「是方は、」と相川は布施の方を指して、「布施君――矢張青木君と同級です。」

布施は髪を見事に分けていた。男らしいうちにも愛敬のある物の言振で、「私は中学校に居る時代から原先生のものを愛読しました。」

「この布施君は永田君に習った人なんです。」と相川は原の方を向いて言った。

「永田君に？」と原は可懐しそうに。

「はあ、永田先生には非常に御厄介になりました。」と布施は答えた。

「青木君、洋服は珍しいね。」と相川は笑いながら、「むう、仲々好く似合う。」

「青木君は――」と布施は引取って、「洋服を着たら若くなったという評判です。」

「どうも到る処でひやかされるなあ。」と青木は五分刈の頭を撫でた。

「時に、会の方は奈何定りました。」と相川は尋ねた。

「乙骨先生の講演、これは動きません。それから高瀬先生も出て下さると仰在いました。」こう布施は答える。

「高瀬は君、あんまり澄してるからね、ちっと引張出さんけりゃ不可よ。」と言って、相川は原の方を見て、「君も引越して来たら、是非吾儕の会のために尽力してくれ給え。」

「何卒、原先生にも御話を一つ。」と布施は敬意を表して言った。

「駄目です。」と原は謙遜な調子で言って、「今、相川君にも話したんですが、僕なぞは最早チョン髷の方で――」

「其様なことは有ません。」と布施は言葉を和げて、さも可懐しそうに、「実際、私は

原先生のものを愛読しましたよ。永田先生にも克くその話をしましたッけ。」

「まあ、私達は先生方が産んで下すった子供なんです。」と青木は附加した。

眼鏡越しに是方を眺める青木の眼付の若々しさ、往時を可懐しがる布施の容貌に顕れた真実――いずれも原の身にとっては追懐の種であった。相川や、乙骨や、高瀬や、それから永田なぞと、よく往ったり来たりした時代は、最早遠く過去になったような気がする。

「相川先生。」と青木は突如に新しいことを持出すのが癖で、

「此頃から私は並木ということを考えて居ますが――」

「並木？」と相川は不思議そうに。

「あの御堀端なぞに柳の樹が並んでるのを見ますと、こう同じような高さに揃えられて、枝も何も切られてしまって、各自の特色を出すことも出来ないで居るところは――丁度今の社会に出て働く人のようでは有ますまいか。個人が特色を出したくても、社会が出させない。皆な同じように切られて、風情も何も無い人間になってしまう。実は今朝散歩に出て左様思いました、あ、吾儕も今にこの並木のようになるのかなあ、と。」

「むう、成程――むう、面白い。」と相川は涙の出るほど笑った。「左様いう青木君は大分特色を発揮したね。はははは。」

原も、布施も、一緒になって笑った。

「してみると、僕なぞは今その並木になりつつある方だ。」と言って、相川は笑の涙を押拭った。

「いえ。」と青木は頭を掻きながら、「先生のことを言った訳ではないんです。先生は並木にはなれない方です。」

「左様かねえ――僕は並木になれない方かねえ。」

「だから時々会社を御休みになったり、怠けたりなさるんでしょう。」

また一同は大笑いになった。

間もなく四人はこの茶店を出た。細い幹の松が植えてある芝生の間の小径のところで、相川、原の二人は書生連に別れて、池に添うて右の方へ曲った。原が振返った時は、もう青木も布施も見えなかった。

原は嘆息して、

「今の若い連中は仲々面白いことを考えてるねえ。」

「そりゃあ、君、進んで居るさ。」と相川は歩きながら新しい巻煙草に火を点けた。

「吾儕の若い時とは違うさ。」

「左様だろうなあ。」

「それに、あの二人なぞは立派に働ける人達だよ——どうして、君、よく物が解ってらあね。」

「どうも左様らしい。吾儕の若い時代には考えないようなことを、今の若い人は皆な考えてるようだ。」

こういう言葉を交換して歩いて行くうちに、二人は池に臨んだ石垣の上へ出て来た。樹蔭に置並べた共同腰掛には、午睡の夢を貪っている人々がある、蒼ざめて死んだような顔付の女も居る、貧しい職人体の男も居る、中には茫然と眺め入って奈何してその日の夕飯にありつこうと案じ煩うような落魄した人間も居た、樹と樹との間には、花園の眺めが面白く展けて、流行を追う人々の洋傘なぞが動揺する日の光の中に輝く光景も見える。

二人は鬱蒼とした欅の下を択んだ。そこには人も居なかった。

「ああ、今日は疲れた。」

と相川はがっかりしたように腰を掛ける。原は立って眺め入りながら、

「相川君、何故こう世の中は急に変って来たものだろう。この二、三年、特に激しい変化が起ったのかねえ。それとも、十年前だって同じように変って居たのが、ただ吾儕に解らなかったのかねえ。」

「左様さなあ。」と相川は胸を突出して、「この二、三年の変化は特に急激なんだろう。こういう世の中になって来たんだ。」

「戦争の影響かしら。」

「無論それもある。それから君、電車が出来て交通は激しくなる——市区改正のためにどしどし町は変る——東京は今、革命の最中だ。」

「海老茶も勢力になったね。」と原は思出したように。

「うん、海老茶か。」と相川は考深い眼付をして言った。

「女も変った。」と原は力を入れて、「田舎から出て来てみると、女の風俗の変ったのには驚いてしまう。こう世の中が贅沢になっては、結局奈何なるかと思うようだ、実に、華麗な、大胆な風俗だ。見給え、通る人は各自に思い思いの風をしてる。」

「兎に角、進んで来たんだね。着物の色からして、昔は割合に単純なもので満足した。今は子供の着るものですら、黄とか紅とかいわないで、多く間色を用いるようになった。それだけ進歩して来たんだろうねえ。」

「しかし、相川君、内部も同じように進んで居るんだろうか。」

「無論さ。」

「左様かなあ——どうも今の若い人の心地が僕なぞには解らなくなった。」

「原君、原君、まだまだ吾儕（われわれ）の時代だと思ってるうちに、何時（いつ）の間にか新しい時代が来て居るんだねえ。」

長いこと二人は言葉を交さないで、悄然（しょうぜん）と眺め入っていた。

「ああ、僕は昔のことを思出した。」

と相川は身を起した。急に彼は十年、十五年前の心に返った。今更のように友達の顔を眺めると、二度とは来ない青年時代のその可懐（なつか）しい香（におい）を嗅ぐような心地（こころもち）がした。「お互いに年をとったねえ」などと言われて、腹の立つように思った彼は、相憐（あいあわれ）むという心に変ったのである。

「南君は奈何（どう）したかねえ。」と原も思出したように、同窓の友達のことを尋ねる。

「むむ、南か。」と相川は熱心な眸（ひとみ）を原の面（おもて）に注いだ。「南も衰えたよ。相馬は死ぬし、三島も亡くなったし、あの小林も亜米利加（アメリカ）の客舎で倒れてしまった。最早（もう）君、同級生の中で三人も死んでる。何時（いつ）逢ってみても昔と同じ心地（こころもち）のするのは、君と、高瀬だ。」

「高瀬君には近頃御逢いですか。」

「うん、時々逢う。」

「何卒（どうぞ）、高瀬君にも宜敷（よろしく）。」と原は急に改まったように挨拶した。

「ああ。」と相川は受けて、「考えてみると、吾儕（われわれ）二人を文学という方面へ引付（ひきつけ）たのは彼の男だね。うん、兎に角、火を点けたのは彼奴だ。それから三人はずっと同じような道を歩いて来た。何といっても、三人は兄弟サ――そのくせ、お互いに解ってやしないんだがね。」

「ははははは。」と原は相好を崩して笑った。「解らないから友達になってるのかも知れない。」

「はははは。」と相川も反返って笑って、「しかし、高瀬も変ったよ。」

「お互いに変るサ。」

「左様だ、お互いに変って来た。ただ変らないのは友情だ。」と相川は感慨に堪えないという風で、

「原君――君と僕と友達になったのは、偶然だろうかねえ。」

「偶然?」原の眼は輝いた。「偶然じゃないさ。そんなら見給え、ほかに同級生が幾人かあっても、左様親しくならない人もあるじゃないか。」

「してみると、何処か性質に同じようなところが有るのかなあ。」

「そりゃあ、君、有るサ。」

「共通な点がねえ――」

「無論有るよ。」

「ああ、君と僕とは友達だ――離れることの出来ない友達だ。」

二人はまた涙の出るほど心の底から笑って、一緒に並んで公園の門の方へ下りた。

やがて別れる時が来た。暫時二人は門外の石橋のところに佇みながら、混雑した往来の光景を眺めた。旧い都が倒れかかって、まだそこここに徳川時代からの遺物も散在しているところは――丁度、熾んに燃えている火と、煙と、人とに満されたその火事場の凄じい雑踏を思い起させる。新東京――これから建設されようとする大都会――それはおのずからこの打破と、崩壊と、驚くべき変遷との間に展けて行くようにみえた。

「ああ出て来てよかった。」

と原は心に繰返したのである。再会を約して彼は築地行の電車に乗った。

友達に別れると、遽然相川は気の衰頽を感じた。可傷しい覚醒の念を抱きながら、内堀に添うて平坦な道路を帰って行った。友達の計画していることを空想のように笑った彼は、反対にその友達のために、深く、深く、自分の抱負を傷けられたような気もした。実際、相川の計画していることは沢山ある。学校を新に興そうとも思っている。新聞をやってみようとも思っている。出版事業のことも考えている。すくなくも社会のために尽そうという熱い烈しい希望を抱いている。しかしながら、彼は一つも手を着けていなかった。

和田倉橋から一つ橋の方へ、堀を左に見ながら歩いて行くと、日頃相川が「腰弁街道」と名を付けたところへ出た。方々の官省(やくしょ)もひける頃とみえて、風呂敷包を小脇に擁(かか)えた連中が、柳の並木の蔭をぞろぞろ通る。何等の遠い慮(おもんぱかり)もなく、何等の準備(したく)もなく、ただただ身の行末を思い煩うような有様をして、今にも地に沈むかと疑われるばかりの不規則な、力の無い歩みを運びながら、あるいは洋服で腕組みしたり、あるいは頭を垂れたり、あるいは薄荷(はっか)パイプを啣(くわ)えたりして、熱い砂を踏んで行く人の群を眺めると、恰(あだか)も長い戦争に疲れてしまって、肩で息をしながら歩いて行く兵卒を見るような気がする。「ああ、並木だ。」と相川は大学生の青木が言ったことを胸に浮べた。原も、高瀬も、それからまた自分も、すべてこの堀端の並木のように、片輪の人になって行くような心地がしたのである。

暗い、悲しい思想が、憤慨の情に交って、相川の胸を衝(つ)くばかりに湧き上った。彼は敗兵を叱咤(しった)する若い士官のように、塵埃(ほこり)だらけになった腰弁の群を眺めながら、

「もっと頭を挙げて歩け。」

こう言った。冷い涙は彼の頰を伝って流れた。

（明治四十年六月『文芸倶楽部』第十三巻第九号「ふた昔」掲載を底本とした）

死

その年は秋に入ってから、激烈な虎列剌(1)が流行した。本郷森川町(2)の親戚の家でも、弱々しい叔母さんや、お君ちゃんや、それから鶴叔父さんなぞは別に何ともなくて、あの頬の色の艶々とした、壮健な、潔癖な、しかも家中で一番克く働く祖母さんが虎列剌に罹った。私は、祖母さんのような心がけの人が彼様な可畏しい病気に罹って、急に避病院(3)の方へ浚われて行こうとは、夢にも思わなかった――尤も、祖母さんは平素から腸は悪かった。私はその頃切通坂下に下宿していたが、かねて郷里の母から手紙で言って寄したこともあり、こういう時には何かの役に立ちたいと思った。で、病人を載せた釣台(4)の後に随いて、よくよく子に縁の薄い祖母さんの一生を考えながら、本所まで歩いて行った。避病院へ着いた時に最早左様思った。「この人は助かる人じゃない、」と思った。私は祖母さんを送り届けておいて、帰りがけに仙台の方に居る重叔父さんの許へ電報を

打って、それからまた森川町へ引返した。

交通遮断。親戚の家の前には迷惑顔な巡査が見張をしていた。この出来事は、同じ井戸の水を汲んで飲む近所の家々に恐慌を惹起したらしかった――その頃はまだ水道は無かったので。狭い往来にはパッタリ人通りがなくなった。向の喜多さんでも、隣の大屋さんでも、もう沈まり返っていた。

私は巡査に挨拶して、それから石灰の白く撒いてある格子戸の外に立った。

「叔母さん。」

こう外から声を掛けたが、ふと、その時喜多さんの邸の方を振向いて見ると、二階の窓から顔を出している女があった。私は、その女の神経質らしい眼付と、コワゴワ此方を覗いて見ている様子とで、直に喜多さんの家の乳母だと知った。

叔母さんは蒼い顔をして上り端のところへ出て来た。出入は無論許されなかったから、拠なく私は格子戸を隔てて、病院へ行った模様から帰りがけに打った電報のことなどを委敷叔母さんに話した。

「どうも種々御世話様で御座いました。」と叔母さんは内から礼を言った。

私は格子戸に摑まりながら、「時に叔母さん、何か買物は有りませんか。御使に行って来ましょう。八百屋物でも何でも買って来て進げます。」

「左様(そう)ですか。」と叔母さんは気の毒そうに、「お使い立て申しては済みませんが……」

「ナニ、どうせ序(ついで)ですから。」と言って、私は叔母さんを励ますつもりで、「なんでも、こういう時には食べ慣れた物が宜(よ)う御座んすよ。野菜の新しいのを、よく煮て、食べてさえ居れば、一番安心です。」

「私も左様(そう)思ってサ。下手なお魚は恐(こわ)くってねえ。では、御気の毒さまですが、お茄子(なす)か何か見立てて買って来て下さいな。お菜(かず)になるようなものなら何でも宜う御座んす。」こう叔母さんが言って、それから風呂敷を取りに奥の方へ行った。叔母さんは野菜を買う金銭(おあし)と風呂敷を格子の外へ出してよこした。それを持って私は町の方へ使に行った。

やがて風呂敷包を提げて帰って来た。茄子、大角豆(ささげ)などは、祖母(おばあ)さんの好物で、よく私もこの家へ来ては御馳走になったものだ。それを思ったから、なるべく色の好さそうなのを択(えら)んで買って来て、また私は格子戸の外に立った。叔母さんは礼を言ってその風呂敷包を受取った。

「叔母さん、水は?」と私が聞いてみた。

「先刻(さっき)巡査(おまわり)さんが汲んで下すったけれど、」と叔母さんは笑って、

「じゃあ、もう一ぱい汲んでおいて頂きましょうか。」

「ええ、お出しなさい。」と私が言った。

叔母さんは台所の障子を開けた。私もその時、勝手口の方へ廻った。井戸端には長く喜多さんの邸に奉公する女中が水を汲んでいた。そこは喜多さんの邸の裏口に近くて、木戸から出入することの出来るようになっている。私が手桶を提げて行くと、女中は水を汲んでくれて、そのかわりに祖母さんのことを種々聞き尋ねた。

私も話さない訳にいかなかった。「昨日の昼頃からでしたよ。お腹が痛いと言出したのは。今朝来てみますとね、顔の相がまるで変って、一晩の下痢のために目などもこう落込んでいましたっけ。それからお医者様が来る、心臓へ注射をする……」

「もう其様にいけなかったんですか。」と女中は眉をひそめた。

「ええ、脈の搏ち方が不健全でしたから。」

「それで、なんですか、貴方が病院まで随いていらしったんですか——可恐かったでしょうねえ。」

こうして話していると、何時の間にか木戸のところへやって来て、私達の話を立聞しているものがあった。

「お留さん！」

女中は乳母の名を呼んだ。

急に乳母は引返して行ってしまった。その時、私はこの女中からお留さんの話を聞いて、いかに彼の乳母が祖母さんの病気を可恐がって居るかということを知った。それは普通の恐怖を通り越して、病的に聞えた。あるいは乳母に言わせると、こうして不思議がっている私達の方が余程不思議かも知れないが、でも私達は胡麻塩でなければ飯が食べられないほどに虎列刺を恐れてはいなかった。あの病気が流行り出したという頃から、乳母は一切他のお菜を口に入れない位だという。朋輩が奥から刺身でも頂戴すると乳母は袖を引て止める。それほどの神経家だから、喜多さんの家でも持余して、なるべく虎列刺の話はしないようにしていても、何時の間にか乳母の方では嗅付けて、やれ昨日は葬式が幾つ通ったの、今日は幾つあったのと、よくまたそれを知っている。こういう女の眼前で、吐いたり、下したりする人が出来たから堪らない。喜多さんの家では私の祖母さんの病気を隠せるだけ隠した。しかし、あの乳母の鋭い神経に何時までそれが隠し切るはずのものでもなかった。加に巡査は立つ、石灰の臭はして来る……

極く短い間に、これだけのことが私の頭脳へ入った。私は叔母さんの家の水瓶に水を満たしておいて、それから一旦自分の下宿の方へ帰ったが、喜多さんの家の乳母のことを考えると変な気がした。

翌日、祖母さんを見舞う前に、私は鳥渡森川町へ寄ってみたが、喜多さんの家ではま

た本所の避病院から電報を受取ったというところへ行き合わせた。それで見ると、乳母はわざわざ避病院へ行って診察を受けた。そして、入院してしまった。この話を私は叔母さんから聞いた時は、驚いた。なんでも乳母はすこしお腹が痛んで来たと言っていたそうだが、医者に診てもらう積りで喜多さんの邸を出たっきり、帰って来ないという。

「きっと神経だ！」

と叔母さんは格子戸の内で言った。

私は祖母さんのことが気懸りなので、早速本所を指して出掛けた。それから一時間ばかり経って、鼻を衝くような強い臭気の石炭酸を白い消毒衣の上から浴せられて、私があの柳島の妙見堂(5)に近い避病院の廊下を往ったり来たりした頃は、祖母さんは最早現世の人ではなかった。廊下先の玻璃戸の外には荒廃した庭が見えた。昼間鳴く虫の声も聞えた。

私はこの病院の看護婦をつかまえて、喜多さんの家の乳母のことを尋ねてみた。いくつか患者の部屋のある廊下の突当りに、穢い障子が中仕切に立ててあって、その障子の開いたところから、板敷の上に置いた寝台が見えた。患者の顔は見えなかったが、長い、寝乱れた女の髪の毛だけ私の眼に映った。この人が乳母だった。

「あの患者は類似(6)として扱って御座います。自分で診察を受けにいらしったんですけ

れど、まだ院長さんも判然したことは仰いません。」

こう看護婦が私に言って聞かせた。

私は、乱れた髪の毛で、あの女の底の知れない恐怖を読んだ。胡麻塩でなければ飯も食べなかったとかいうほどの神経家が、この薄気味の悪い、ホンモノの多勢居る避病院へ引きつけられて来るまでの心の光景は、あのクシャクシャに苦み縮れた髪の毛によく顕れていると思った。祖母さんの亡くなったことを報せるために私は一度本郷の方へ帰った。その夕方、重叔父さんは仙台から着いた。不取敢一緒に避病院まで行くことにして、二人車で急いだが、その時は最早祖母さんは病院の裏手にある死亡室の方へ廻されていた。薄暗い黄昏時の空気のなかで、私達は七つ八つばかり並べてある死骸の前に立った。どれが祖母さんか、と迷う位であった。重叔父さんの目で見ても、生の母の顔が解らないほど相は変っていた。祖母さんの左の眼の上には黒子があった。それを私達は思出して、黒子があるから、漸と左様かと思った。すっかり日の暮れるまで私達は病院の前で待った。やがて裏門が開かれた。祖母さんの冷い屍は車に乗せられて出た。重叔父さんも私も夜道を照す提灯の後に随いて、暗黒な畠の間などを通りながら砂村の焼場まで見送った。

重叔父さんが祖母さんの遺骨を携えて郷里へ帰るために東京を発つという日、避病院

に入っていた乳母は亡くなった。あの女については、最後には真正の虎列剌(コレラ)になったという説もあり、あるいは気死(きし)(7)したという説もあったが、私には何方(どっち)が真実(ほんとう)だとも定(き)めることが出来なかった。

「お留さんも可愛想なことをしましたねえ。」

と喜多さんの家の女中は井戸端で私に逢った時に言った。

芽生

浅間の麓へも春が近づいた。いよいよ私は住慣れた土地を離れて、山を下りることに決心した。

七年の間、私は田舎教師として小諸(こもろ)(1)に留まって、山の生活を眺め暮した。私が通っていた学校は貧乏で、町や郡からの補助費にも限りがあったから、随(したが)って受ける俸給も少(すくな)く、家を支えるに骨が折れた。そのかわり、質素な、暮し好い土地で、月に僅(わず)かばかりの家賃を払えば、粗末ながら五間(ま)の部屋と、広い台所と、大きな暗い物置部屋と、桜、躑躅(つつじ)、柿、李(すもも)、林檎(りんご)などの植えてある古い屋敷跡の庭を借りることが出来た。私はまた、裏の流れに近い畠の一部を仕切って借りて、学校の小使(こづかい)に来て手伝わせたり、自分でも鍬(くわ)を執(と)って耕したりした。そこには、馬鈴薯(じゃがいも)、大根、豆、菜、葱(ねぎ)などを作ってみた。

こういう中で、私は別に自分の気質に適(かな)ったことを始めた。それは信州へ入ってから

六年目、丁度長い日露戦争の始まった頃であった。町から出る学校の経費はますます削減される、同僚の体操教師も出征する、卒業した生徒の中にも兵士として出発するものがある、よく私はそういう人達を小諸の停車場に見送って、悲壮な別離を目撃した。東京にある知人も多く従軍した。一年の間、この大きな戦争の空気の中で、私はある著作に従事した。

種々な困難は、なお、私の前に横たわっていた。一方には学校を控えていたから、思うように自分の仕事も進捗らなかった。全く教師を辞めて、専心従事するとしても、なお一年ほどは要る。私は既に三人の女の児の親である。その間妻子を養うだけのものは是非とも用意して掛らねばならぬ。

兎に角、小諸を去ることに決めた。山を下りて、そして自分の仕事を完成したいと思った。

岩村田(2)通いの馬車の喇叭が鳴った。私は小諸相生町の角からその馬車に乗った。引越の仕度をするよりも、何よりも、まず一人の友達を訪ねて、その人の助力を得たいと思ったのである。その日は他に同行を約束した人もあったが、途中の激寒を懼れて見合せた。私は独りで出掛けた。雪はまだ深く地にあった。馬車が浅間の麓を廻るにつれて、乗客は互に膝を突合せて震えた。岩村田で馬車を下りて、それからなお山深く入る前に、

私はある休茶屋の炉辺で凍えた身体を温めずにはいられなかった位である。一里半ばかりの間、往来する人も稀だった。谷々の氾濫した跡は真白に覆われていた。

訪ねて行った友達は、牧野君といって、こういう辺鄙な山村に住んでいた。ふとしたことから、私はこの若い大地主と深く知るようになったのである。ここへ訪ねて来るたびに、この友達の静かな書斎や、樹木の多い庭園や、それから好く整理された耕地などを見るのを私は楽みにしていたが、その日に限っては心も沈着かなかった。主人を始め、細君や子供まで集って、広い古風な奥座敷で、小諸に居る人の噂などをした。この温い家庭の空気の中で、ただ私は前途のことばかり思い煩った。事情を打開けて、話してみよう、話してみようと思いながら、翌日になってもついそれを言出す場合が見当らなかった。

到頭、言わず仕舞に、牧野君の家の門を出た。そして、制えがたい落胆と戦いつつ、元来た雪道を岩村田の方へ帰って行った。一時間あまり、乗合馬車の立場(3)で待ったが、そこには車夫が多勢集って、戦争の話をしたり、笑ったりしていた。思わず私も喪心した人のように笑った。やがて小諸行の馬車が出た。沈んだ日光は、寒い車の上から、私の眼に映った。林の間は黄に耀いた。私は眺め、かつ震えた。小諸の寓居へ帰ってからも、私はそう委しいことを家のものに話して聞かせなかった。

南向の障子に光線をうけた部屋は、家内や子供の居るところである。末の子供はお繁といって、これは私の母の名をつけたのだが、その誕生を済ましたばかりの娘が、炬燵へ寄せて、寝かしてあった。暦や錦絵を貼付けた古壁の側には、六歳になるお房と、四歳になるお菊とが、お手玉の音をさせながら遊んでいた。そこいらには、首のちぎれた人形も投出してあった。私は炬燵にあたりながら、姉妹の子供を眺めて、如何して自分の仕事を完成しよう、如何してその間この子供等を養おう、と思った。

お房は――私の亡くなった母に肖て――頬の紅い、快活な性質の娘であった。妙に私はこの総領(4)の方が贔屓で、家内はまた二番目のお菊贔屓であった。丁度牧野君から子供へといって貰って来た葡萄ジャムの土産があった。それを家内が取出した。家内は、雛でも養うように、二人の子供を前に置いて、そのジャムを嘗めさせるやら、菓子麺包につけて分けてくれるやらした。

私が奈何いう心の有様でいるか、何事もそんなことは知らないから、お房は機嫌よく私の傍へ来て、斯様な歌を歌って聞かせた。

「兎、兎、そなたの耳は
どうしてそう長いぞ――
おらが母の、若い時の名物で、

　笹の葉ッ子嘸んだれば
　それで、耳が長いぞ。」

これは家内が幼少い時分に、南部地方(5)から来た下女とやらに習った節で、それを自分の娘に教えたのである。お房が得意の歌である。

私は力を得た。その晩、牧野君へ宛てた長い手紙を書いた。

幸にも、この手紙は私の心を友達へ伝えることが出来た。その返事の来た日から、牧野君は私の仕事にとっての擁護者であった。しかも、それを人に知らそうとしなかった。私は牧野君の深い心づかいを感じた。そして自分のベストを尽すということよりほかにこの友達の志に酬うべきものは無いと思った。

四月の始から一週間ばかりかけて、私は家を探しがてら一寸上京した。渋谷、新宿――彼辺を探しあぐんで、ある日は途中で雨に降られた。角筈に住む水彩画家は、私と前後して信州へ入った人だが、一年ばかりで小諸を引揚げて来た。君は仏蘭西へ再度の渡航を終えて、新たに画室を構えていた。そこへ私が訪ねて行って、それから大久保辺を尋ね歩いた。

郊外は開け始める頃であった。そこここの樹木の間には、新しい家屋が光って見えた。一軒、西大久保の植木屋の地内に、往来に沿うて新築中の平屋があったが、それが私の

眼に着いた。まだ壁の下塗もしてない位で、大工が入って働いている最中。三人の子供を連れて来てここで仕事をするとしては、あまりに狭過ぎるとは思ったが、いかにも周囲が気に入った。で、二度ほど足を運んで、結局工事の出来上るまで待つという約束で、そこを借りることに決めた。

この話を持って、小諸をさして帰って行く頃は、上州辺は最早梅に遅い位であった。山一つ越えると高原の上はまだ冬の光景で、それから傾斜を下るに従って、いくらかずつ温暖い方へ向っていた。小諸へ近づけば近づくほど、岩石の多い谷間には浅々と麦の緑を見出すことが出来た。浅間、黒斑、その他の連山にはまだ白い雪があったが、急にそこいらは眼が覚めたようで、何もかも蘇生の力に満ち溢れていた。五箇月の長い冬籠をしたものでなければ、ほとんど想像も出来ないようなこの嬉しい心地は、やがて、私を小諸の家の方へ急がせた。

漸く春が来た。北側の草屋根の上にはまだ消え残った雪があったが、それが雨垂のように軒をつたって、溶け始めていた。子供等は私の帰りを待侘びて、前の日から汽車の着くたびに、停車場まで迎えに出たという。東京の話は家のものの心を励ました。私は郊外に見つけて来た家のことを言って、第一土地の閑静なこと、樹木の多いこと、地味の好いことなどを話して聞かせた。女子供には、東京へ出られるということが何よりも

嬉しいという風で、上京の日は私よりも反って家内の方に待遠しかったのである。その晩、お房やお菊は寝る前に私の側へ来て戯れた。私は久し振で子供を相手にした。

「皆な温順しくして居たかネ。」と私が言った。「サ――二人ともそこへ並んで御覧。」

二人の娘は喜びながら私の前に立った。

「いいかね。房ちゃんが一号で、菊ちゃんが二号で、繁ちゃんが三号だぜ。」

「父さん、房ちゃんが一号?」と姉の方が聞いた。

「ああ、お前が一号で、菊ちゃんが二号だ。父さんが呼んだら、返事をするんだよ――そら、やるぜ。」

二人の娘は嬉しそうに顔を見合せた。

「一号。」

「ハイ。」と妹の方が敏捷く答えた。

「菊ちゃんが一号じゃないよ、房ちゃんが一号だよ。」と姉は妹をつかまえて言った。

大騒ぎになった。二人の娘は部屋中を躍って歩いた。

「へい、三号を見て下さい。」

と山浦というところから奉公に来ている下女も、そこへお繁を抱いて来て見せた(6)。厚着をさせてある頃で、この末の児はまだ匍いもしなかったが、チョチチョチ位は出来た。

どうやら首のすわりもシッカリして来た。家(うち)の内(なか)での愛嬌者(あいきょうもの)になっている。

「よし。よし。さあもう、それでいいから、皆な行ってお休み。」

こう私が言ったので、お房もお菊も母の方へ行った。家内は一人ずつ寝巻に着更(きが)えさせた。下女はまた、人形でも抱くようにして、柔軟(やわらか)なお繁の頬へ自分の紅い頬を押宛(おしあ)てていた。

やがて三人の子供は枕を並べて眠った。急に家の内はシンカンとして来た。家内なぞは、子供の眠っている間が僅かに極楽だと言い言いしている。

「一号、二号、三号……」

この自分から言出した串談(じょうだん)には、私は笑えなくなった。三人の子供ですらこの通り私の家では持余(もてあま)している。今から斯様(こんな)に生れて、このうえ出来たら奈何(どう)しようと思った。私の母は八人子供を産んでいる。家内の方にはまた兄妹(きょうだい)が十人あった。その総領の姉は今五人子持で、次の姉は六人子持だ。何方(どちら)を向いても、子供の多い系統から来ている。

翌日、私は学校の方へ形式ばかりの辞表を出した。その日から私の家ではそろそろ引越の仕度に取掛(とりかか)った。よく大久保の噂が出た。雨でも降れば壁が乾くまいとか、天気になれば何程(どれほど)工事が進んだろうとか、毎日言い合った。私達の心の内には、新規に家の形が出来て、それが日に日に住まわれるような気がした。

二週間ばかり経ったところで、大久保の植木屋から手紙を受取った。見ると、月の末まで待たなければならなかった。こうなると一度纏めた道具のうちをまた解く必要がある位で、ある荷物は会社に依頼して先へ送り出した。私は本町の角にある茶店から、大きな茶箱を二つ求めて来て、書籍のたぐいはそれに詰めた。簞笥でも、本箱でも、空虚にして送らなければ壊れてしまうと言われた。この混雑の中で、幾度か町の人は私を引留めに来た。「夜逃げにでも逃げようかしらん。」どうかすると私は家のものに向って、譫語半分に斯様なことを言うこともあった。あまりに長く世話になり過ぎた、と私は思った。いざこの土地を見捨てて行くとなると、私達の生涯は深く根が生えたようになっていた。とはいえ町の人は私の願を容れてくれた。そして餞別を集めたり、いろいろ世話をしたりしてくれた。日頃親しくして、「叔父さん」とか「叔母さん」とか互に言い合った近所の人達は、かわるがわる訪ねて来た。いよいよ出発の日が近づいた。三人の子供には何を着せて行こう、とこう家内はいろいろに気を揉んだ。「房ちゃん、いらッしゃい、衣服を着てみましょう――温順しくしないと、東京へ連れて行きませんよ。」と家内が言って、写真を映した時に一度着せたヨソイキの着物を取出した。それは袖口を括って、お房の好きなリボンで結んである。お菊のためには黄八丈[7]の着物を択ぶことにした。

「菊ちゃんの方は色が白いから、何を着ても似合う。」

こう皆なが言い合った。

五月の朔日は幸に天気も好く、旅をするものにとって何よりの日和だった。子供は近所の娘達に連れられて、まず停車場を指して出掛けた。学校の小使が別れに来たから、この人には使用っていた鍬を置いて行くことにした。私は毎日通い慣れた道を相生町の方へとって、道普請(8)のために高く土を盛上げた停車場前まで行くと、そこで日頃懇意にした多勢の町の人達だの、学校の同僚だの、生徒だのに出逢った。そこまで追って来て、餞別のしるしと言って、物を呉れる菓子屋、豆腐屋のかみさんなどもあった。同僚に親にしてもいいような年配の理学士があったが、この人は花の束にしたのを持って来て、私達の乗った汽車の窓へ入れてくれた。その日は牧野君も洋服姿でやって来て、それとなく見送ってくれた。

「困る。困る。」

こう言って、お菊は泣出しそうになった。この児は始めて汽車に乗ったので、急にそこいらの物が動き出した時は、私へしがみ付いた。

やがて、ウネウネと続いた草屋根、土壁、柿の梢、石垣の多い桑畑などは汽車の窓から消えた。小諸は最早見えなかった。

この旅には、私は山から種々なものを運ぼうとする人であった。信州で生れた三人の子供はいうまでもなく、世帯の道具、衣類、それから毎日の暮し方まで、私は地方の生活をソックリ都会の方へ移して持って行こうとした。楊、楓、漆、樺、楢、蘆などの生い茂る千曲川一帯の沿岸の風俗、人情、そこで呼吸する山気、眼に映る日光の色まで――すべて、そういうものの記憶を私は自分と一緒に山から運んで行こうとした。

汽車が上州の平野へ下りた頃、私は窓から首を出して、もう一度山の方を見ようとした。浅間の煙は雲の陰になってよく見えなかった。

高崎で乗換えてから、客が多かった。私なぞは立っていなければならない位で、子持がそこへ坐ってしまえば、子供の方は一人しか腰掛ける場処がなかった。お房とお菊はかわりばんこに腰掛けた。お繁はまた母に抱かれたまま泣出して、乳をあてがわれても、揺られても、どうしても泣止まなかった。何故斯様に泣くんだろう、と家内はもう持余してしまった。仕方なしに、お繁を負って、窓の側で起ったり坐ったりした。

四時頃に、私達五人は新宿の停車場へ着いた。例の仕事が出来上るまでは、質素にして暮さなければならないというので、下女も連れなかった。お房やお菊は元気で、私達に連れられて大久保の方へ歩いたが、お繁の方は酷く旅に萎れた様子で、母の背中に頭を持たせ掛けたまま気抜けのしたような眼付をしていた。

時々家内は立止って、郊外のありさまを眺めながら、

「繁ちゃん、御覧。」

と背中に居る子供に言って聞かせた。お繁は何を見ようともしなかった。

私達親子のものが移ろうとした新しい巣は、着いてみると、漸く工事を終ったばかりで、まだ大工が一人二人入って、そこここを補っているところであった。植木屋の亭主は早速私を迎えて、沢山盆栽などの置並べてある庭の内で、思いのほか壁の乾きが遅かったことなぞを言った。庭に出て水を汲んでいた娘は、家内や子供に会釈しながら、盆栽棚の間を通り過ぎた。めずらしそうに私達の様子を眺める人もあった。この広い、掃除の届いた庭の内には、植木屋の母屋をはじめ、まだ他に借屋建の家が二軒もあって、それが私達の住まおうとする家と、樹木を隔てて相対していた。兎に角、私は植木屋の住居を一間だけ借りて、そこで二、三日の間待つことにした。

「房ちゃんも、菊ちゃんも、花を採るんじゃないよ——叔父さんに叱られるよ。」

と私は二人の子供に言い聞かせた。

日の暮れる頃、会社から来た一台の荷馬車が植木屋の門前で停った。私達は先に送った荷物と一緒に大久保へ着いたことになった。この混雑の中で、お繁は肩掛に包まれたまま、取散らした手荷物などの中に寝かされていた。稀にアヤされても、笑いもしなか

った。その晩は、遅くなって、一同夕飯にありついた。

翌日は、荷物の取片付(とりかたづ)に掛るやら、尋ねて来る客があるやらで、ゴタゴタした。お繁は疲れて眠りがちであったが、どうかすると力のない眼付をしながら、小さな胸を突出すような真似をしてみせる。この児はまだ「うま、うま」位しか言えない。抱かれたくて、彼様(あん)な真似をするのだろうと、私達は解釈した。で、なるべく顔を見せないようにした。温順(おとな)しく寝ているのを好い事にして、いくらか熱のあったのも気に留めなかった。思うように子供を看ることも出来なかったのである。

大久保へ来て三日目に、私はまず新しい住居(すまい)へ移って、四日目には家のものを移らせた。新築した家屋のにおいは、不健康な壁の湿気に混って、何となく気を沈着(おちつ)かせなかった。壁はまだ乾かず、戸棚へは物も入れずにある。唐紙(からかみ)(9)は取除(とりはず)したまま。種々(いろいろ)なことを山の上から想像して来た家内には、この住居はあまりに狭かった。

「家賃を考えて御覧な。」

と私は笑った。

歩調を揃えた靴の音が起った。カアキイ色の服を着けた新兵はゾロゾロ窓の側を通った。金目垣(かなめがき)一つ隔てた外は直(す)ぐ往来で、暗い土塵(つちぼこり)が家の内(なか)までも入って来た。

お房は物に臆しない方の娘で、誰とでも遊んだから、この住居へ移った頃には最早(もう)近

所の娘の中に交っていた。そして、小諸訛の手毬歌なぞを歌って聞かせた。短い着物に細帯ではおかしいほど背丈の延びた学校通いの姉さん達を始め、五つ六つ位の年頃の娘が、夕方になると、多勢家の周囲へ集った。お菊はなかなか用心深くて、庭の樹の下なぞに独りで遊んでいる方で、容易に他の子供と馴染もうともしなかった。

「房ちゃん、大手のお湯へ行きましょう。」

こうお菊は母に連れられて入浴に出掛ける時に言った。この娘は小諸の湯屋へ行くつもりでいた。

漸く家の内がすこし片付いて、これから仕事も出来ると思う頃、末の児は意外な発熱の状態に陥入った。新開地のことで、近くには小児科の医者も無かった。村医者があると聞いて、来て診てもらったが、子供を扱いつけたことが無いとみえて、兎角ハッキリしたことも言ってくれなかった。この医者を信ずる信じないで、家では論が起った。生憎また母の乳は薄くなった。私は町へ出て、コンデンス、ミルクを売る店を探したが、それすらも見当らなかった。その晩は牛込に住む友達の家に会があった。私は途中でミルクを買いしなこの友達にも逢って、小児科医の心あたりを聞いてみる積りであった。村医者は二度も三度も診に来た。最早駄目かしらん、斯様な気が起って来た。

「最後の晩餐！」

と、不図、私は坂の途中で、鷲印のミルク罐(11)を買いながら思った。牛込の家には、種々な知人が集っていた。そこで戦地から帰って来た友達にも逢った。君は、私がまだ信州に居た頃、従軍記者として出掛けたのであった。

「電話で一つ聞き合わせてあげましょう。皆川という医学士が大学の方に居ますが、この人は小児科専門ですから。」

　こう主人は気の毒がって言ってくれた。

丁度戸山には赤十字社の仮病院が設けてある時であった。皆川医学士が、臨時の手伝いとして通っているといって、戸山からわざわざ私の家へ見舞に寄ってくれた頃は、お繁は最早床の上に冷たくなっていた。

　東京の郊外へ着く早々、私達は林の中にでも住むような頼りなさを感じた。同時に、小諸でよく子供の面倒を見てくれた近所のシッカリした「叔母さん」達を恋しく思った。あのお繁が胸を突出すような真似をしてみせたのは、漸く私達にその意味が解った。口のきけない子供は、死んでから苦痛を訴え始めた。

　今更仕方がなかった。そして口説いてなぞいる場合ではない、と私は思った。幼児のことだから、埋葬の準備もなるべく省くことにして、医者の診断書を貰うことだの、警察や村役場へ届けることだの、近くにある寺の墓地を買うことだの、大抵のことは自分

で仕末した。棺も、葬儀社の手にかけなかった。小諸から書籍を詰めて来た茶箱を削ってもらって、小さな棺に造らせて、その中へお繁の亡骸を納めた。

「房ちゃん、来て御覧なさい――繁ちゃんは死んじゃったんですよ。」

こう家内が言った。

「菊ちゃん、いらッしゃい。」

とお房は妹を手招きして呼んで、やがて棺の中に眠るようなお繁の死顔を覗きに行った。急に二人の子供は噴飯した。

「死んじゃったのよ、死んじゃったのよ。」

とお菊は訳も解らずに母の口真似をして、棺の周囲を笑いながら踊って歩いた。

「馬鹿だねえ……御覧なさいな、繁ちゃんは最早ノノサン[12]になったんじゃ有りませんか……」

とまた母に言われて、お房は不思議そうに、泣腫らしている母の顔を覗き込んだ。丁度そこへ家内の妹も学校の方からやって来たが、この有様を見ると、直に泣出した。終にはお房も悲しくなったとみえて、母や叔母と一緒になって泣いた。

蠟燭の火が赤く点った。

「兎の巾着でも入れてやりナ。」

と私が言ったので、家内や妹は棺の周囲へ集って、毛糸の巾着のほかに、帽子、玩具、それから五月の花のたぐいで、死んだ子供の骸を飾った。

墓地は大久保の長光寺といって鉄道の線路に近いところにあった。日が暮れてから、植木屋の亭主に手伝ってもらって、私はこの大屋さんと二人で棺を提げて行った。同じ庭の内の借家に住む二人の「叔父さん」、それから向の農家の人などは、提灯を持って見送ってくれた。この粗末な葬式を済ました後で、親戚や友達に知らせた。

こうして私の家には小さな新しい位牌が一つ出来た。そのかわり、お繁の死は、私達の生活の重荷をいくらか軽くさせた形であった。まだお房も居るし、お菊も居る——二人もあれば、子供は沢山だ、と私は思った。

どうかすると私は串戯半分に家のものに向って、

「お繁が死んでくれて、大に難有かった。」

斯様なことを言うこともあった。私はただ自分の仕事を完成することにのみ心を砕いていた。

「子供なぞは奈何でも可い。」

多忙しい時には、斯様な気も起った。何を犠牲にしても、私は行けるところまで行ってみようと考えたのである。

郊外には、旧い大久保のまだ沢山残っている頃であった。仕事に疲れると、よく私は家を飛出して、そこいらへ気息を吐きに行った。大久保全村が私には大きな花園のような思をさせた。激しい気候を相手にする山の上の農夫に比べると、この空の明るい、土地の平坦な、柔い雨の降るところで働くことの出来る人々は、ある一種の園丁のように私の眼に映った。角筈に住む水彩画家の風景画に私は到る処で出逢った。

「房ちゃん、いらッしゃい――懐古園(13)へ花採りに行きましょう。」

と、ある日お菊は姉のお房を呼んで、二人して私の行く方へ随いて来た。

私は子供を連れて、ある細道を養鶏所の裏手の方へ取って、道々草花などを摘んでくれながら歩いた。お房の方は手に一ぱい草をためて、「随分だわ」だの、「花ちゃん、よくッてよ」だのと、そこに居りもしない娘の名を呼んでみて、しきりに会話の稽古をしたり、あるいはお菊と一緒になって好きな手毬歌などを歌いながら歩いて行った。

行っても、行っても、お菊の思うような小諸の古い城跡へは出なかった。桑畠のかわりには、植木苗の畠がある。黒ずんだ松林のかわりには、明るい雑木の林がある。そのうちに、木と木の間が光って、高い青空は夕映の色に耀き始めた。

急にお菊は勝手の違ったように、四辺を眺め廻した。そして子供らしい恐怖に打たれて、なんでも家の方へ帰ろうと言出した。

「母さん――母さん。」

お菊は、大久保の通りへ出るまでは、安心しなかった。

「菊ちゃん、お遊びなさいな。」

こう往来に遊んでいた娘がお菊を見つけて呼んだ。お房の友達もその辺に多勢集っていた。

夕餐の煙は古い屋根や新しい板屋根から立ち登った。鍬を肩に掛けた農夫の群は、丁度一日の労働を終って、私達の側を通り過ぎた。それを眺めて、私は額に汗する人々の生活を思いやった。また私は長い根気仕事を続ける気になった。

暑いうちにも寂しい感じのする百日紅の花が咲く頃となった。やがて、亡くなった子供の新盆、小諸の方ではまた祇園の祭の来る時節である。冷しい草屋根の下に住んだ時とは違って、板屋根は日に近い。壁は乾くと同時に白く黴が来た。引越以来の混雑にまぎれて、解物も、洗濯物も皆な後れてしまったといって、家内は縁側の外へ張物板を持出したが、狭い廂の下に日蔭というものが無かった。

庭の隅には枝の細長い木犀の樹があった。まばらな蔭は僅かにそこに落ちていた。軒からその枝へ簾を渡して、熱い土のいきれの中で、家内は張物をしたり、洗濯したりした。

「あれ黒がいけません。」

こう言いながら、お菊は穢い宿無し犬に追われて来た。

「菊ちゃん、早く逃げていらッしゃい……なんだって其様な大きな下駄を穿くんですねえ。」

と言って、家内は腰を延ばした。そして苦しそうな息づかいをした。高く前掛を〆めてはいたが、最早醜くなりかけた身体の形は隠されずにある。

お房の泣く声が聞えた。家内は取縋る妹の方をそこへ押除けるようにした。「あ、房ちゃんがまた溝へ陥落ちた、」と言って顔を顰めていると、お房は近所の娘に連れられながら、着物を泥だらけにして泣いてやって来た。

「どうして左様毎日毎日衣服を汚すんだろう。」

と家内が言ったので、お房はもう身を竦めるようにして、無理やりに縁側の方へ連れて行かれた。

「母さん、御免……」

こうお房は拝むように言った。家内はまた、この娘を懲らさないうちはおかなかった。

「房ちゃん、奈何なさいました。」

と、お房の泣声を聞きつけて、そこへ井戸を隔てて住む「叔母さん」が提げにやって

来た。この人はここから麹町の小学校へ通う女教師である。最早中学へ行くほどの子息がある。

「衣服を泥になんかなすっちゃいけませんよ。これから母さんの言うことをよく聞くんですよ。」

と裏の「叔母さん」は沈着いた、深切な調子で、生徒に物を言い含めるように言った。お房は洗濯した単衣に着更えさせてもらって、やがてまたぷいと駈出して行った。

「母さん、何か……母さん、何か……」

とお菊はネダリ始めた。何か貰わないうちは母の側を離れなかった。

「泣かなくても、進げますよ。」と家内は叱るように言った。

「お煎餅ですよ。」

「お煎餅、嫌――アンコが好い。」

「アンコなんか不可ません。あんまり食べたがるもんだから、それで虫が出るんですよ――嫌ならお止しなさい。」

と母に言われて、お菊は不承不承に煎餅を分けてもらった。

その晩は早く夕飯を済ました。藪蚊の群が侘しい音をさせて襲って来る頃で、縁側には蚊遣を燻らせた。蛙の鳴く声も聞えた。家内は、遊び疲れた子供のために、蚊帳を釣

ろうとしていたが、

「父さん、奈何(どう)したんでしょう……まあ、おかしなことが有る……」

こう言いながら、ボンヤリ釣洋燈(つりランプ)の側に立った。

「私は物が見えなくなりました……」

とまた家内が言って、洋燈(ランプ)の灯に自分の手を照らして見ていた。

「オイ、オイ、馬鹿なことを言っちゃ困るぜ。」私は真実(ほんとう)にもしなかった。

「いえ、串談(じょうだん)じゃ有りませんよ、真実(ほんとう)に見えないんですよ……洋燈(ランプ)の側なら何でも能(よ)く分りますが、すこし離れると最早(もう)何物(なんに)も分りません。」

「俺の顔は?」

私は笑わずにいられなかった。

その時、家内は手探り手探り暗い押入の方へ歩いて行った。しばらく私もそこに立って、家内の様子を眺めていた。

「早く医者に診てもらうサ。」

と私は励ますように言ってみた。

翌日になると、明るい光線の中では別に何ともないと言って、家内は駿河台の眼医者のところまで診てもらいに行った。滋養物を取らなければ不可(いけない)——働き過ぎては不可

――眼を休ませるようにしなければ不可――種々に言われて来た。

「一つは粗食した結果だ。」

この考えが私の胸に浮んだ。私は信州にある友達の厚意を思って、なるべくこの仕事をする間は、質素に質素に、と心掛けたが、それを通り越して苛酷であった、とはその時まで自分でも気が着かなかった。

日の暮れないうちに、と家内は二人の娘を連れて買物に出掛けた。その日は、私も疲れて一日仕事を休むことにした。縁側に出て庭の木犀に射る日を眺めていると、植木屋の裏の畠の方から寂しい蛙の鳴声が夢のように聞えて来る。祇園の祭も近づいた、と私は思った。軒並に青簾を掛け連ねた小諸本町の通りが私の眼前にあるような気がして来た。その辺は私の子供がよく遊び歩いたところである。

「ヨイヨ、ヨイヨ。」

御輿を舁いで通る人々の歓呼は私の耳の底に聞えて来た。何時の間にか私の心は山の上の方へ帰って行った。

宿無し犬の黒は私の前を通り過ぎた。この犬は醜くて、誰も飼手が無い。家の床下からノソノソ這出して、やがて木犀の蔭に寝た。そのうちに、暮れかかって来た。あまり子供等の帰りが遅いと思って、私は門の外へ出てみた。丁度二人の娘は母の手を引きな

がら、鬼王神社の方から帰って来るところであった。

「父さん。」とお房が呼んだ。お菊も一緒になって呼んだ。

「遅かったネ。」と私は言ってみた。

「今しがたまで、繁ちゃんのお墓でさんざん泣いて来たんですよ。」こう家内はそこへ立留って言った。「帰りに八百屋へ寄って、買物をして居ましたら、急にそこいらが見えなくなって来て……房ちゃんや菊ちゃんを連れて居なかろうものなら、真実に私は奈何しようかと……」

「最早見えないのかい。」

「街燈の火ばかし見えるんですよ……あとは真暗なんです。」

「さあ、房ちゃんも、菊ちゃんも、お家へお入り。」

暮色が這うようにやって来た。私達は子供を連れて急いで門の内へ入った。

こういう私の家の光景は酷く植木屋の人達を驚かした。この家族を始め、旧くから大久保に住む農夫の間には、富士講(14)の信者というものが多かった。翌日のこと、切下髪(15)にした女が突然私の家へやって来た。この女は、講中の先達とかで、植木屋の老爺さんの弟の連合にあたる人だが、こう私の家に不幸の起るのは——第一引越して来た方角が悪かったこと、それから私の家内の信心に乏しいことなどを言って、しきりに祈禱を

勧めて帰って行った。

「御祈禱して御貰いなすったら奈何です——必と方角でも悪かったんでしょうよ。」

と植木屋の老婆さんは勝手口のところへ来て言った。義理としても家内は断る訳にいかなかった。

その日から家内は一人ズツ子供を連れて駿河台まで通った。暑い日ざかりを帰って来て、それから昼飯の仕度に掛かった。信州の牧野君からは手紙の着くのを待つ頃であった。それを手にして見ると、「自分の子供の泣声を聞いたら、さぞ房子さん達も待つだろうと思って、急に手紙を書く気になった——約束のものを送る、」としてあった。私はこの友達の志に励まされて、あらゆる落胆と戦う気になった。家内には新宿の停車場前から鶏肉だの雑物だのを買って来て食わせた。この俗にいう鳥目が旧の通り見えるようになるまでには、それから二月ばかり掛った。

翌年の三月には、界隈はもう驚くほど開けていた。この郊外へ移って来て、近くに住む二人の友達もあった。私の家では、四番目の子供も産れていた。はじめての男で、種夫とつけた。姪も一人郷里から出て来て、家からある学校へ通っていた。この月に入って、漸く私は自分の仕事を終った。

私も労作した。この仕事には、ほとんど二年を費した。牧野君からは、早速便りがあ

って、一緒に心配した甲斐が有ったと言って、自分のことのように悦んでくれた。骨休めに、遊びに来い、こうも言って寄した。私も何処か静かなところでこの疲労に耽りたい、と思った。世帯持のかなしさには、容易に家を飛出すことも出来なかったのである。急に私の家では客が増えた。訪ねて来る友達も多かった。

「母さん、犬殺しよ。」

こうお菊は母の傍へ来て言った。近所の「叔父さん」達が総掛りで何故庭の内を駆け廻るか、彼方是方から飛んで来た犬が何故吠え立てるか、それを知らせに来るほどお菊も物が解って来た。

お房やお菊はにわかに大きくなった。姉は前髪をとってくれと言うようになったし、妹は前の年まで歌えなかった唱歌を最早自由に歌えるようになった。しかし、黒の発達とは比較にならない。黒が近所へ捨てられた時分は、痩せた、ひょろ長い小犬であったが、一年経つか経たないに、最早一ッぱしの女犬であった——乳房は長く垂下っていた。黒も逃げおおせた。犬殺しが手を振って、空車を引いて行った翌々日あたりから、また私の家の床下では、毎晩この犬のゴソゴソ寝に来る音を聞くようになった。

私の仕事が世に出る頃、種夫は新宿の医者に掛かった。この大久保で生れた児は兎角弱かった。ある日、家内が種夫を負って、薬を貰いに出掛けようとすると、それをお菊

が、見送ると言いながら、植木屋の横手にある小径を通って、畑の方までも随いて行った。

「彼処まで送ッてあげましょう。」

とお菊は向に光る新しい家屋を指してみせて、やがて母と一緒に畑の尽きたところへ出た。新開地らしい道路がそこにあった。

「菊ちゃんここから独りで帰れるの？」

と母が立留って言った。

お菊は独りで帰れると言って、桐の若木がところどころに立っている畑の間を帰りかけた。

「母さん。」

こうお菊は振向いて呼んだ。そして母と顔を見合せて微笑んだ。母は乳呑児を負ったまま佇立んでいた。お菊はまた麦だの薩摩芋だのの作ってある平坦な耕地の間を帰ったが、二度も三度も振向いて見た。

「母さん。」

この呼声が通じなくなった頃、お菊はサッサと家の方へ戻って来た。翌日もまたお菊が同じように後を追って行くので、家内も可愛そうに思って、その日は一緒に連れて行

った。種夫のために新宿の通りで吸入器を買って、それを家内が提げて帰ったが、丁度菓物の変りめになる頃で、医者の細君のところからは夏蜜柑を二つばかりお菊に呉れてよこした。

私の家では、飯を出す客などがあって、混雑した日のことであった。夕方に、お菊は悪い顔をして、遊び友達の方から帰って来た。そして、乳呑児の襁褓を温めるために置いてあった行火に凭れて、窓の下のところで横になった。

「菊ちゃんはどこか悪いんじゃないか。」

こう私は客を前に置いて、家のものに尋ねてみた。お菊はお腹が痛い痛いと言いつつ遊びに紛れていたとのことで、家のものもそれほどには思わなかったのである。姪は熊の胆(16)を盃に溶かしてお菊に飲ませたりなぞした。

急に熱が出て来た。子供の持薬だの、近所の医者に診せた位では、覚束ないということを私達が思う時分は、最早隣近所では寝沈まっていた。お菊は吐いたり下したりした。それが沈着いて、すこしウトウトしたかと思うと、今度はまた激しい渇のために、枕元にある金盥の水までも飲もうとした。私は空の白むのを待兼ねて、病児を家内に託しておいて、車で皆川医学士を迎えに行った。まだ夜は明けなかった。町々の疲れた燈火は暗く赤く私の眼に映った。

「菊ちゃん、御医者様が入来ッしゃるよ。」と私が子供の枕元へ帰って来て呼んだ時は、お菊もまだ気がタシカだった。お繁の時のことも有るから、医学士も気の毒がって早速来てくれた。

家内は蔭の方で、

「貴方がたが入来ッしゃる鳥渡前に、房ちゃんが肩掛を冠って踊ってみせたんですよ。その時菊ちゃんも可笑しがって笑って——「可笑しな房ちゃん！」なんて。まだ其様に正気だッたんですよ……。「お水！　お水！」ッて困りました……。「御医者様が入来ッしゃるとお水を下さる、」そんなこと言って欺しましたら、漸くそれで温順しくなったところなんですよ……」

お菊は大きな眼を開いて医学士の方を見たが、やがて泣出しそうになった。

「菊ちゃん、御医者様に診て頂くんですよ……ね、お水を頂くんでしょう……そうすると直に癒りますよ。」

と母に言われて、お菊は漸く学士の方へ小さな手を出した。

少壮ではあるが、篤実な、そしていかにも沈着いた学士の態度は、私達に信頼する心を起させた。学士は子供の腸を洗ってやりたいと言ったが、不便な郊外のことで、近くに洗滌器を貸すところも無かった。家内は二、三の医者の家を走り廻って、空しく帰っ

て来た。

「一つ注射してみましょう。」

こう学士が、病児の顔を眺めながら、言出した。

家内はお菊の胸の辺を展げた。白い、柔い、そして子供らしい肌膚が私達の眼にあった。学士は洋服の筒袖を捲し上げて、決心したような態度で、注射の針に薬を満たした。

「痛いッ。」

お菊は泣き叫んだ。鋭い注射の針は二度も三度も射された。

間もなく私はこの病児を抱いて、車で大学病院へ向った。学士も車で一緒に行ってくれた。途次小児科医の家の前を通るたびに、学士は車を停めて、更に注射を加えて行こうかと考えて、到頭それも試みずに本郷へ着いた。車の上でお菊の蒼ざめた顔を眺めて行った時に、この児は最早駄目だ、と私は思った。

病名は消化不良ということであった。この急激な身体の変化は多分夏蜜柑の中毒であろうと言われた。私達の後を追って、大久保に住む一人の友達も、家のものも急いで来た。一刻一刻にお菊は変って行った。それから二時間しかこの児は生きていなかった。

大久保の家では留守居してくれた人達が様子を案じ顔に待っていた。私はお菊の死体

を抱きながら車から下りた。最早呼んでも返事をしない子供に取組って、家内や姪は泣いた。お房も、お繁の亡くなった時とは違って、姉さんらしい顔を泣腫らしていたが、その姿が私にはあわれに思われた。

お菊は矢張長光寺に葬った。親戚や知人を集めて、この娘のためには粗末ながら儀式めいたことをした。狭い墓地には二人の子供が斯様な風に並んだ。

菊子の墓
繁子の墓

愛していた娘のことで、家内はよくお房を連れてはこの墓へ通った。

私の家にまた斯様な不幸が起ったということは、いよいよ祈禱の必要を富士講の連中に思わせた。女の先達はまた私の家へ訪ねて来て、それ見たかと言わぬばかりの口調で、散々家内の不心得を責めた。「度し難い家族」――これが先達の後へ残して行った意味だった。

お菊が生前の遊び友達は、小さな下駄の音をさせて、朝に晩に家の前を通った。家内は窓の格子にとりついて、そういう子供の姿を眺めるたびに、お菊のことを思出していた。

「菊ちゃんが死んじゃったんでは、真実にツマラない。」

こう家内は口癖のように嘆息した。

私も、散々仕事で疲れた揚句で、急にお菊が居なくなった家の内に坐ってみた時は、暴風にでも浚われて持って行かれたような気がした。山を下りてから、私には安い思をしたという日も少なかった。私の生命は根から動揺られ通しだ。

「ナニ、まだお房が居る。」

と私は言ってみた。

麻疹後、兎角お房は元気が無かった。亡くなった私の母親を思出させるようなこの娘は、髪の毛の濃く多いところまでも似て来た。信州の牧野君からは子守を一人心配してよこしてくれた頃で、いくらか私の家でも沈着き、手も増えた。二人まで子供を失くしたことを考えて、私達はこの残った娘を大切に見なければならないと思った。上野に玩具の展覧会があった日には、お房も皆なに連れられて出掛けたが、何を見ても左程面白がりもしないし、象や猿の居る動物園へ寄っても「早く吾家へ帰りましょう」とばかりで、新宿の電車の終点から大久保まで疲れたような顔をして歩いて帰って来た。

草木も初夏の熱のために蒸される頃となった。庭には木犀の若葉もかがやいたし、植木屋の盆栽棚には種々な花も咲いたし、裏の畠の方には村の人達が茶を摘んでいたし、何処へ行っても子供にとっては楽しい時であった。お房は一寸遊びに出たかと思うと、

直に帰って来てゴロゴロしていた。お繁やお菊で私達も懲(こ)りたから、早速、新宿の医者に診せた。牛込の医者にも診せた。早く薬を服(の)ませて、癒(なお)したいと思って、医者の言う通りに、消化の好い物だの、牛乳だの、山家育ちで牛乳が嫌だと言えばミルク、フッド[17]だの、と種々にしていたわった。お房は腸が悪いとのことであった。不思議な熱は出たり引いたりした。

　五月の下旬に入っても、まだお房は薬を服んでいた。勧めてくれる人があって、私はある医者の許(ところ)へこの娘を診せに連れて行った。その時は、大久保に住む一人の友達とも一緒だった。強健(じょうぶ)そうな年寄の医者は、熱のために萎(やつ)れた娘を前に置いて、根本から私達の衛生思想が間違っていることを説いた。他(ほか)の医者が腸の悪い子供に禁物だというようなものでも、すべて好いとした。牛乳のかわりに味噌汁、粥のかわりに餅、ソップ[18]のかわりに沢庵の香の物……それから、この慷慨(こうがい)な老人は、私達が日本固有の菜食を重んじないために、それで子供がこう弱くなると言って、今日の医学、今日の衛生法、今日の子供の育て方を嘲(あざけ)った。私は娘を連れて、スゴスゴ医者の前を引下った。煎じ薬を四日分ばかりと、菜食の歌を貰って、大久保へ帰った。

　何となくお房の身体には異状が起って来た。種々(さまざま)な医者に診せ、種々な薬を服ませたが、どうしても熱は除(と)れなかった。時とすると、お房の身体は燃えるように熱かった。

で、私も決心して、また皆川医学士の手を煩わしたいと思った。月の末に、学士の勧めに随って、私はお房を大学の小児科へ入院させることにした。

「母さん、前髪を束って頂戴な。」

熱のある身体にも斯様なことを願って、お房は母に連れられて行った。私も、姪に留守居をさせて、別に電車で病院の方へ行ってみた。病室は静かな岡の上にあった。そこは、三つばかりある高い玻璃窓の一つを通して、不忍の池の方を望むような位置にある。私は本郷の通りでお房の好きそうなリボンを買って、それを土産に持って行ったが、室へ入ってみると、お房は最早高い寝台の上に横になって、母に編物をしてもらっているところであった。丁度池の端には競馬のある日で、時々多勢の人の騒ぐ声が窓の玻璃に響いて来た。

お房の枕許には、小さな人形だの、箱だのが薬の瓶と一緒に並べてあった。家内は、寝台の柱にリボンを懸けてみせて、病んでいる子供を楽ませようとした。

「仕舞っておくのよ。」

とお房は言った。

私達は、部屋付の看護婦のほかに、附添の女を一人頼むことにした。この女は私達の腰掛けている傍へ来て、皆川先生の尽力ででもなければ、一人でこういう角の室を占め

ることは出来ない、これは余程の優待であると話して聞かせた。

肩の隆った白い服を着て、左の胸に丸い徽章を着けた、若い肥った看護婦が、室の戸を開けて入って来た。この部屋付の看護婦は、白いクロオバアの花束を庭から作って来て、それをお房に呉れた。

「房子さん、好いリボンを頂きましたねえ――御土産ですか。」と看護婦が言った。

「仕舞っておくのよ、仕舞っておくのよ。」

こうお房は繰返していたが、やがて看護婦から貰った花束を握ったまま眠ってしまった。

夕方に私は皆川医学士に逢った。お房の病状を尋ねると、今すこし容子を見た上でなければ、確めかねるとのことであった。その晩から、私達はかわるがわる子供の傍に居た。

「父さん――父さん――父さんの馬鹿――」

こう呼ぶ声が私の耳に入った。私は、奈何なって行くか分らないような子供の傍に、疲れた自分を見出した。それは病院へ来てから三日目の夜で、宿直の人達も寝沈まったかと思われる頃であった。

「父さん、房ちゃんは最早駄目よ。」

熱の譫語とも聞えなかった。といって子供の口から斯様な言葉が出ようとも思われなかった。私は夢を辿る気がした。

「父さん、房ちゃんは……ねえ……」

その後が聞きたいと思っていると、パッタリお房の声は絶えた。その晩は私も碌に眠らなかった。

次第にお房はワルくなるように見えた。山で生れて、根が弱い体質の子供でないから、病に抵抗するだけの力はあるはずだ、とそれを私達は頼みにした。どうかしてこの娘ばかりは助けたく思ったのである。入院して丁度一週間目になる頃は、私も家のものも子供の傍に附いていた。大久保の方は人に頼んだり、親戚のものに来て泊ってもらったりした。幾晩かの睡眠不足で、皆な疲れた。

附添の女と私達とは、三人かわるがわる起きて、夜の廊下を通って、看護婦室の先の方まで氷塊を砕きに行っては帰って来て、お房の頭を冷した。そして、交代に眠った。疲労と心配とで、私も寝台の後の方に倒れたかと思うと、直にまた眼が覚めた。一晩中、お房は「母さん、母さん」と呼びつづけた。

まだ夜は明けなかった。私は手拭を探して、廊下へ顔を洗いに出た。いくらか清々した気分になって、引返そうとすると、お房の声は室を泄れて廊下の外まで響き渡ってい

た。

「母さん——母さん——母さん——」

烈しい叫声は私の頭脳へ響けた。その焦々した声を聞くと、私は自分まで一緒に奈何かなってしまうような気がした。

お房の枕頭には黒い布を掛けて、光を遮るようにしてあった。お房は半分夢中で、下口唇を突出すようにして、苦しそうな息づかいをした。胸が痛み、頭が痛むと言って、母に叩かせたが、もっと元気に叩いてくれなどと言って、どうかすると掛けてあるショウルを撥飛した。

日の出が待遠しかった。私は窓のところへ行ってみた。庭はまだ薄暗く、木立の下あたりは殊に暗かったが、やがて青白い光が朝の空に映り始めた。梢に風のあることが分って来た。テニスの網も白く分って来た。この静かな庭の方へ、丁度私達の居る病室と並行に突出した建築物があって、その石階の鉄の欄までも分って来た。赤く寂しい電燈が向うの病室の廊下にも見える。顔を洗いに行く人も見える。お菊の亡くなる時に世話をしてくれた若い看護婦も通る。

「母さん——母さん——馬鹿、馬鹿——」

とまたお房が始めた。「母さん、あのねえ……」などと言いかけるかと思うと消えて

しまう。

上野の鐘は不忍の池に響いて聞えた。朝だ。ホッと私達は溜息を吐いた。

小児科のことで、隣の広い室には多勢子供の患者が居た。そこには全治する見込の無いものでも世話するとかで、死後は解剖されるという約束で来ているものもあった。晩に来て朝に帰る親達も多かった。

「母さん——母さん——母さん——ん——」

この叫声は私達の耳についてしまった。どうかすると、それが歌うように、低い柔な調子になることもあった。

友達や親戚のものはかわるがわる見舞に来てくれた。午後に私は皆川医学士に呼ばれて、大きなテエブルの置いてある部屋へ行った。他に人も居なかった。学士は私と相対に腰掛けて、私に煙草をすすめ自分でもそれを燻しながら、医局のものは皆な私の子供のことを気の毒に思うと言って、そのことは病院の日誌にも書き、また、出来得る限りの力を尽しつつあることなぞを話してくれた。その時、学士は独逸語の医書を私の前に披いて、小児の病理に関する一節を私に訳して聞かせた。お房の苦んでいる熱は、腸から来たものではなくて、脳膜炎であること——七歳の今日まで、お房はお房の生き得るかぎりを生きたものであること——こういう宣告が懇切な学士の口唇から出た。私は厳

粛な、切ない思に打たれた。そして、あの子供を救うべきすべての望は絶えたことを知った。室へ戻ってみるとお房は一時気の狂った少女のようで、母親の鼻の穴へ指を突込み、顔を掴み、急に泣き出したりなぞしていた。

「房ちゃん、見えるかい。」と私が言ってみた。

「ああ――」とお房は返事をしたが、やがて急に力を入れて、幼い頭脳の内部が破壊し尽されるまでは休めないかのように叫び出した。

「母さん――母さん――母さんちゃん――ちゃん――ちゃん――ちゃん。」

この調子が可笑しくもあったので、看護のもの一同が笑うと、お房は自分でも可笑しくなったとみえて、めずらしく笑った。それから、ヒョットコの真似なぞをしてみせた。

寝台の側に附添っていた人々は、喜び、笑った。お房も一緒に笑ううちに、逆上せて来たとみえて、母親の鼻といわず、口といわず、目といわず、指を突込もうとした。枕も掻挘った。人々は皆な可懼しく思った。終には、お房は大声に泣出した。

こういう中へ、牛込の法学士から私の子供が入院したことを聞いたといって、訪ねて来てくれた画家があった。君は浮世絵の方から出た人であった。君の女の児は幼稚園へ通う途中で、あやまって電車のために引き殺されたということで、それを私に泣いて話

した。この可傷しい子供の失い方をした画家は、絶えず涙で、お房の苦しむ方を見ていた。

今はただ幼いものの死を待つばかりである。こう私は二、三の友達の許へ葉書を書いた。翌日はお房の呼ぶ声も弱って来て、「かあちゃん、か――」とか、「馬鹿ちゃん、馬――」とか、きれぎれに僅かに聞えるようになった。家の方も案じられるので、私は皆川医学士に子供のことを頼んでおいて、それから鳥渡大久保へ帰った。

放擲しておいた家の中はシンカンとしていた。裏に住む女教師なども病院の方の様子を聞きに来た。寂しそうに留守をしていた姪は、留守中に訪ねてくれた人達だの、種々な郊外の出来事だのを話して、ついでに、黒が植木屋の庭の裏手にある室の中で四匹ばかりの子供を産んだことを言出した。幾度饑え、幾度殺されそうにしたか解らないこの死に損いの畜生にも、人が来て頭を撫でて、加に、食物までも宛行われるような日が来た。

私は庭に出て、子供のことを考えて、ボンヤリと眺め入った。樹木を隔てた植木屋の勝手口の方では、かみさんが障子を開けて、

「黒――来い、来い、来い。」

こう呼ぶ声が聞えた。

二晩ばかり、私は家の方に居た。その翌る晩も、知らせが有ったら直に病院へ出掛ける積りで、疲れて眠っていると、遅くなって電報を受取った。

「ミヤクハゲシ、スグコイ。」

とある。

九時半過ぎた。病院へ着く前に最早あの厳重な門が閉されることを思って、入ることが出来るだろうかとは思ったが、不取敢出掛けた。追分まで車で急がせて、そこで私は電車に移った。新宿の通りは稲荷祭のあるころで、提灯のあかりが電車の窓に映ったが、そのうちに雨の音がして来た。濡れて光る夜の町々の灯――白い灯――紅い灯――電線の上から落ちる青い電光の閃き――そういうものが窓の玻璃に映ったり消えたりした。寂しい雨の中を通る電車の音は余計に私を疲れさせた。車の中で私は前後を知らずにいることもあった。時々眼を覚ますと、あのお房が一週間ばかり叫びつづけに叫んだ焦々した声が耳の底にあった。

「母さん――母さん――母さん――」

私は自分の頭脳の中で彼の声を聞くようになった。同時に病院へ行けば最早お房はイケナイか知らん、と思いやった。須田町で本郷行に乗換えた。万世橋のところに立つ凱旋門(19)は光って見えたかと思うとまた闇に隠れた。

暗い時計台の下あたりには往来する人もなかった。私は門の外から呼んでみた。その時、門番が起きて来て、私の名を呼んで、それから厳しい門を開けてくれた。

「どうして私のことを御存じでしたか。」と私は嬉しさのあまりに聞いてみた。

「ナニ、断りが有りましたからネ。」と門番が言った。

小児科の入口も堅く閉っていた。内の方で当番らしい女の声がして、やがて戸が開いた。分室へ通う廊下のあたりは、亜鉛葺の屋根にそそぐ雨が寂しい思を与えた。看護婦室の前で年をとった看護婦に逢ったきり、他には誰にも逢わなかった。やがて私は長い廊下を突当ったところにある室の前に立った。

「駄目かナ。」

と戸の外で思った。

妙に私は手が震えた。一目に子供の運命が見られるような気がして、可恐しくて、戸が押せなかった。思い切って開けてみると、お房はすこし沈着いてスヤスヤ眠っている。

翌朝は殊にワルかった。子供の顔は火のように熱した。それを見ると、病の重いことを思わせる。

「母さん何処に居るの?」とお房は探すように言った。

「此処に居るのよ。」と母は側へ寄ってお房の手に自分のを握ませた。

「そう……」とお房は母の手を握った。

「房（ふう）ちゃん、見えないのかい。」

と母が尋ねると、お房は点頭（うなず）いてみせた。その朝からお房は眼が見えなかった。

この子供の枕している窓の外には、根元から二つに分れた大きな椎（しい）の樹があった。それと並んで、二本の樫（かし）の樹もあった。若々しい樫の緑は髪のように日にかがやいて見え、椎の方は暗緑で、茶褐色をも帯びていた。その青い、暗い、寂（さ）びきった、何百年経つか解らないような椎の樹蔭から、幾羽となく小鳥が飛出した。その朝まで、私達は塒（ねぐら）とは気が付かなかった。

燕も窓の外を通った。田舎者らしい附添の女はその方へ行って、眺めて、

「ア――燕が来た。」

と何か思い出したように言った。丁度看護婦が来て、お房の枕頭（まくらもと）で温度表を見ていたが、それを聞咎（ききとが）めて、

「燕が来たって、其様（そんな）にめずらしがらなくても可（よ）かろう。」と戯れるように。

「房（ふう）ちゃんのお迎えに来たんだよ。」と附添の女は窓に倚凭（よりかか）った。

「また其様（そん）なことを……」と看護婦が叱るように言った。

「しかし、病院へ燕が来るなんて、めずらしいんですよ。」

こう附添の女は家内の方を見て、訛（なまり）のある言葉で言って聞かせた。その日、お房の髪は中央（まんなか）から後方（うしろ）へかけて切捨てられた。あまり毛が厚すぎて、頭を冷すに不便であったからで。お房は口も自由に利けなかったがまだそれでも枕頭に積重ねてある毛糸のことを忘れないで、「かいとオ、かいとオ」と言っていた。時々痰（たん）の咽喉に掛かる音もした。看護婦はガアゼで子供の口を拭（ぬぐ）って、薬は筆で飲ませた。最早（もう）口から飲食（のみくい）することもムツカシかった。鶏卵に牛乳を混ぜて、滋養灌腸というのをした。

皆川医学士を始め、医局に居る学士達はかわるがわる回診に来た。時には、学生らしい人も一緒に随いて来た。看護婦だの、身内のものだのが取囲（とりま）いている寝台の側に立って、皆川医学士はその学生らしい人にお房の病状を説明して聞かせた。そして、子供の足を撫でたり、腹部を指してみせたりした。学生らしい人はまた、こういう時に経験しておこうという風で、学士の説明に耳を傾けていた。学士達の中には、まだ年も若く、ここへ来たばかりで、冷静になろうなろうと勉めているような人もあった。

病院へ来て二週間目にあたるという晩には、お房は最早（もう）耳もよく聴えなかった。ただ、物を言いたそうにする口——下唇を突出すようにして、息づかいをする口だけ残った。過度の疲労と、睡眠の不足で、私達は半分眠りながら看護した。夜の二時半頃、私は交代で起きて、附添の女や家内を休ませたが、二人は横になったかと思うと直（すぐ）に死んだよ

うになってしまった。どうかすると、私も病人の寝台に身体を持たせ掛けたまま、まるで無感覚の状態に居ることもあった。

翌朝になって、附添の女は私達のために賄の膳を運んで来た。

「オイ、その膳をここへ持って来てくれ。」と私は家内に言付けた。「子供が死んで、親ばかり残るんでは、なんだか勿体ない――今朝はここで食おう。」

膳には、麸の露、香の物などが付いた。私達は窓に近い板敷の上に直に坐って、そこで朝飯の膳に就いた。

回診は十時頃にあった。医学士達は看護婦を連れて、多勢で病人の様子を見に来た。終焉も遠くはあるまいとのことであった。午後までも保つまいと言われた。前の日まで、お房が顔の半面は痙攣のために引釣ったようになっていたが、それも元のままに復り、口元も平素の通りになり、黒い髪は耳のあたりを掩うていた。湯に浸したガアゼで、家内が顔を拭ってやると、急に血色が頬へ上って、黄ばんだうちにも紅味を帯びた。痩せ衰えたお房の容貌は眠るようで子供らしかった。

よく覚えておこうと思って、私は子供の傍へ寄った。家内はお房の髪を湿して、それを櫛でといてやった。それから、山を下りる時に着せて連れて来たお房の好きな袷に着更えさせた。周囲には「姉さん達」も集って来ていた。死は次第にお房の身に上るよう

に見えた。

こうなると、用意しなければならないことも多かったので、それから夕方まで私は子供の傍に居なかった。やがて最早息を引取ったろうか、そんなことを思いながら、病院の方へ急いでみると、まだお房は静かに眠る状態である。小鳥も塒に帰る頃で、幾羽となく椎の樹の方へ飛んで来た。窓のところから眺めると、白い服を着た看護婦だの、癒りかけた患者だのが、彼方此方と庭の内を散歩している。学士達は消毒衣のままで、緑蔭にテニスするさまも見える。ここへお房が入院したばかりの時は、よく私も勧められてテニスの仲間入をしたものだが、最早ラッケットを握る気にもなれなかった。

お房の眼の上には、眸が疲れると言って、硼酸に浸した白い布が覆せてあった。時々痙攣の起るたびに、呼吸は烈しく、胸は波うつようになった。頭も震えた。もはや終焉か、と思って一同子供の周囲に集って見ると、またいくらか収って、眠った。

夕日は室の内に満ちた。庭に出て遊ぶ人も何時の間にか散ってしまった。不忍の池の方ではちらちら灯が点く。私達は、半分死んでいる子供の傍で、この静かな夕方を送った。

お房は眠りつづけた。看護の人々も疲れて横になるものが多かった。夜の九時頃には、私は独り電燈の下に椅子に腰掛けてお房の烈しい呼吸の音を聞いていた。堪えがたき疲

労、心痛、悲哀などの混り合った空気は、このゴロゴロ人の寝ている病室の内に満ち溢れた。隣の室の方からは子供の泣声も聞えて来た。時々お房の傍へ寄って、眼の上の白い布を取除いて見ると、子供の顔は汗をかいて紅くなっている。胸も高く踴っている。

上野の鐘は暗い窓に響いた。

「我もまた、何時までかあるべき……」

こう私は繰返してみた。

分ち与えた髪、瞳、口唇——そういうものは最早二度と見ることが出来ないかと思われた。無際無限のこの宇宙の間に、私はただ茫然自失する人であった。

看護婦が入って来た。体温をはかってみて、急いで表を携えて出て行った。何時の間にか家内は寝台の向側に跪いていた。私はお房の細い手を握って脈を捜ろうとした。火のように熱かった。

「脈は有りますか。」

「むむ、有るには有るが、乱調子だ。」

斯様な話をして、私達は耳を澄ましながら、子供の呼吸を聞いてみた。

急に皆川医学士が看護婦を随えて入って来た。学士は洋服の隠袖から反射機を取出して、それでお房の目を照らして見た。何を見るともなしにその目はグルグル廻って、そ

して血走った苦痛の色を帯びていた。学士は深い溜息を吐いて、やがて出て行ってしまった。

夢のように窓が白んだ。猛烈な呼吸と呻声とが私達の耳を打った。附添の女は走って氷を探しに行った。お房の気息は引いて行く「生」の潮のように聞えた。最早声らしい声も出なかったから、せめて最後に聞くかと思えば、呻声でも私達には嬉しかった。死は一刻一刻に迫った。私達の眼前にあったものは、半ば閉じた眼――尖った鼻――力のない口――蒼ざめて石のように冷くなった頬――呻声も呼吸も終に聞えなかった。

数時間経って、お房が入院中世話になった礼を述べ、また、別れをも告げようと思って、私は医局へ行った。その時、大きなテエブルを取囲いた学士達から手厚い弔辞を受けた。濃情な皆川医学士は、お房のために和歌を一首作ったと言って、壁に懸けてある黒板の方を指して見せた。なお、埋葬の日を知らせよなどと言ってくれた。

看護婦や附添の女にも別れて、私はショウルに包んだお房の死体を抱きながら、車に乗った。他のものも車で後になり前になりして出掛けた。本郷から大久保まで乗る長い道の間、私達は皆な疲労が出て、車の上で居眠を仕続けて行った。

お菊と違って、姉の方は友達が多かった。私達が大久保へ入った頃は、到る処に咲いている百日紅のかげなぞで、お房と同年位の短い着物を着た、よく一緒に遊んだ娘達に

も逢った。ガッカリして私達は自分の家に帰った。

「貴方は男だから可う御座んすが、こちらの叔母さんが可哀そうです。」

弔いに来る人も、来る人も、皆な同じようなことを言ってくれた。留守を頼んでおいた甥はまた私の顔を眺めて、

「私も家のやつに子供でも有ったら、よく其様なことを考えますが、しかし叔父さんや叔母さんの苦むところを見ると、無い方が可いかとも思いますね。」

と言っていた。

こうしてまた私の家では葬式を出すことになった。お房のためには、長光寺の墓地の都合で、二人の妹と僅か離れたところを択んだ。子供等の墓は間を置いて三つ並んだ。境内は樹木も多く、娘達のことを思出しに行くに好いような場処であった。葬式の後、家内は姪を連れてそこへ通うのをせめてもの心やりとした。

子供の亡くなったことについて、私は方々から手紙を貰った。殊に同じ経験があると言って、長く長く書いて寄してくれた雑誌記者があった。君とは久しく往来も絶えてしまったが、その手紙を読んで、何故に君が今の住居の不便をも忍ぶか、ということを知った。君は子供の墓地に近く住むことを唯一の慰藉としている。

不思議にも、私の足は娘達の墓の方へ向かなくなった。お繁の亡くなった頃は、私も

よく行き行きして、墓畔の詩趣をさえ見つけたものだが、一人死に、二人死にするうちに、妙に私は墓参りが苦しく可懼(おそろ)しくなって来た。

「父さんは薄情だ――子供の墓へお参りもしないで。」

よく家のものはそれを言った。

私も行く気が無いではなかった。幾度(いくたび)か長光寺の傍まで行きかけてはみるが、何時(いつ)でも止(よ)して戻って来た。何となく私は眩暈(めまい)がして、そこへ倒れそうな気がしてならなかった。

寄ると触ると、私の家では娘達の話が出た。最早(もう)お繁の肉体(からだ)は腐ってしまったろうか、そんな話が出るたびに、私は言うに言われぬ変な気がした。

家内は姪をつかまえて、

「房(ふう)ちゃんや菊(きい)ちゃんが二人とも達者で居る時分には、よく繁ちゃんのお墓へ連れてって桑の実を摘(と)ってやりましたッけ。繁ちゃんの桑の実だからッて教えておいたもんですから、行くと、繁ちゃん桑の実頂戴(ちょうだい)ッて断るんですよ。そうしちゃあ、二人で頂くんです……あのお墓の後方(うしろ)にある桑の樹は、背が高いでしょう。だもんですから、母さん摘(と)って下さいッて言っちゃあ……」

種夫に乳を呑ませながら、斯様(こん)な話を私の傍でする。姪はまた姪で、お房やお菊のよ

く歌った「紫におう菫の花よ」という唱歌を歌い出す。

「オイ、止してくれ、止してくれ。」

こう言って、私は子供の話が出ると、他の話にしてしまった。

山から持って来た私の仕事が意外な反響を世間に伝える頃、私の家では最も惨澹たる日を送った。ある朝、私は新聞を懐にして、界隈へ散歩に出掛けた。丁度日曜附録の附く日で、ぶらぶらそれを読みながら歩いて行くと、中に麹町の方に居る友達の寄稿したものがあった。メレヂコウスキイ[20]が『トルストイ論』の中からあの露西亜人の面白い話が引いてあった。それは、芽生を摘んだら、親木が余計成長するだろうと思って、芽生を摘み摘みするうちに、親木が枯れて来たという話で、酷く私は身にツマされた。ドシドシ新しい家屋の建って行く郊外の光景は私の眼前に展けていた。私は、何のために、山から妻子を連れて、この新開地へ引移って来たか、と思ってみた。つくづく私は、努力の為すなく、事業の空しきを感じた。

眺め入りながら、

「芽生は枯れた、親木も一緒に枯れかかって来た……」

こう私は思うようになった。

その晩、私は急に旅行を思い立った。磯部の三景楼[21]というは、碓氷川の水声を聞くこ

とも出来て、信州に居る時分よく遊びに行った温泉宿だ。あそこは山の下だ、あそこまで行けば、山へ帰ったも同じようなものだ、と考えて、そこそこに旅の仕度を始めた。

「なんだか俺は気でも狂いそうになって来た。一寸磯部まで行って来る。」

こう家のものに言った。翌朝早く私は新宿の停車場を発った。

人形

（ある男の追憶）

御人形師（おんにんぎょうし）、としてある根岸（ねぎし）の親戚の家（うち）にしばらく私は逼塞（ひっそく）していたことが有った。その頃は浪人同様の姿で、あだかも土の中の蚯蚓（みみず）のような生活を続けていた。為（な）すこともなく……といって、何も無しには私も日が送れなかった。

ある日、年増（としま）の婦人が人形の手入（ていれ）を頼みに来た。丁度（ちょうど）叔父は蔵の中で、棚の上に並べてある箱か何かの調べをしていたから、私が出て挨拶（あいさつ）した。その婦人はある料理屋に奉公するものであった。丁寧な口の利きようをする女中で、女主人（おんなあるじ）からの吩咐（いいつけ）で訪ねて来たが、汚れた人形の化粧を頼みたい、幾日ばかりで手入が出来るだろうか、とのことだった。女中は附添（つけた）して、主人が非常に大切にする品だから、もし明日にも持って来たら、その積りで扱ってもらいたいと、念を押して頼んで行った。

翌日、一台の車が門前で停った。例の女中はかなり大きな男の児の人形を大事そうに抱いて降りた。

「坊ちゃん、早く快く御成り遊ばせ。また私が御迎いに参りますよ。」

と女中は主人の子供にでも言い聞かせるように、その人形に言った。

この「早く快く御成り遊ばせ」が、私の心を引いた。女中のいう「坊ちゃん」には立派な羽織袴が着せてあった。水浅黄色(1)の襦袢(2)の袖口も、男の児らしかった。すこし汚れた手、足袋を穿かせた足なぞは、ぐたりと垂下っていた。それを女中は病のある子供のようにして、ほとんど生きているものの通りに扱った。

「御蒲団もここへ持って参りました。」

と言って、女中は蒲団を差出した。まるで、病院へ子供でも連れて来たような口調で。

「それから誠に済みませんですが、手前共ではこの御人形さんに三度三度御膳を上げることにして御座います……それがもう習慣になって居ります……是方へ御願いする間、それを致しませんのも、何だか気が咎めるような心地がいたしまして……恐れ入りますですが、ホンの印ばかりでも宜しゅう御座いますから御膳を上げて下さいませんでしょうか……」

こういう女中の頼みを、叔父は微笑を含みながら引受けた。

女中が帰って行った後、私は叔父と二人で、その人形を抱（いだ）き愛するという内儀（おかみ）さんの噂をした。いずれ子供でも無い人だろう、と叔父は呑込顔（のみこみがお）に言っていた。その道にかけては、叔父はかなり名を知られた人で、めったに他（ひと）を褒めたこともなかった。その叔父が気に入ったという位で、白い頰のあたりは人肌や手垢ですこし汚れてはいたが、いかにも邪気（あどけ）なく出来ていた。それに、何時（いつ）までも同じところを見つめているような、涼しい、子供らしい眼付（めつき）には、何処（どこ）か人工的の美しさと恍惚（こうこつ）とが有った。

「この御人形さん、何処の御人形さん？」と叔父の子供が直（すぐ）に来て目を着けた。そして、その人形を抱かせろと言出した。叔父は、客から預った大切の品と思って、抱かせまいとすると、娘の方では地団太（じだんだ）を踏んで泣いた。

「馬鹿！　これは、お前、御人形さんじゃないよ。彼方（あっち）の坊ちゃんだよ。」と叔父が言って笑った。

私は見かねて、「そんなに泣くなら、貸さない……私が御願いして進（あ）げるから、宜（い）いかい、一寸（ちょっと）抱いてみるだけなんだよ……直に返すんだよ。」

娘は機嫌を直した。弟ぐらいある大きさの人形を堅く抱締めて、嬉しそうに部屋中歩き廻った。

「ア——そんな、ヒドイことをするから不可（いけない）。だからお前には、貸さないと言ってる

んだ――」

と叔父は周章てて、娘の手から奪取った。娘は怒気を含んで、いきなり唾を吐き掛けておいて、ぷいと庭の方へ逃出して行ってしまった。叔父は、「仕方のない奴だ」という顔付をしながら、娘の手の届かないところへその人形を置いた。その辺には、裸形のままのがいくつも箱に入れて飾ってあった。

雨の多い年だった。六月に入ってから殊によく降った。蔵の横手には幾坪かの地所があって、そこで叔父の弟子が人形の首などを乾したが、どうかすると熱い大粒なやつが落ちて来た。そんな陽気で、預った「坊ちゃん」の上塗も果が捗かなかった。約束の日が来ると、早速例の女中が様子を見にやって来た。「坊ちゃん」へと言って、菓子まで用意して来た。女中は、入院している子供の見舞にでも来たように、その人形のことを尋ねた。

私も聞いてみたくなって、

「貴方のところの内儀さんは、御子さんでも無い方なんですか。」

「ええ、御座いません……でもネ、彼様に御人形さんを可愛がる位ですから、子供衆も好きそうなものですが……どういうものか嫌いなんだそうで御座いますよ。」

と女中は笑いながら答えた。

退屈のあまり、私はこの女中をつかまえて、種々と内儀さんのことを聞いた。内儀さんが彼の人形に話しかける言葉は親子のようにしか思われないことや、食う物から、着る物から、穿物まで、一切男の児の通りに宛行われることや、夜は子供の寝る時間に必ず人形の寝床が内儀さんの傍に敷かれることなぞを知った。

この女中の話を聞いて、私は自分の仕事でも出来たように、人形好きな内儀さんを想像してみた。

四、五日経つと、女中は車で迎えに来た。全快した「坊ちゃん」は女中の手に抱かれて帰って行った。

これが例になって、翌年も「坊ちゃん」は叔父のところへ「入院」したとか聞いた。しかしその頃は、私は親戚から離れて、下町の方に一戸を構えた。名高い料理屋が商家の多い町々の間に散在するような場処は、私にとって商売上の交際場裏であった。例の人形好きな内儀さんの家でも私がよく行く方へ引移った。私は取引先の客なぞと一緒に、その料理屋の二階へも上って、内儀さんという人に逢ってみた、私の眼に映った内儀さんは――実に、何にもかも仕尽して来たような婦人であった。女中でも誰でもこの内儀さんにはビリビリしているという話だ。根岸の叔父の家へ使に来た年増の女中は居なかった。ある時、私がその話を言出したら、内儀さんは若い女中に吩咐けて「御挨拶を申

上げるように」と言って、人形を連れて来させた。私はめずらしいところで「坊ちゃん」に邂逅った。

それから六年の月日は、私の境遇を種々に変えさせた。私が大阪から失敗して帰って来た頃は、根岸の叔父も最早歿していた。私は旧い友達と共に、七月(3)の東京のある夜を語り暮そうとして、明るい町々を歩いた。多くの楽しい時を芝居の引幕の陰などに送ったことは、私には夢のように思われて来た。私達は浅草橋から柳橋の方へ歩いて、往時船宿(4)の窓の灯が水に映ったという岸を眺めて通った。沈んだ空気は私達の身を包んだ。私は、早い凋落の悲哀を友達に語り、子の無い女の一生などに及び、こういう頽廃した、しかも美しい空気の中に、あの内儀さんのような人が住んでいると話した。

やがて私達は浜町河岸(5)へ出た。夜の隅田川は暗い静かな湖水のように見えた。例の内儀さんの経営する料理屋の側を通過ぎて、私達は岸づたいに非常に静かに歩いた。長い間疑問として残っていたことは、その一夜の水のような空気を通して、一息に私の心へ入って来た。子供が嫌いで人形が好きだという彼の内儀さんが、奈何に僅の幻に生きつつあるか、それを私は想ってみた。そして、世にも寂しい女のあるということを胸に浮べた。

平和の日

木曾街道(1)に添うたある町の宿屋の入口には、草鞋穿のまま腰掛けて、馬車を待っている二、三の旅人があった。退屈顔に酒を酌んでいるのもあった。

丁度、日露戦争が終った翌年のことで、この田舎風な宿屋の庭先では、戦争後の噂が絶えなかった。番頭はじめ、ぶらりとそこへ入って来た土地の若者まで話の仲間に加わった。その中に、一人、大きな旅行用のセル地(2)の袋に身を持たせ掛けながら、すこし蒼ざめた顔付をして、黙って皆なの話を聞いている旅人があった。

彼は真木というものだ。日露戦争には支那語の通訳官として従軍したものだ。鴨緑江(3)の岸で戦死した友達の話を持って、その夫に別れた細君を訪ねるために、わざわざ木曾路を通るものだ。

夏服を着けた、脊の高い一人の軍人が、鞄と外套を携えて、この宿屋へ入って来た。

そこに腰掛けて話していた土地の若者は、急に、敬意を表するように起上った。そして、兵士が目上のものに対する時の口調で、軍曹の名を呼んだ。この見ず識らずの軍曹が入って来ると同時に、真木の視線はその方へ向いた。多忙しい世間の人と同じように、こうして真木は旅に来ても、考えなければならない多くの事を有っていた。不思議にも――戦地へ行って来てから以来――彼は真に考えることの出来ない人であった。何時の間にか、彼の心は眼前に居る人達の方へ行った。

若者は狃々しく、「暑中休暇かネ」と尋ねると、軍曹は軽く笑って、これから松本の方へ行くことや、更に引返して、ある中尉と一緒に名古屋の方へ帰ることなぞを話した。田舎漢らしくはあるが、沈着な、鷹揚な軍曹で、若者と同じように腰掛けて、巻煙草をパイプに差して燻し始めた。若者は可懐しそうに、なにがし軍曹は隊に居るか、なにがし一等卒は奈何したか、なにがし中尉も相変らずか、などと頻りに尋ねて、その軍曹の身の上を羨むという風に見えた。

この二人の話を聞いて、真木は戦争の当時を思出していた。戦地はまだ彼の眼にあった。説くも詮なき従軍[4]の苦、打勝ちがたき睡眠の不足――左様いうものは、彼の生命に何を齎したろう。第一軍に附いて遠征した兵士の中にすら、身体に異状を起して引返したものも有った。彼もまた、途中で倒れた一人で、病のある身体を鞭ち、重い脚を引摺

り、あの臨時の赤十字病院へ辿り着くまで、幾度か決死と激昂とで震えたのであった。

軍曹は、と見ると、買物か何かに町の方へ出て行った。宿屋の軒先には、種々な色に染められた御嶽講中(5)の旗標なぞが微かな風に嬲られている。古めかしい看板の下には、黒猫が眠っている。直ぐその前に、夏の日の映った木曾街道が見える。

平和な日光。何という静かさだろう。戦争当時の物凄い擾乱、悲壮な別離、命懸けの叫声、そんなものは何処へか潜んでしまった。この明るい日ざかりには、すべての秩序が回復せられ、すべての悲哀が癒されるかのように見える。

真木はセル地の袋を枕にしながら、そこへあおのけに身を投げた。脚だけ垂れて死んだようになっていた。あの臨時の赤十字病院の光景も、彼には忘れることの出来ないものであった。種々なものが胸に浮んで来た……病室の窓……白い、病院のにおいのする蒲団……幾多の傷病者……腕の無い同胞の身体……抉り出された砲丸……流血……負傷した捕虜の露兵の死……

ふと我に返ると、独語のような若者の言葉が真木の耳に入る。

「夏服はツマラないナ。軍曹でも、兵士でも、同じに見られるから。」

真木は寝ながら若者の方をボンヤリ眺め入った。青い、垢染みた単衣を着た若者は、庭先から板の間へ上って、軍曹が置いて行った外套を纏ってみた。それを自分のものの

ように、手を振ったり、歩いたりしてみた。

若者が宿屋の番頭をつかまえて話す調子は、無心に真木の上へ働いた。「冬服は金筋が入って、軍曹となると大したものだ。軍曹となりゃ、暑中休暇は出るし、午後は三時から外出が出来るし、兵士は五人当番で御遣いなさる……」と可羨しそうに言って、「あの男は、ナカナカ評判が好い――品行が違うからネ」と番頭に話して聞かせていた。若者はまた、軍隊生活を思出したという顔付で、「右の肩へ左の腕よりか、」と諳誦するように言いながら、軍曹の外套を丁寧に畳んでみたりなぞした。

この無関係な光景に心を奪われていた真木が、むっくと身を起した頃は、軍曹も町の方から帰って来た。

若者は軍曹の肩を叩いて、

「一人は松本に待って居るのかい。どうしても可愛いやつが有る方へは、足が向くネ。」

思わず真木も微笑んだ。彼は、自分がこれから訪ねようとする友達の細君のことを胸に浮べた。実際あの、大きな、うるんだような眼を若い後家さん(6)として見に行こうとは、彼の思いもよらないことで有った。

その時、若者は軍曹に、勲章を貰ったかと尋ねた。軍曹は鞄の中から無造作に取出し

て、パチン留(7)の小箱を開けて見せた。

「こりゃ、成程真実だ。しかも二つ。ウマくやったネ。大したものを取ったネ……金に銀……おいらも金銀をさげたいナア。」

斯様なことを言って、若者はその勲章を自分の胸に宛行ってみた。

「掛けてみせなさい。」とまた若者が言った。

「掛けたって仕様がないサ。煩い。」

と言いながらも、軍曹は夏服の胸のあたりに二つ光らせてみせた。

旅人は二時間の余も馬車を待った。中央線の工事はまだ着手されない頃で、この町から馬車で行くものは、お六櫛(8)の出来る村まで乗って、それから更に峠を越えなければならなかった。若い後家さんに逢うことを楽みにして、真木も他の旅人と一緒に出掛ける仕度をした。

宿屋を離れて、彼は一仕事したようにホッと溜息を吐いた。

血――戦地でそれを目撃して来た真木は、どうかするとその心地が沈んだものとなって、この平和の日にまで続いた。まだ彼は耳の底の方で、砲の音なぞを聞く気がしていた。そして、その耳についた音が、戦地で聞いて来た砲の音か、自分の頭脳の内部で聞く破裂の声か、ほとんど差別のつかないものであった……彼は眼前の事物に対して、戦

地にある時と同じ注意を払う人になった。一時（いっとき）も休むことは出来なかった。あの何等の交渉も無い、通りすがりの軍曹や、土地の若者を見てさえ、疲れた。彼はすこしガッカリした眼付（めつき）をして、田舎風の馬車に乗った。

馬車は山の中の道を出掛けた。

狭い車の中に腰掛けながら、時々真木は柱に倚凭（よりかか）った。すこし仰（あおむ）き気味（ぎみ）に後方（うしろ）へ頭を押付けた。この華々しい勝利の空気の中で、平静にしていられないものは、彼ばかりでもなかった。彼は、凱旋して帰国すると間もなく精神病院へ送られた懇意な軍人のことや、砲弾の飛んで来る海上を物とも思わず、石炭を船に積んで持って行くような、左様（そう）いう大胆な商法（あきない）をして、そして大（おおい）に儲けて帰りながら、世が平和になってから新橋停車場で卒倒した一人の友達のことなぞを考えてみた。彼は頸窩（ぼんのくぼ）の後方（うしろ）に嚙（か）まれるような痛みを覚えた。軽い眩暈（めまい）をも感じた。

こういう中でも、真木はあの若い後家さんの眼を忘れなかった。あの少婦（おんな）がまだ何処へも嫁（かたづ）かないでいる頃——娘というには最早可笑（もうおか）しい位であったが——塵埃（ほこり）が入ったと言って、眼を真赤（まっか）にして、乳をさしても痛みの去らないことが有った。それを真木は自分の舌の端（さき）で拭（ぬぐ）ってやった。その眼は間もなく友達の所有（もの）となったが、しかし長く忘れられなかった。もし戦死した夫の委（くわ）しい話を聞かせたら、奈何（どん）な美しい涙があの眼から

流れることだろう。斯様なことを思って、真木は馬車に揺られて行った。

田舎道のことで、てくてく歩いて通る商人などもあった。そのたびに馬丁は馬を停めて、客を拾って行こうとした。次の村はずれまで行くと、土地のものらしい二人の客が馬車に乗込んだ。その一人は帽子も冠らず、展げた内懐から胸の肌の見えるような風体の男であった。これから故郷を捨てて他国へ稼ぎに行くとかで、頻りにこの山の中を罵った。

また、真木は我を忘れて眺め入った。

「憚りながら一等国の国民となったんだ。斯様な狭い田舎に居て何が出来る、……なにしろ、君、十円ばかりの無尽をするのに、叔父叔母の判まで要るなんて……へん、唯それが十円の無尽だ……」

こう帽子を冠らない男が連をつかまえて、嘲るような、掻口説くような調子で言った。

「君、松本へ行って、大いに飲もう。」

と気を吐くようなことも言った。

動揺する車の上で、真木は目を瞑った。過る一年の間、彼には笑って済まされないことが多かった。すくなくも戦地から帰って来てからの彼は、強い刺戟がなければ生きられない人であった……彼の舌は、酒を味うにはすこし怪しかったが、それでも戦地で飲

慣れたウイスキイを要求した……彼の鼻、これはまたほとんど無感覚で、微細な物の香などを嗅ぐことが出来なかったが、それでも彼は香水の瓶を鼻に押当てて、無理にも興奮を得ようとした……ある時は、不眠の夜が続いた……

「馬車屋さん、一寸ここで降して下さい。声を掛けて行く家があるから。」

と帽子を冠らない男が言ったので、真木も眼を開いて見た。馬車は路傍にある樹の蔭に葉と摺れ摺れに停った。

「大分酔ってら――」

と車の上から、その男のことを許するものも有った。

車を下りた男は、しばらく樹の蔭に立って、草地の方を向きながら立小便をしていたが、やがてあわただしそうに馳けて行った。馬車は徐く動き出した。また男は追馳けて来て乗った。

山麓の村へ着くまでには、乗客は次第にこの馬車を降りた。最後には、真木と帽子を冠らない男と、二人だけ残った。そこまで行った時は、真木は若い後家さんの方へ近づいたことを感じた。峠を越したところに、その少婦の生家が有ったから。

真木は馬車を降りた。下駄穿に尻端折で、鞄代りの袋を脊中へ負った。その紐を両方の肩へ襷に掛けて、それから峠の道にかかった。

新道と交叉したところで、荷馬車に逢ったぎり、細い廃れた旧道には往来の人の影も無かった。真木は喘ぎ喘ぎ夏山を登って行った。

死んだように寂しかった。山鶺鴒の声一つ真木の耳には聞えなかった。時々彼は足を休めて、長く心掛けていた木曾路を通ったことを嬉しく考えて、自分の歩いて来た方を振返って見た。その時は最早木曾川は見えなかった。木曾谿も隠れた。眼にあるものは、人里を離れた山と山の間の狭い沢、それが茂った緑葉に包まれて、沈まり返っていた。そのうちに、曲り折った山道の下の方に、チラと姿を見せた男があった。真木は、その帽子を冠らない頭と、見覚えのある着物の色とを一目見たばかりで、直にその男が誰であるかを知った。

急に、真木は道を急ぎ始めた。彼が急げば急ぐほど、男の方も後方から急いで来るかのように見えた。これが彼を驚かした。そして、余計に道を急がせた。

真木はあの麓の村で草鞋も買わずに、日和下駄なぞでやって来たことを悔いた。供を雇おうと思えば雇えたのに、わざわざ自分で手荷物を負って、その袋の紐を堅く身体に結びつけて、荷物と自分とが一体であるかのように、それを今更奈何することも出来ないのを悔いた。新道には荷馬車が通る。旧道との交叉点で、確かにそれを目撃してある。廻り道になっても、あの安全な新道を取らなかったことを悔いた。

ふと、彼は後方を振返った。歩きながら振返った。見ると男は肌抜になった。それが半身だけ顕われて、また木の葉に隠れた。この肌抜になったということが更に意味ありげに真木の眼に映じた。

峠の上まではまだ余程あるらしかった。その証拠には、重なり重なった山の脊骨が、一つ波のように隠れたかと思うと、また一つ眼前に顕われて来て、山の頂はおろか、木曾谿の方へ落ちた傾斜の全景の一部をすら、目射しく青い夏の空に望むことも出来なかった。

日は山の中らしい青草の上にあたっていた。その日の色は、真木が戦地で見た日の色によく似て来た。すくなくも、その色の感じだけはよく似て来た。

戦地に居た頃の記憶は、つい忘れていたようなことまで、ハッキリと、しかもきれぎれに、彼の胸を通過ぎた。夜の行軍の途中、暗い山道を辿ろうとして、誰から伝わるともなく不思議な声が彼の胸に伝わった。その時の可恐しい暗示を、彼は自分の錯乱した頭脳の内部で聞いた。

「敵襲――」

暗示は実際よりも、もっと可恐しかった。崩雪のように暗い谷底の方へ転がり落ちる物音……彼もまた、何処を奈何間違えたか人と重なり合って落ちた……丁度、その時と

同じような心地(こころもち)になって、すこし眼が眩(くら)んで来た……

男は近づいた。

膏(あぶら)のように滲出(にじみで)る汗が、タラタラ彼の額を流れた。彼はそれを拭(ぬぐ)う暇(いとま)すらも無かった。脊中の荷物を捨てるということも、幾度(いくたび)か考えないではなかったが、その時機が過ぎた。下駄を脱捨(ぬぎす)てて走ろうかとも思った。それすら自分の弱味を示すと思われた。彼は出来るだけの力を出して、自分を追って来るものから逃げるよりほかに方法が無かった。

そのうちに、気勢が尽きて来た。暑熱(あつさ)と、息切と、荷物の重さとで、時々途中に立留って、苦しそうに息を吐(つ)くようになった。すこし休んだかと思うと、また後方(うしろ)を振返って見て、力のかぎり急いだ。次第に足も前へ進まなくなった。旧(ふる)い芝居によくある殺害の幕、その書割(かきわり)(9)を見るような、青笹の茂った場所が、彼の眼に展(ひら)けた。そこまで行くと、彼は最早(もう)歩けなかった。あだかも子供の眼で見るように、彼は周囲(あたり)を見廻した。そこにある苔の生えた馬(ば)頭観音(とうかんのん)の石像を見つけた。その前に立った時は、実に思いもよらない、夢のような恐しさが、彼の心を摑(つか)んだ。彼は小刀(ナイフ)一挺持っていなかった。身を護(まも)る物といったら、手にした毛(け)繻子(じゅす)(10)の洋傘(こうもり)だけしかなかった。加之(おまけ)に、重い物を負(しょ)っていた……そこで彼は、無法な襲撃を覚悟しなければならないかのように、ほとんど絶望的に近づいて来るものを待受けた。

人殺し……

彼は心に叫ぼうとした。

死力を出すべき時が来た。彼は逃げることより他に知らない野獣のようになった。また思い直して、峠の頂を指して急げるだけ急いだ。ある崖の下のところで、彼は山の上の方から降りて来る二、三の商人に逢った。その時、漸く峠の茶屋が近いことを知った。

「御掛けなすっていらっしゃい、御休みなすっていらっしゃい。」

通る旅人を呼ぶ土地の女の声を聞くまでは、まだ彼は安心しなかった。

峠の上には、力餅、うどん、などを売る茶屋が二軒ある。手近い方の家に腰掛けて、ホッと彼は息を吐いた。まだすこし震えながら、額の汗を押拭った。自分で自分の額に手を宛ててみた時は、冷く粘々としていた。

冷々とした峠の上の空気はいくらか蘇生の思を与えた。彼は身の辺を眺め廻した。戦地へ行って帰って来てからのことを考えると、こうした不思議な戦慄を経験するは、既に三度目だ。あの生命を狙って来るような不気味な奴には、必ずしも斯様な山の中でばかり遭遇うとも限らなかった。一度は歓迎の群衆の中で襲われた。羽織袴を着けた紳士が、突然、彼の目には自分を襲うもののように見えて来たことも有った——人知れず寄って来る暗い影のように。

例の帽子を冠らない男は、風呂敷包を提げ、尻端を折って、矢張息づかいも苦しそうに、真木が休んでいる前をよろめきながら通過ぎた。真木はいくらかハッキリとした眼で、その男の姿を見送ることが出来た。やや薄らいだ恐怖はまだ彼の心に残っていた。

この峠の茶屋には、庭先に近く車を置いて、休んでいる車夫もあった。何よりも真木はその車を約束して、峠の下まで乗りたいと思った。これから下るばかりだとか、歩いたところで知れたものだとか、車夫は種々なことを並べた。

「車賃は何程でも出す。」と真木が言出した。

「何程でもなんて……私はこの峠の向を引いてる者で、そんな無法なことは言いません。なにしろ、これから引返せば、もう今夜は戻れなくなります。どうしても五貫は御貰い申さなけりゃ……」

車夫は渋々引受けた。

やがて車夫は飲食した勘定を済まして、車を往来の方へ引出した。

「また今夜も泊りだ。」

こう車夫は独語のように言って、客の手荷物を蹴込(11)のところへ積んだ。真木は疲れて、その車に乗った。名物うんどん、御休処、などとした古風の看板も、駅路の名残を思わせる。

「それじゃ、行って参ります。」

「アイ――まあ、御機嫌好う――」

車夫は茶屋のかみさんと言葉を交しておいて、出掛けた。

次の茶屋には、四、五人の御嶽参り(おんたけまいり)が白い装束(いでたち)で集っていた。旅商人(たびあきんど)も休んでいた。その中に、例の帽子を冠らない男も混って、往来の方を眺めながら、うどんを食っていた。真木は平気を装おうとして、通りすがりの人を見るように、その男の方を見て通った――自然(おのず)と車の上で身を竦(すく)めて。

うねうねとした、勾配の緩慢(なだらか)な新道に添うて、車が滑り始めた頃は、真木の心も途中で一緒になった男から漸く離れることが出来た。その時は最早(もう)何でも無いことにも考えられた。あだかも眼が覚めた後で、夢の心地を辿ってみたように。男が後から急いで来たのは、道連でも欲しかったのだろう。肌抜(はだぬぎ)になったは、汗でもかいたのだろう。左様(そう)思った時は、真木は自分を笑いたくなった。斯様(こん)な白昼(まっぴるま)、夢を見るということは実際あり得るかと疑った。そして、友達の細君にも、誰にも、この話はすまいと思った。

深い谷を瞰下(みおろ)すような位置にある新道は荷馬車の轍(わだち)で掘れていた。車はヒドく揺れた。そのたびに、真木の恐怖は夢の消えるように薄らいで行った。

北木曾ともいいたい傾斜――峠の頂を堺にして、日光から樹木まで趣(おもむき)を異にした高地

の眺望が展けて来た。時とすると、真木は、高い岩石の多い崖の上から、谷底の方に細い旧道を急いで行く旅人の姿を望むこともあった。車は渦のように巻いた山道について、廻りくどいほど遠廻りをしながら、次第に若い後家さんの住む村の方へ近づいて行った。山腹に耕地のあるあたりまで降りた。鬱蒼とした杜が見えた。畠の多いところまで降りた。山麓に上る煙、石を載せた家々の板屋根、緑に包まれた白壁なぞが見えた。

戦死した友達の話を持って、真木は種々に後家さんのことを想像して行った。逢ってみると、後家さんは、思ったほど窶れてもいなかった——色の白い上に、肥った。真木は心の中で、

「何があっても、平気で、同じような気分で居られる。こういう風に世が渡れる人は可羨しい。」

とその後家さんのことを言ってみた。彼は友達の話をして聞かせるにさえ、時々気が遠くなって、自分まで一緒に奈何かなってしまうような心地がしていた。

柳橋スケッチ

一、日光

左様だ、光と熱と夢の無い眠の願い、と言った人もある。こういう言葉を聞いて笑う人もあるだろうか。もしこれが唯の想像の美しい言い廻しでなく、実際この面白そうなことで満されている世の中に、光と、熱と、それから夢のない眠よりほかに願わしいことも無いとしたら、奈様なものだろう。丁度私はそれに似た名状し難い心地で、二週間ばかり床の上に震えていたことが有った。

過る年の冬の寒さも矢張この神経痛を引出した。私が静座する習癖は——実は私はそれでもって自分の健康を保つと考えているのだが——それが反ってこうした疼痛を引起すようになったのかも知れない。それに喋舌が煩しくて、月に三、四度ずつは必ず頼んだ上手な按摩も廃めた。私は自分の身体が自然と回復するのを待つよりほかはなかった。

はかばかしい治療の方法もないというのだから。

私は眠られるだけ眠ろうとした。ある時は酣酔(かんすい)した人のように、一日も二日も眠り続けた。我等の肉体は、ある意味からいえば、絶えず病みつつあるのかも知れない。それを忘れていられるほど平素(ふだん)あまり寝たこともない私は、こういう場合に自分で自分の身体(からだ)を持てあました。ある時はもっと重い病でも待受けるような心地で、床の上に眼が覚めることがあった。不思議な震動が私の全身に伝わって来た。それが障子(しょうじ)の外に起る町の響(ひびき)か、普通の人の感じないような極(ご)く軽い微(かす)かな地震か、それとも自分の身体の震えか、ほとんど差別のつかないもので有った。私は自分で自分の眠が恐ろしくなって来て、枕許(まくらもと)にいろいろな本や雑誌を取出して読んだ。

「我等芸術の憐むべき労働者よ。普通の人々にはしかく簡単に自由を与えられるものも、我等には何故(なぜ)に容易に許されぬであろう。それも理(ことわり)である。普通の人々は真心(ハート)を持つ。我等は遂に真心(ハート)の何物をも持たぬ。我等は到底理解されざる人間である……。」

この言葉に籠(こも)る可傷(いたま)しい真実を私は寝ながら思い続けた。

回想は私の心を高い煙突の立った火葬場の方へ連れて行った。長く続く貧しい町々、畠中にある細い平坦(たいら)な一筋の道路(みち)、車の両側へ来て煩(うるさ)いほど取附く乞食の群、左様(そう)いうものが雑然と私の胸に浮んで来た。今でもまだ私はあの待合処に朝早く集った人々の顔、

入口の棚の上に並べてあった陶器の壺、床の間に掛った地獄極楽の絵などを記憶でしかもありありと見ることが出来る。私達は導かれて、天井の高い、薄暗い、赤煉瓦の建物の中へ入った。そして大きな竈の鉄の扉の前に立った。御坊(1)がその中から、灰色に焼け遺った貝殻のような骨や、歯や、それから黒い海綿のように焦げた脳髄などを取出して、私達の前に置いた。それが私の妻だ。

回想はまた、私の心を樹木の多い静かな墓地の方へ連れて行った。長雨の降り続いた後のことで、墓守が掘った土の中には黄に濁った泥水が涌き溢れていた。墓守は両手を深くその中に差入れたり、両足の爪先で穴の隅々を探ったりして、小さい髑髏を三つと、離れ離れの骨と、腐った棺桶の破片とを掘出した。残酷な土の臭気は私達の鼻を衝いた。丁度八月の明るい光が緑葉の間から射し入って、雨降揚句の墓地を照らしてみせた。蒸々とした空気の中で、墓守は汚れた額の汗を拭いながら、三つの髑髏の泥を洗い落した。その中でも一番小さく日数の経ったのは頭や顔の骨の形も崩れ、歯も欠けて取れ、半ば土に化していた。一番大きいのは骸骨としての感じも堅く、歯並も揃い、髪の毛までもいくらか残って、まだ生々とした額の骨の辺に土と一緒に附着していた。それが私の子供等だ。

すべてこれらの光景に対しても、私は涙一滴流れなかった。ただ、見つめたままで立

っていた。憐むべき観察者。然り、我等は遂に真心の何物をも持たぬのであろう。多くの悲痛、厭悪、畏怖、艱難なる労苦、及び戦慄は、私の記憶に上るばかりでなく、私の全身に上った——私の腰にも、私の肩にまでも。

“The whole of winter enters in my Being—pain, Hate, horror, labour hard and forced—and dread, And like the northern sun upon its polar plane, My heart will soon be but a stone, iced and red.”(2)

私はこの歌の意味を切に感じた。その意味をズキズキ病める疼痛で感じた。

こういう中で、最も私の心を慰めたものは、本間久雄君が訳したオスカア・ワイルドの『獄中記』(3)であった。私は床上であの翻訳を読むのを楽みとした。

いかなる苦痛も、それが自己のものであれば尊いような気がする。すくなくも人は他人の楽みにも勝って自己の苦みを誇りとしたいものである。しかし私は深夜独り床上に坐して苦痛を苦痛と感ずる時、それが痲痺して自ら知らざる状態にあるよりは一層多く生くる時なるを感ずるたびに、斯くも果てしなく人間の苦痛が続くかということを思わずにはいられない。

オスカア・ワイルドは傷いた天才のような傲然とした調子で、ある時は人目も忍ぶ囚人の心弱い調子で、一生の憤りと感激とを泄らしている。

彼、『獄中記』に駄多をこねて曰く、

「神々はありとある凡てのものを私に与えた。私には天才があった、優れた名前があった、高い社会的地位があった、潑剌たる情緒、智力的勇悍があった。私は哲学をして芸術たらしめ、芸術をして哲学たらしめた。私は人々の心根を更え、事物の色彩をも更えた。私の言ったこと、乃至行ったことで世人をして驚嘆せしめなかったことは一つとしてなかった。私は最も客観的形式の芸術として知られて居る戯曲を取って、それを抒情詩や小唄の如き主観的表白の芸術に造り上げた。同時に戯曲の範囲を拡め、その特質を豊富にした。私は偽りなるものもまた真なるものと等しく、同様の領域を占むべきが真理であるとなし、真偽は要するに智識的存在の形式に過ぎないことを明かにした。私は芸術を以て最高の現実となし、人生を以て作り物語の単なる様式となした……それらのことに関しては私は全く他人と異なった天才を持って居たのである。けれども私は、また、愚かな、婬逸な安佚の永き連鎖に吾れと吾身を誘われるに委せた。私は流行児を以て自ら任じ、洒落者を以て自ら快しとした。自分の周囲をもまた、多くの小人物、卑しい心の人々に取まかれるに委せた。私は吾れと吾天才の浪費者となった。而してかつて自分に不可思議な喜悦を与えた永えの若さを恣ままにするようになった。高きものに疲れ果てた私は、更に新しき刺激を求めて一向に下劣きに就いた…………………

……………私は最早霊魂の支配者でなくなった。而もこれを知らなかった。私はただただ快楽の命ずるままに身を委せた……。」

風流にして才気ある貴公子の面目がこれを読むと想像される。同時に人をしてこの婬逸な一生に何が根強く潜んでいたかを思わしめる。彼は二年牢獄に呻吟し堪えがたき絶望に陥り、悲痛のかずかずのありとある心持を経験したとまで記している。所謂流行児であるならば、そこを終の幕としたかも知れない。否、そこまで行かなかったかも知れない。『獄中記』の面白味はそれから更に始めようとしたところにある。彼は悲哀のかずかずも、一生の根柢に横われる苦痛も、拭い難き恥辱も、堕落も、隠れたる卑しき行いも、罪悪も、乃至身に蒙れる刑罰までも、直にそれを霊的な意味あるものに化そうと努めた。彼の「新生」とは人生を以て芸術の形式と成すにあった。斯くして始まる芸術的生活は結局一種の作り物語であろうと思うけれど、彼の所謂智力的勇悍には動かされる。

「私にして、私が到着し得る最高のところを言明すれば、それは芸術的生活の絶対的実現という境地である……ペータアはその『快楽主義者マリウス』(4)に於て、芸術的生活と、深い、快い、而かも厳かな意味に於ける宗教的生活とを融合しようと試みた。けれどもマリウスは要するに一種の傍観者に過ぎなかった……ワーズワースは詩人の真の目

的を、人生の諸相を適当な情緒もて観照するにあると言うたが、理想的傍観者もまた、かくの如き観照眼を有する。けれども要するにただただ傍観者に過ぎない。この人々は静かに霊場の長椅子に腰うち掛けて、自分の眺めて居るところが悲哀の霊場であることに思い到るものはほとんど無いのである。」

見よ、いかに哀傷多き音調と、宗教的情緒の色彩と、そして性急な夢想とに富めるかを。

彼の声はあまりに高くて、どうかすると直に嗄れてしまいそうな気がすることや警句百出して星の如くにその言説を飾るところから、見たところ多趣多様の趣はあるが、その基調を成すものは割合に単調な気がすることや、それから野に埋れし宝の如く心の奥深く潜めるものは即ち謙譲ということであると説いているにも関らずその実、彼が嘲笑して傍観者ほどの謙譲をも感ぜしめないことなどは、私の心を満足させない。けれども私は慰藉を得た。私の病んでいる耳に、種々な快いことを囁いてくれたような気がした。私は種々な暗示をも受けた。その証拠には、ボオドレエルの詩集とこの『獄中記』は絶えず私が自分の枕許から離さなかったばかりでなく、若い友達で見舞に来てくれる人があるたびに、「苦艱は一種の長い瞬間である」という句だの「囚人の一人でもこの世に象徴的な位置に立って居ないものはない」という一節だの、その他、彼の熱心な基督論

に関する部分だのを引合に出して、かのガリレヤの農夫が幾多の驚嘆すべきことを単に己が身に想像したのみに止らずそれを実際に実現したという、あの魔力のある言葉などを話して聞かせた位だから。

十二月の末のある夕、私は床を離れて忘年会に行った。集った友達の中には久し振で逢った人もあった。私はまだ顔色が悪いと言われた。N君はしきりに私に温泉行を勧め、春は早々箱根へ同行するという約束までした。O君もその仲間に加わるとのことだった。私は遠方に居る親しい友達などから見舞の手紙を受取ったが、どうかするとそれからも床の上に横になって、左様いう手紙を読んだ。私はまだ臥たり起きたりしていた。

「心が渇いて来た――どれ、日光を浴びようか。」

これはある画家の版画集のうちに、以前私が書いて贈った言葉だが、丁度私の願いはこの短い言葉に尽きていた。長いこと友達も訪ねず、旅にも行かず、寒い部屋の中に閉じ籠ってばかりいた私は、国府津の海岸あたりの暖い日光に饑え渇いた。

春が来た。正月らしい朝日が私の部屋の障子にあたって来た。電車の車掌や運転手が同盟罷工(5)を行って、東京の町々はめずらしく静かだ。皆なぞろぞろ年始廻りに歩いている中を、私も親戚の家だけ訪問して、二日には早や旅の仕度を始めた。

青い国府津の海は私を呼ぶような気がしていた。私は一時も早く箱根へ急いで行って、

温泉の浴槽の中へ身を浸そうとした。

二、柳並木

「家の前はすぐ河岸で、石垣に添うて段々を下りられるようになって居る。そこは浅草橋と柳橋との間に挟まれた位置にあって、河口に碇泊する多くの荷舟からは朝餐の煙の登るのも見えた。白壁、柳並木などの見える対岸の石垣の下あたりには、動いて行く舟もある。」

これは私が小話中に書いた一節であるが、この位置は日本橋区よりの方から見た神田川の河口で、往時船宿の軒を並べ、行燈を懸けつらねたという場所である。対岸は浅草区の領分で、釣船屋米穀の問屋、閑雅な市人の住宅などが、柳並木を隔てて水に臨んでいる。私が今住む町は妙に細い路地の多いところで、二、三軒置いては必ずこの小路があるから、どのヌケミチを取っても私は神田川の方へ出ることが出来る。朝に晩に、私は河岸の方へ歩きに出掛ける。

いつぞや国民新聞(6)記者が訪ねて来て、半日の日記を求めるから、私は好んであの河岸を散歩することを書いた。すると、K君という未知の人から手紙を貰った。K君は矢張

私と同じ河岸を好んで歩く人であった。手紙の様子でみると、K君は、三年ばかりも前からあの柳並木のかげを往来している。吾儕二人は互に逢ったこともないが、同じ場所を見つけたということだけでは不思議に一致した。

それからK君は私に逢いたいと言って来た。この節私はあまり人に逢い過ぎると思うから、そのことをK君へ書いて、未知の友の一人として君の名を記憶したい、吾儕二人は互に同じ柳並木のかげを楽もうではないか、こういう意味の返事を出した。

十月初旬のことであった。私はK君から葉書を受取った。

「今日の夕闇に、久しぶりで例の河岸を歩きました。頬へ触れるまでに低く垂下った枝葉の青い香を嗅いだ時は、何故とも知らぬ懐しさに胸が踊りました。彼処の樹蔭には、石が御座いましょう。あの上に私は腰を掛け、膝の上に頬杖という形で、貴方が其処を歩かれる時のことをさまざまに想像してみました。」

こう若々しい筆跡で認めてある。なお、逢いたいという望みは強いて捨てたと附記してあった。

それから私は河岸へ歩きに行くたびに、K君のことを思い思いした。K君からみれば、河岸は私だ。私からみれば、河岸はK君だ。こう私は思った。なんぞというと私は訪問の客に随いて、その河岸まで歩いて行くのが癖で、ある日も瓦町に住む×君を送りなが

ら、例のように家を出た。吾儕は柳の下に蹲踞んで、種々なことを語り合った。印象と記憶の関係や……夕方に浅草橋の下を流れる水の色や……波に映る灯や……

その時×君と私は、岸に繋いだ舟の方へ運ばれる病人を見た。水の上に住む人達と思われた。病んでいるのは年をとった女で、倉と倉の間にある細い路地のところから出て来た。医師の許へ通うのであろう、と思って見ていると、病人は人々の肩にかかって、石段の下へ移されて行った。舟の上には女の児が三人ばかり遊んでいた。暫時吾儕の心はこの光景から離れることが出来なかった。

十月の中旬、私はK君から葉書を受取った。逗子から出したものだ。その中に「海は青く光って居ますが、それを見ても別にこうという考えも湧きません。例の柳並木の方がむしろ静かです。」斯様なことが書いてある。K君と私とは、ただ同じ水を眺め、同じ土を踏むというだけの交りに過ぎない。他に吾儕は互に書くことがない。例の柳並木――それで吾儕の心は通うような気もした。

十一月に入って、K君から長い手紙が来た。それには若い人に有がちな、憂鬱な心の境が細々と書いてあった。その時は私は急に返事も出さなかったが、河岸へ行くとその手紙を胸に浮べて、K君という知らない人――まあ私の想像では十七、八の青年のことを思ってみた。

「物象の明かな時が来ました。柳並木も枯々となりました。今朝も河岸を歩いて君から来た手紙を胸に浮べました。」

こう簡単に私は葉書を書いてK君の許へ出した。

今度は更に長い返事が来た。

「先日彼のような手紙を差上げましてから、私は非常に懊悩いたしました。定めて妙な奴だと御笑いで御座いましょう……実に自分で自分の愚かさを笑わずには居られません……私には母もあり、兄弟もあり、友人もありますけれど、何故か始終堪え難いほどの淋しい生活を送って居ります。殊に先日、あの手紙を差上げてからというものは、以前よりか一層淋しく頼りなく感じて、夜も碌々眠られぬほど思い悩みました……あれから、柳並木を二度ばかり歩きました。黄ばんで縮れ返った葉の力なさを見ると、何となく傷ましい思に包まれます……人々はこの頃の物象を何ういう眼で観て居るでしょうか。私の心は矢張哀愁から離れることが出来ません。私は何故物事を楽しく愉快に見聞し、且つ思うことが出来ぬのでありましょう……この夏×さんの御宅の前を通りました時、二階の御部屋にある沢山の本が見えました。あれだけの本を読むには、何の位時日がかかるだろう、などとつまらぬことを考えながら通りました……また勝手なことを長たらしく書いてしまいました。失礼は呉々も御許を願います……今夜御葉書を拝見しました

時、Kと呼ばれたような気がいたします……。」

これが吾儕(われら)知らないもの同志の互に通わせている消息である。

今日もまた私は河岸(かし)へ歩きに行った。

三、柳　橋

この界隈(かいわい)より日本橋方面へ電車の便を取ろうとするものは、是非とも浅草橋を渡り、あの樹木のすこしばかり残っている広小路まで出て乗らねばならぬ。あそこで線路は二岐(ふたまた)に別れて、往きには大伝馬町(おおでんまちょう)、本町(ほんちょう)などを廻り、還(かえ)りには市区改正中の石町(こくちょう)、鉄砲町(てっぽうちょう)、馬喰町(ばくろちょう)を通り過ぎる。よく私もあの辺を往来する。そしてあの暗い暖簾(のれん)を掛けて、町の両側で荷造りなどをする、ところによっては新しい簞笥(たんす)やそれから種々(いろいろ)な商品を高く積み重ねてある、黒い奥深い土蔵造の問屋(とんや)が軒を並べた町々を電車の窓から眺めて通るたびに、私は少年時代の記憶を喚起(よびおこ)さずにいられない。

伊勢町(いせちょう)といえば私は友達の生れた絵具問屋を聯想し、本町といえばあの四丁目の角の砂糖問屋であった家を聯想する。殊に本町の家にあった茶室風の静かな座敷は、往時同志の青年が集って、夜の更(ふ)けるのも知らずに文学、美術を談じたところである。数寄(すき)を

凝らした床の間、炉、壁の色――あそこで雑誌が毎月編輯されたものであった。「時」は人の住居をいろいろに動かした。友達も動けば、私も動いた。本町でも、伊勢町でも、今では皆な懐しい記憶の家である。

町家の変遷にも驚かれる。米沢町あたりは全く町の姿を一変してしまった。あの名高い煙管屋の跡などは奈何なったろう。人形町辺も変った。あの通りには藤掛という古い袋物屋があって、そこで『高祖遺文録』(7)を取次いだものであった。あの店などは相変らず栄えているであろうか。花屋敷の古本屋も今では見当らない。浜町、不動新道、竈河岸、皆な変った。翁堂といえば、あの辺での好い菓子屋であるが、あの家などは旧のままにあると思ったら、暖簾は同じでも、代が替っている。

私は勝田の一門の繁栄を追想せずにいられない。それを考えると、確かに商家というものの歴史が時代と共に一回転したことを感ずる。唐物店、荒物店、下駄店、その他勝田の暖簾を掛けた大きな問屋が、石町の通に軒を並べた頃は、実に全盛を極めたものであった。もし本店の御隠居を中心にして、あの婦人の若い盛んな時から悲惨な老後までを伝えることが出来たなら、一時代前に栄えた大きな商家の面影を偲ばしめるであろう。私は吉村のおばあさんから、よくあの御隠居の話を聞くが、先代の菊五郎(8)を贔負にして、舞台の上から御辞儀をさせたほどの豪奢を尽したものであるという。家が衰えてからで

も、御隠居の芝居見物には、金を十円包み、鴨を二羽添えて、それを俳優へ祝儀として出したとか。この勝田の分家にあたる勝新の娘の法事が浅草の寺であった時、私は一度御隠居という人を見たが、その頃は勝新の方が栄えて、本店は最早余程衰微していた。勝田の一門は今は多く跡方も無い。御隠居も亡くなった。鼻緒店、針店、この二軒が継続して商業を営んでいるばかりである。

電車が開通してから、夜見世の位置も変った。両国の通へ出たものが、今では浅草橋の通へ出る。

成島柳北の書いたものを見ると、柳北の号は柳原の北からつけたもので、家は浅草森田町にあった。柳北は浅草橋と左衛門橋の間あたりに住んだものとみえる。『柳橋新誌』(9)に曰く、

「橋以レ柳為レ名、而不レ植二一株之柳一。旧地誌云、以三其在二柳原之末一命焉。夫柳橋之地、及神田川之咽喉也、而与二両国橋一相距僅数十弓。故江都船榻之利以二斯地一為二第一一。而遊舫飛舸為二最多一矣。其南赴二日本橋八丁渠芝浦品川一者、北向二浅草千住墨陀橋場一者、東則本所深川柳島亀井戸之来往、西則下谷本郷牛籠番街之出入、皆無二不レ過レ此者一。而遊二五街娼肆一、観二三場演劇一、及探花泛月納涼賞雪之客、亦皆取二水路于

此一。故船商之戸、舟子之口、星羅雲屯、非二他境所一レ及。而釣艇網舸之徒亦居二其間一。橋之東西連二両国橋之南北一。各戸之舟舫、舳艫相銜、楫櫂相撃、其数不レ知二幾千艘一。」[10]

〔橋、柳を以て名と為して、一株の柳を植ゑず。旧地誌に云ふ、其の柳原の末に在るを以て命くと。夫れ柳橋の地は乃ち神田川の咽喉なり。而して両国橋と相距る、僅かに数十弓のみ。故に江都船楫の利、斯の地を以て第一と為して遊舫・飛舸最も多しと為す。其の南、日本橋・八丁渠・芝浦・品川に赴く者、北、浅草・千住・墨陀・橋場に向ふ者、東は則ち本所・深川・柳島・亀井戸の来往、西は則ち下谷・本郷・牛籠・番街の出入、皆此を過ぎざる者なく、五街の娼肆に遊び、三場の演劇を観、及び探花・泛月・納涼・賞雪の客も、亦皆水路を此に取る。故に船商の戸、舟子の口、星　羅　雲　屯、他境の及ぶ所にあらずして、釣艇・網舸の徒、亦其の間に居る。橋の東西より両国橋の南北に連つて、各戸の舟舫、舳艫相銜み、楫櫂相撃ち、其の数幾千艘なるを知らず〕

これを読むと、舟が重なる交通機関であった安政の昔を想像することが出来る。同時に、両国橋と柳橋とを控えた神田川の河口がほとんどその中心ともいうべき場所であったことを知ることが出来る。今でも天気の悪い時には、あそこへ荷船が集合して、風波を避けるために小さな港の趣を成しているが、しかし往時の神田川ではなくなった。屋根船は一艘しか残っていない。浅草橋から柳橋へかけて、あの両岸にある物揚場の装置、

高い石垣、古風な石段、鉄の鎖すべて往時の光景を語るものであろう。

神田川は到るところ面白い。湯島の杜の見えるあたりも好し、川下へ行って白い壁や赤煉瓦の壁が岸に接近して並んだ光景も好い。その面白さは、半ば死んだ水のように、欠伸をしながら都会の真中を流れているところにある。濁った、汚ない川だが、品川の海の方から青い潮が押し寄せて来ると、急に活々とした趣を呈する。多くの荷船はこの潮に乗って川口へ入って来る。

『柳橋新誌』の二編は、初編からみると十二年の間を置いて出したとしてある。その中に元柳橋という言葉が出ている。「余昔与二竹西坡一、飲二于故柳橋某楼一。題二詩其壁一云。嬌歌侑レ酒酔二高秋一。無限歓情卻惹レ愁。門柳蕭疎美人去。他年追感在二此楼一。距レ今僅七八年、而西坡老病流二離于北地一。当時紅裾皆凋落如二晨星一。余亦託二余生於風塵中一。毎レ過二故柳橋一仰見二老柳橋一、愴然感レ旧。有二桓氏金城之歎一。」(11)(余、昔竹西坡と故柳橋の某楼に飲み、詩を其の壁に題して云ふ。嬌歌　酒を侑めて　高秋に酔ふ／限りなき歓情　卻つて愁へを惹く／門柳は蕭疎　美人は去る／他年の追感　此の楼に在らん／今を距る僅かに七八年にして、西坡は老病、北地に流離し、当時の紅裾、皆凋落して晨星の如し。余も亦余生を風塵中に託す。故柳橋を過る毎に、仰いで老柳樹を見、愴然として旧に感じ、桓氏金城の嘆あり」この元柳橋は難波橋とかの別称で、柳北の時代に別に柳橋が出来たと言ってある。

兎に角、昔の柳橋の迹は今日野菜市場のあるあたりだというから、焼けるとか、埋立てるとかして、地形は余程変ったものと見える。昔なかったところに今では橋がある。船宿の廃れた迹に今では鶏が遊んでいる。

響――小諸から大久保へ、大久保からこの市中へ、次第に私を引寄せた響が、今二階の障子に近く聞える。私が信州に居た頃、浅間の山腹にある山番へ通う途中で、しきりに耳を欹てて聞こうとした幽かな物の音も――小諸の古い城跡の側で、白い煙の見えるたびに立留って、遠くなるまで聞こうとした汽車の音も――矢張この響であった。今私はその響の中に居る。ある時は破壊するように恐しげな、ある時は眠たく物憂く単調で退屈な……どうかすると私はこの響を障子の外で聞くのか、自分の頭脳の内で聞くのか、よく分らないような気のすることもある。

夕日は部屋の内に満ちた。二階から屋根越に見える靴製造場の高い玻璃窓は光り輝いた。

私は空想の部屋を離れて、夕日の満ちた町へ歩きに出た。そして初冬らしい、冷い空気を呼吸した。柳橋の畔まで行くと、柳の葉は皆な落ちてしまって、枯々な茶色がかっ

た細い枝を通して、寒そうな濁った水が見える。船の影もない。埋立地について、料理屋の角を曲り、交番の前を通り過ぎると、やがて私は両国橋の上に立った。

本所の方へ帰って行く人達、男、女、労働者などが、いそがしそうに橋の上を通った。両国の公園の方を見ると、大福餅屋だの、西洋料理店だのの高い屋根や低い屋根が、ごちゃごちゃ並んだ家と家との間のところへ、紅い夕日が沈んで行った。

四、神田川の岸

夕日は神田川の岸に満ちた。暴風雨のために枯れ死んだかと思われるような柳並木の枝からは、二度目の新芽が吹いた。春先黄色い花と一緒に出た芽は最早黒ずんでしまったが、それが七月の柔かな若葉に混って、冷しい風の中に動揺する。かがやく夕日を浴びて蘇生ったようにも見える。橋畔の古い柳は幹の中ほどから吹き折られていた。石垣から流の方へ倒れた枝は、既に半ば生気を失った。じりじり枯れるのを待つばかりだ。でも、逆さまに垂下った半死の葉の中には、折れたまま吹いた芽が弱々しげに見えている……

日が暮れて行った。

暗くなってからも光の多い晩だ。一日の暑気に酣酔したような人達は、いずれも涼しそうな白い浴衣を着て、灯のついた町々を歩き廻った。長い霖雨の後、この暑気は実に遽かにやって来た。私は橋の畔へ行って川の方から来る夜風を待った。鉄の欄干に倚凭りながら、涯もない空にきらめく星の姿、白々とした雲の群などを望んだ。私は酷しい疲労もなしに――眼、耳、皮膚、その他の部分を通じて――蒸されるような身体の熱を楽むことが出来た。時ならぬ食慾をも感じた。

空は青白く、明るい。左様いえば、家へ戻って二階の裏の方の窓から町々の屋根を眺めた時、向うの白壁のところに淡い月光の映じているのを見た。

五、海岸

上総の海、到頭この海岸の漁村へ来た。私は長い間の海に対する渇を医することが出来た。

富津行の荷物、その他上総通いの客を載せて横浜を出発した帆船は実に快く走った。十二分に風を含んだ帆はすこし船体を斜めにして、まるで青い波の上を滑って来たようなものだ。船の中で、船頭の煮いてくれた飯も甘かった。富津へ着いてからこの漁村へ

来るまでの海岸も、私の好きな道だ。私は波打際の細い砂をサクサクと踏んで、保養のためにここに居るS君に逢うのを楽しみにして来た。

毎日私は奈何いう日を送っていると言ったら好かろう。私達にはあらかじめ定められた規則約束、乃至考え方というようなものが有って、それに日常の行為を宛嵌めてみて居るのだから、その意味からいえば私は今、真実に為すこともなく日を送っている。けれども自分等のすることに気が着いてみると、かくも矛盾した、筋道の無い、理窟に合わない、それを書きつけるさえ不可能だと感ぜしめるのが私達の生活の真相だ。私達が日常の行為の一面には、自ら奈何ともしがたき、また自ら知るところの無いものが有って、しかもそれらの事の多くは無為とか空虚とか平凡とかの言葉に隠されてしまう。旅などに来て恣にしていると、私は毎日自分のすることのあまりに連絡の無いのに驚かされる。

流動したこの生涯は、私にとっては、ますます漠然としたものとなって行く。私は村で評判の好い医者と話した。この人は単衣一枚でこの海岸へ着いたといわれるほど艱難なところから出発して、今では立派な医院を建て、無智な漁夫等から神様の如くに思われて居る。私はこの風采などにあまり頓着しない、男性的な、何となく好ましい田舎医者から、S君の健康のことや、他の村医者のことや、宿の人達の噂や、その他彼が馬に

乗って近在の病家を訪ね廻った頃の奮闘生活のさまなどを聞かせられた。私達は種々雑多なことを話した。後になって思出してみると、私はこの医者から彼の結婚のこと、家族のこと、可愛い子供のことなども聞いた。まだまだ種々なことを聞いた。最早忘れていて、思出せないようなこともある。こういう人と逢って、何を私達は話し合って、半日を送ったと言ったら好いだろう。書きしるされることの多くは、空しい輪廓のように思われてならない。実に茫漠として捉え難いような気がする。

海岸へ出て、旅らしく日に焼けた美術書生の海を写生するのに逢った。磯臭い砂地には他に人の影も見えない。こういう辺鄙なところへ来て、静かに風景を描いているということも可懐しかった。で、私は邪魔にならないようにと思いながら、その美術書生の背後に忍んで、眼前に展けた海と、画板の上に写されて行く海とを見比べて立っていた。若い画家は私の方を振向くこともしないで、パレットの油絵具を取ってはそれで自分の思う色を着けて行った。いくらか風のある日だったから、絵具函まで砂にまみれて見えたが、若い画家はそんなことに頓着なく、熱心な眼を動揺する波の方にそそいで、どうかして自分の画に深さを加えようとしているらしかった。一つの色の上へまた他の色が塗られた。画板には船の影さえ映じて来た。

これに私は失望した、何故というに船の影が海に映ずるような夕方ではなかったから。なお見ていると若い画家は一日の仕事を終ったという風で、無造作にパレットの上に残った絵具を拭き取って、汚れた布巾の一つは海の中へ投げ込んだ。そこそこに絵具函をも取片附て、立上る頃には、私もその人の側を離れた。

物を確実にすることの出来ない私も、この影の無いところに影を造ってみる旅の美術家に比べると、まだしも自分の覚束ない判断に信頼することが出来るかとも思った。この美術家の見た海、私の見た海——海とは実にそれだけの話だ。海そのものに隠れた種々の不思議に関しては、私達は極めて知るところが少い。

憐むべき万物の霊長、厳しい私達の鼻もその実愚かな犬が嗅ぐほどの力も持たないし、鈍い牛が聞くほどの耳も持たない。私達は憐れにも無能な器官を擁して、狭苦しい感覚の世界に住み、跼蹐として一生を送るまでだ。

私はこの岸の方へ巻寄せて来る海に——「永遠」そのものを見るような海に——もっと透徹することもあるかと思って足を運ぶこともある。一目見渡した時の滑かな波の背、波の皺、渦、日光の反射、透き通るような海の色、それらのものが集って自分の方へ入って来る印象は鮮かに活々と感ぜられる。けれどもそれは極く僅かの間だ。忽ち私の心は攪乱されてしまう。何だか恐しくなって来る。退屈をも感ずる。私は海に対って立っ

ていられないような気がする。その時、私は逃出すように宿の方へ帰るか、さもなければ、何か紛れるものを見つけて、注意を他にそらすのが極りだ。一時間はおろか、三十分と一つ岩などに腰掛けて眺めてはいられない。

この私の経験からいうと、世には一生風景を描いている美術家もあるが、よく左様いう人達は気が狂わない――私は時々そんなことを考えることもある。

この海岸はほとんど女の国だ。遠く沖の方へ波に乗って行く勇敢な壮丁も、陸へ上っては、から意気地がない。一朝暴風雨に逢えば忽ち死別の悲しみを見ないとも限らないような生業から、彼等は陸上で優待の限りを尽される。読書算術も女が多く修める。村役場の用も女が達しに出掛ける。男が大漁の祝に染めた長い上衣の裾を風に吹かせて、ブラブラ遊んでいる側で、女が紺の股引を穿き、鍬を肩に掛け、法螺貝の報知を聞いて道普請に出掛けるなどは、こうした海岸でなければ見られない図だ。

大漁の祝はまた、このあたりを酒肉の世界と化する。多くの賤しい女が横浜あたりから入込んで来る。彼等は若者の飲食する相手になり、唄を歌い、金銭を湯水のように遣わせ、やがて祝の終る頃には船から別れを惜んで、また元来た方へ漕ぎ返って行く。

ここには言い伝えられた種々な話がある。海を泳いで情夫の許へ通ったという海人が

恋愛の物語などは、この辺の色の黒い女のアクチイブ(12)な情熱をしのばせる。

私の泊っている宿では、村の通路に添うて、店頭に雑貨を置並べてある。砂糖の類まで鬻いでいる。店には顔色の沢々した、肥った内儀が坐って、腕まくりで商売をやっている。亭主は漁場に半生を送った人で、今では、釣を道楽にするとか、魚の買出しにでも行くとかのほかには、大して用のない、気楽な身だ。せっせと働いて食わせてくれる稼ぎ人の内儀の側で、幸福な亭主は居眠りしながら網なぞすいている。

S君と一緒に私が借りている座敷は、この夫婦等の住居の奥にある新しく建てた二階の一間だ。海岸から少し離れたところにあって、二階に居て海を望むことは出来ないが、欄の下に見える樹木の梢、家々の屋根などは、漁村のさまらしい。私達は灰白な貝殻の多い砂地を踏んで、裏庭から直ぐ海岸の方へ降りて行くことも出来る、その細い道も私の好なところだ。

S君は世辞の好い内儀のことを私に話して、彼女の前半生は横浜の南京屋敷(13)で送ったものであるとか言った。それは兎もあれ、あまり世辞の好いにも閉口する。

この宿に一人のお婆さんがある。七十近い、眼の見えない老婦だ。その年まで生き延びたら、食うという慾よりほかに残らない人で、宛行われた椀を大事にしては、食事の

時間でなくともガツガツ震えている。暗い部屋に独りで引籠っていて、内儀（かみさん）の足音を聞きつけるたびに、例の椀をさしつけて拝むようにする。

「お婆さん、朝の御飯が済んだばかりだよ……そんなに食べたがって、また腹下しするよ……。」内儀に叱られては、お婆さんは、子供のように椀を引きこます。私は思いがけない処で、人の一生の最後を見る気がした。

私はよく年頃な婦人や可愛らしい娘などを見るたびに、その人達の子供の時の容貌（かおつき）や、それから年をとっての、姿などを思い比べることがある。

「私達がずっと年をとったら、奈様（どん）な風になるんでしょうねえ。」

とある娘が言ったが、私は今、あの娘の言ったことを思出した。恐らく私が東京へ帰って、この漁村で見たお婆さんの話をしたら、どうかして其様（そんな）になりたくないものだと、あの娘などは言うかも知れない。

沈黙

勝田(かった)君、すこし君の話をさせてくれ給え。妙な人を引合に出すようだが、僕の兄貴の友達に和久井(わくい)さんという人が有った。兄貴の話に、和久井は奇体な男だ。是方(こちら)が得意でいる時には決して寄り附きもしなければ訪ねても来ない、逆境となると「奈何(どう)だい」なんて言葉を掛けて訪ねて来る、和久井は左様(そう)いう男だと兄貴が言った。丁度(ちょうど)君がそれに似ていると思う。勿論(もちろん)、君は君、和久井さんは和久井さんで、それに兄貴の話した場合と僕のいう意味とは違うが、どうも其様(そん)な風に思われてならない。

僕は君のことを忘れて過す月日もある。思い出さないことも多い。しかし、どうかすると君がこっそり遣(や)って来て、細々(こまごま)と話相手になってくれるような気もする。

勝田君、斯様(こん)なことを僕が言出したところで君は何事(なんに)も答える人ではない。君と僕との隔りは死んだ者と生きている者との隔りだ。丁度君が病気で亡くなった時は、僕は東

京に居なかったから、君の葬式にも行かなかった。鈴木君は感心さね。どっと君が患い就いてからもよく訪ねて行ったというではないか。君が死んだ後でも、いろいろ世話をしたよ。僕は鈴木君が雑誌に出した話を読んで、君が病床の光景や、葬式の時の様子を後で知った。君の晩年に、ホラ、君の側で世話をした女の人――あの人に君が他から見舞の牛乳だか薬だかを取寄せさせて、鈴木君達の居るところで、君はそれを細い管で吸ってみせて、どうせ助かる見込の無い枕頭でも君は他人の厚意を無にすまいとするように、細い心づかいをしたというではないか。鈴木君は近頃になってまた君の話をある雑誌に載せた。その中に君の葬式のことが出ていた。君の時ほど寂しい葬式を送ったこともないが、また、あれほど人の死んだのを送って行くという気のしたこともない、としてあった。鈴木君の話は短いが、感じはよく出ていた。君の葬式はさも有ったろうと思う。たしか君の死体は火葬場の方へ送られて焼かれたように覚えている。君の戒名は寺島さんが択んで、いかにも君に適わしいものが命いた。そのことは鈴木君も言っていた……沈黙……沈黙……君にあるものはただ沈黙だ……君は最早永遠に無言な人だ……しかし勝田君、君が笑うことも怒ることも出来た時分よりは反って今になって余計に君が僕に物を言うとは、不思議ではないか……

勝田君、人は到底沈黙に堪えられるものではない、僕はよく左様思うね。あの寂しい

修道院の中に住んで、牛を飼ったり野原を開拓したりしながら無言の行をやるというトラピスト(1)の僧侶達ですら、必とお腹の中で叫ばずにはいられなかろうと思う。いつぞやも鈴木君が僕のところへ来て、あの話上手な人が、自分ほど物を言っていながら、これで何事も言わないような気もするという話が出た。そりゃ左様だろう、僕なども言いたいことがムズムズするほど有って、こいつを言ったらさぞ胸がスーとするだろうと思うような時でも、さて口に出してみると、何時でも後でボンヤリしてしまう。心が黙ってる。でも、どうかすると独語を言っていて、自分で気がついて噴飯すことがある。その話を鈴木君にしたら、

「独語は僕もよく言うよ。」

と言って鈴木君も笑った。

勝田君、君が僕のところへ遣って来てくれるのは、多くこういう時だ。日がな一日侘しい単調な物音が部屋の障子に響いて来たり、果しもないような寂寞に閉される思をしたりして、しばらく人も訪ねず、日のあたった黄色い壁などを慰みに独りで静かに坐っているような時が有ると、また君が細そりと背の高い体軀に黒い木綿の紋附羽織などを着て遣って来て、何年となく忘れていた僕の前に坐って、白い、神経質らしい、しかし器用な感じのする手で、長く垂れ下った額の髪を掻き分けながら、

「苦髪楽爪とも言うし、楽髪苦爪とも言うね。」

そんな調子で君が話しかけてくれようとは思いがけなかった。

勝田君、初めて僕が君の手紙を見たのは築地の佐藤君の家の二階だった。そりゃ君の名前は疾うから聞いていたさ。まだ君に逢わない前のことさ。君は小竹君の許へ会見を申込んだことが有るだろう。あの手紙を僕が封を切って読んだ。あの時分に僕等は鈴木君や佐藤君や小竹君などと一緒で雑誌を出していたから、てっきりこれは僕等の社の方へ来たんだ、左様僕は一図に思い込んでしまった。読んでみると、君から小竹君への私信だ。彼様なそそっかしいことをしたと思ったことは無いよ。丁度小竹君が佐藤君の家の二階へ見えたから、僕は顔を紅くして散々あやまると、小竹君はまた小竹君だ、僕等からみれば細君もあり子もある位の人だから、

「なあに、ラバアからでも来たんじゃ有るまいし――」

左様言って、小竹君は軽く笑って、君からの手紙を受取った。

あの時は伊勢町の明石君も来ていた。君とラバア――小竹君の言草が面白いと言って、明石君は手を打って笑った。明石君は若い時から直ぐ左様いうところへ気が附いたからね。

「小竹君――どうだったね、勝田君に逢ってみて。」

と後で僕が聞いてみた。君と小竹君と顔を合せるというのは余程僕等の好奇心を引いた。君もまた小竹君の家へ行って随分黙って坐り込んでいたとみえるね。多分君が小竹君に逢ったのは彼の時が最初で、そして終だったろう。

小竹君は君を認めた一人だ。僕は左様思う。その証拠には、小竹君が君のことを書いたものを見ると分る。君もあれを読んでから逢ってみる気になったのだろう。まあ大抵のものなら、自分を認めてくれたと思うような人に対して、攻撃の態度には出ない。ところが君は激しい。君は後で小竹君のことを何と言ったね。小竹などは自分が泥溝の中へ陥没ていて、他まで陥没ちるといって叫んでいる手合だ。真実に、君には譲歩ということがほとんどないのだね。君はまた彼の時分に羽振の好かった人をつかまえて、毒吐いたことが有るだろう。比喩だなんて、何だ、これは。類の無い大きな鼬鼠を御覧じろと言うから、見世物小屋へ入ってみると、三尺ばかりの板に血を塗って、それ鼬鼠鼬鼠というようなものだ。君のはあの調子だ。

去年の暮、僕はある雑誌に君の話をして、もっと君は認められても好かった人だ、君は誤解された人だ、反抗の心に充ち溢れていた君はどうかすると忿怒をもって世の誤解に酬いた、これがますます君の誤解された所以だと言った。君の江戸趣味は迎えられても、君の神経質は世に容れられないものかも知れない。

勝田君、君の知っている頃からみると、僕もこれで種々（いろいろ）な話をするようになったろう。一時は随分僕も黙っている方だったからね。あの時分に今の僕だったら、あるいは今日まで君があの時分の元気でいたら、左様（そう）思うのがこの生涯だろうか。そんな風にしてすべての知人や、朋友や、親戚や、それから情人（じょうじん）などが過ぎ行くのだろうか。

もし、仮りに君がこの世に生きながらえているとしたら、奈何（どん）なものだろう。恐らく僕は君に面と向って斯様（こん）な風には話せまい。昔は僕も長い長い手紙などをよく書いたものだが、年月の経（た）つに随（したが）って段々短くなって来た。用だけしか書かなくなった。それも葉書で済ませるところはなるべく簡短（かんたん）に。君から貰（もら）うとしても、例の細い、特色のある字で、鈴木君と一緒に飯を食ってるが、やって来ないか位に過ぎなかろう。そこへ僕が出掛けて行ったとして、精々機嫌の好（い）い君の口唇（くちびる）から酒の上の小唄の一つも聞いて、ヨウヨウめずらしく出ましたねなどと串談（じょうだん）半分に戯（たわむ）れるに過ぎなかろう。君が料理の通（つう）を振廻したところで、僕は聞いていることも有り、聞いていないことも有る。君は君で食い、僕は僕で食う。君は僕を奴隷にし、僕を弄（もてあそ）び、僕の生命（いのち）にまで食い入らずにはおかなかろう。それなら、もう沢山だ。

だから僕は死んだ君がやって来て、しみじみと物を言ってくれる方が可懐（なつか）しい。孤独の幻よ。今という今は何（なん）事でも自分の言いたいと思うことが自由に君に言える。

君が知っている大学生で山村君という人が有ったろう。彼の若々しい眼ざしは君の記憶にもあるだろう。あの人も出世した。今では立派な御役人だ。しばらく僕も引込みきりでいるものだから、正月は一つ種々な家を訪ねてみようと思って、新年早々親戚廻りをして、根岸から谷中を通って不忍の池の端へ出、あれから本郷へかかって牛込にある親戚の家まで行った。暮から降った雪は残って、山の手の樹木の間から眺めて行った時は、平素隠れて気のつかないような、町々の屋根も白く顕われ、何となく都会の眺望を変えてみせた。丁度山村君の家へも近かったから、寄って、二人で庭を眺めながら途次見て来た話をしようとすると、柔い雪の印象の大部分は逃げて行ってしまった。どうも仕方のないものだと僕は思った。鈴木君も今では牛込の方だ。そこへも訪ねたいとは思ったが、日は短し、暮方で寒くはなって来るし、それぎりにして家の方へ帰って行った。御茶の水橋にさし掛った。湯島の方から見ると、白々と雪の積った駿河台が甲武線(3)の石垣のところでクッキリと黒く落ちていて、まるで大きな城郭を望むように思われた。あの雪の中についた線、石垣の色、薄くて暗い町々のゴチャゴチャと面白い眺望は、死んでいる君にでも話さなければ、とても生きている君などに話そうとしたところで、言えもしない。僕の見る光は君の見る光……僕の感ずる空気は君の感ずる空気……あの時、僕は死んだ甥のことも胸に浮べて、甥にこの景色を見せたら、と思った……君は知るま

いが、僕はあの甥の眼を見るような気もした……

勝田君、僕が本郷の森川町に居た時分には君もよく遣って来たね。あの古い庭に向いた部屋を借りていた時分が、そもそも君が僕のところへ来始めた頃ではないか。

森川町には僕の学校友達が居る。あの友達のところへ僕が金を借りに行った時、

「ほんとに貧乏な連中ばかりだなあ。何処を見渡したって、金の有りそうな友達は一人も居やしない。」

こう憐むように言って、それからあの友達は君の噂もして、

「勝田には君、用心して交際い給え。ウッカリすると彼の男には酷い目に逢うぜ。」

左様言いながら快よく金を出して貸してくれた。

君が悪人だという評判の伝わっていることを、僕は全く君に関係のないあの友達の家へ行って知った。

佐藤君や鈴木君に君が交際するようになったのも、あの頃だろう。

「でも、勝田のように捨鉢になれれば、あれもまた面白い。ナカナカ彼様はなれないものだよ。」

こう佐藤君なぞは一方で君のことを言っていた。僕等と違って、君は疾くに一家を成して好い年配だったのに、相変らず妻も迎えず、釜土も持たず、下宿の二階に臥たり起

きたりしていた。その中で、君が自分の弟に学資を貢いで勉強させていたことなどを知るものは、恐らく少数の人間だけだったろう。

君は僕が借りている部屋の外を廻って、庭から上って来て、時には長いこと黙って坐っていた。よく彼様に黙って人の部屋に居られると思うほど黙っていた。

僕の貧しい本棚には種々な書籍が雑然と並べてあった。君はそれを眺めていて、

「和洋折衷だね。」

何か君は言ってみなければ虫の納まらない人だ。

「ホ、万葉集が有るね。一つ借りて行って見るか。」

と言って君は僕のところから持って行ったことも有るが、しかし僕が知ってからの君は読むことはあまりしなかったようだね。

「本なんか読んだって、読まないたって、同じだ。」

左様いうことの言える君の下宿へ大学生などが押し掛けて行って、君にカブれて帰って来るのを見た時は、確かに君はエライと思ったよ。

君は一度来出すと、続けて何度も来る、来ないとなるとパッタリ来ない。ある日も庭から僕の部屋へ上って、誰かの噂をした後で、

「話せないような人間なら、玩弄物にでもするよりほかに仕方がない。」

直ぐに左様だ。何だか君が薄気味悪くなって来たことも有った。

「君は僕を弄ぶつもりかい。」

と僕が言ったら、君は笑っていたではないか。

君も異人には感心したと見える。君が木村さんのところへ行って、『ファウスト』(4)の梗概を聞いて来た時には、全く君も感心した顔附で、

「どうも異人はエライ。彼様いうことを考えてる――実は僕も、悪魔というものを書いてみたいと思ったが、異人はもう疾くにそれを遣ってる。」

全く西洋の書籍に親まなかった君がこういうことを言うかと思うと、僕は面白いと思った。ほんとに君が小竹君だけの西洋の学問をしていたら、同じ君の洒落でも、もっともっと違った言い廻しが出来たろうに。

「どうせ人間は一度は堕落する。同じ堕落するものなら、一人でも道伴のある方が好い――」

「それで君は僕のところへ遣って来るのかい。」

あの時の話には思わず君も苦笑したっけ。

「僕は君、冷いかねえ――世間ではよく其様なことを言って僕を攻撃するが。」

と君が言葉を継いで、輝いた眼で僕の方を見た時は、僕のところへ話し込みに来る君

の心がいくらか通じたような気もした。でも、僕には君が熱いとも冷いとも言えなかった。君のは一緒こただから。

話の途中で、君は僕に紙を呉(く)れと言ったろう。何をするのかと思って僕が見ていたら、君はその紙を丁寧に細(こまか)く畳んで、羽織の紐(ひも)の乳(ち)のところに結び着けたろう。

「こうしておけば大丈夫だ。」

と君は言った。君は何か思出(おもいだ)したことを後で忘れないために、そういうところへ細く気の附く人だ。君の記憶力は非常に好かった訳だ。

勝田君、君と佐藤君と僕と三人で目白(めじろ)の方まで歩きに行ったのは何時分(いつじぶん)だったろう。あの時分の郊外は今から思うと別の世界だ。目白には君の知らない学校などが建つし、家はドシドシ出来るし、驚くほどの開(ひら)け方サ。あの日は随分歩き廻った。畠の中をぐるぐる歩いたかと思うと、杜(もり)のあるようなところへも出たね。

君は人を馬鹿にして、

「深林の逍遥(5)。」

すると佐藤君も噴飯(ふきだ)してしまった。

世間見ずの僕には君の無遠慮な仕打が内々口惜(くや)しくて堪(たま)らなかったから最初君に逢った時分には「先生、先生」と君を呼ぶことにしていた。見給え、君だって「先生」と呼

ばれてはあまり好い心地はしなかったろう。だから僕はわざと呼んでやった。この智慧は僕は小竹君から教わった。それを君に応用したのだ。尤も「先生」と呼ばれて君が迷惑するよりも、僕の方が先に草臥れた。郊外へ一緒に歩きに行く時分には、それは止しにした。

何処を奈何歩いたかと思うほど歩き廻って、僕等は赤羽の停車場へと出た。確か左様だったろう。あの停車場は赤羽だったろうと思う。乾いた土、葦簾掛の休茶屋などはまだ僕の眼にある。君は休茶屋に腰掛けている客を見つけて、しばらく話しに行って、やがてまた佐藤君と僕の立っている方へ戻って来た。あの時、葦簾の陰から君を見送りながら出て来た客の姿を眺めて、僕は一代に盛名のあった人の末路を見た。何となく人目を避けているらしく、可傷しく見えた。過ぎし春を忍ぶ老鶯の風情、僕は左様思った。でも君や僕等のような粗末な下駄は穿いていなかった。

「あんまり流行児になるから左様だ。」

口にこそ出さなかったが、君の眼附は確かに言った。あの時ほど僕は君の平気でいる様子を見たことがない。

佐藤君といえば、あの温厚な人が一頃(6)書いたものは余程激しいところを帯びていた。一時は明石君や僕などと一緒にロセッチの愛の歌に読み耽った人が、

「ラブなんてものは飯を食うようなものだ。」

と言出して来た。その調子は一歩一歩君に近づいて行ったかとも思う。しかし、もともと佐藤君と君とは足場が違う。君は愛を無視して掛っているし、佐藤君のは愛を看破しての論だ。だから佐藤君は左様言うだけにして止めておいた。

「ほんとに、勝田のは飯でも食いに行くようだ。」

と言って、佐藤君は君の態度の冷静なのに感心したように僕に話した。丁度禅宗の坊さんでも褒めるように。

勝田君、君が人を褒めたのをめったに僕は聞かない。誰に新体詩が解るものかの、誰はまるで殿様だの、君の眼中にはほとんど人がなかったようだ。実際、君はまた左様信じて立っていたんだろうね。君も寺島さんだけは褒めた。「寺島は感心だよ。」とよく君は言った。

「大抵のものは途中まで行けば引返さないが、寺島だけは引返す。」

佐藤君が君に感心したとは別の調子で、君は寺島さんに感心して僕に話した。

本郷は君の下宿のあるところで有りながら、君は酷く本郷を嫌った。嫌いながら住んでいたところが君だ。あの頃は僕等の仲間は大抵本郷に居た。

ある日、君は僕を誘いに来て、一緒に大学の前へ出た。

「オイ、車夫、何処でも好いから本郷を離れてくれ。」

と君が辻待の車夫に言い付けて車賃も定めずに引出させようとした時は、車夫は酷く面喰った顔附で、

「旦那、何方へ参りましょう。」

と言って、車の上に乗っている僕等の顔を見上げたではないか。

「何処でも好い。本郷を離れさえすれば好い。」

君の註文には車夫は一寸当惑の体で、僕等二人を乗せながら梶棒を揚げた。二人乗という車は、あの時分には簡便なものだった。

君はよく彼様いう気紛れなことをやったね。車夫は本郷の通を引いて行って、やがて切通坂を下りた。

あの時、君が僕を案内してくれたのは隅田川の見える前川の下座敷だった。あの駒形の鰻屋は僕は初めてだ。もう暮方で、燈火が点いた。女中が註文を聞きに来た。左様、左様、君は懐中をさぐって、これで鰻を焼いてくれと言いながら紙幣を女中に渡したろう。一寸したことだが君の遣り方だ。

前川を出た頃は暗かった。

「――そこいらをブラブラ歩こうじゃないか。」

と君が言うから、僕も一緒に歩いて、浅草田町の蒲鉾屋の前あたりへ出た。一頃僕が三輪に住んだ時分はよくあの蒲鉾屋のある長い通から土手へかけて往来したものさ。寂しい貧しい感じのする、ところどころに灯の泄れた、暗い人家の続いたところを横手に見て通って、そのうちに明るい町へ出た。仁和賀(7)のある頃には僕も三輪から踊り屋台(8)を見に歩き廻ったが、その見覚えのある高い幾層かの建物などが僕の眼に映った。種々雑多な影が僕等の眼の前を往ったり来たりした。中には人の前に立ってはしこく案内顔に過ぎ行くものも有った。君の洒落は宵闇と酒の酔とに紛れて入り込んで来たような人達だの、帽子面深に冠った男だの、自分で自分のものを奈何使おうかと思案顔な若者だの、それらの人の中を極く平気で見て歩いた。あの時僕等は西鶴の物語などを引合に出して細い小路から小路へと話し話し見て廻ったではないか。旧い芝居にでも有りそうな眩目しい色彩が行く先に展開したではないか。時には格子先に取りついて人を呼ぶ鋭い声を聞いたではないか。散々君の御供をして歩き廻って、終に浅草公園の方へ出た。君に言わせるとあれで矢張散歩かね。

駒形には君の死んだずっと後になって、僕の甥が住んだことがあった。あの辺の町は君の気に入りそうなところだ。あの古い鰻屋へも僕は行くことはあるが、いつでも二階の座敷へばかり通って、欄から直ぐ下の桟橋に繋いであるいけす(9)舟や、流れて行く川の

水などを見ては帰って来る。去年の八月のはじめ、法事の帰りに客と下座敷へ集ってみると、そこが初めて君の案内してくれた部屋らしいのさ。その時は佐藤君も来てくれた。あの床の間から部屋の間取の工合から、そこに置いてある白い衝立の古風な錦絵まで、一切江戸ずくめな夏座敷で、佐藤君と君の噂をした。隅田川も最早君が知っている時分の隅田川ではない。白魚も居ない。でも涼しい川風は座敷の内へ通って来た。瀟洒なとはいっても、今の都会風の建て方から見ると、どこか無骨な、ガッシリとしたところが有る。彼様いう純粋な江戸風の残った家は今では東京の中でも左様たんと有るまいと思うよ。

　勝田君、君には諸方の飲食店へ連れて行ってもらったね。いつでも君にばかり奢らせた。君はほとんど僕の方で金を出そうとする余地すらも与えなかった。左様いえば、鈴木君や佐藤君と四人連で、公園で柔い牛肉を煮て食ったことが有るではないか。ジリジリ甘そうな音のする中で、煮えるそばから気の立つようなやつを皆な盛んに食った。二人ずつ牛鍋を控えて、鈴木君は佐藤君とさしむかい、君は僕とさしむかいだった。見ていると、君は食うばかりでなく煮るのが楽みという風で、白い葱を鍋の片隅に丁寧に積上げてみたり、白滝は白滝、焼豆腐は焼豆腐とそれぞれ寄せて煮て、紅い生の肉が段々色の変って来るのをジッと見ていたりした。あれから僕等は二人ずつ車で本郷の方へ帰

って行った。あの時は僕はすこしばかりの酒に苦しくなって来て、君と一緒に乗った車の上で吐瀉(もど)したことが有った。

しかし勝田君、あの時分の血気壮(さか)んな群の中に君を置いて考えるということは面白い。佐藤君の下宿へはよく連中が集って話したが、どうかすると君は黙って……気味の悪いほど黙って、佐藤君の黄色い机の側(そば)に坐りながら皆(みん)なの話を聞いていた。山村君などは大学の帽子を手にしてやって来て、若々しい調子で話し込んだ時は、そこに居るものの耳を傾けさせずにはおかなかった。

黙って山村君の話などを聞いていた君は終(しまい)に何を言出すかと思うと、

「さんざん物を思い給え。」

それが君の言草だ。

何時(いつ)だったかも、山村君は君の噂をして、僕に向って、

「あの勝田君の眼を見給え——あんな恐しい眼が有ろうか。」

と言ったことが有る。

君のように静かに、しかも確かにこの世を歩いて行った人を僕はあまり見掛けない。

——どうかすると、音もしないほど静かに——忍び足で——

その調子で君は椎名(しいな)のお茂(しげ)さんの家(うち)へも訪れて行ったのだろう。

「まあ後学のためだと思って、一緒に来て見給え。」なんて君が僕を誘いに来て言って、夜更けて椎名の家の戸を叩いたことが有るではないか。

お茂さんはあの時奈何していたろう。もう病気で亡くなった後だったろうか。左様だ。居ないはずだ。お母さんとお菊さんとから僕等は何か御馳走になった。

「ほんとに勝田さんは面白い。」

とお母さんが言ったことを僕は覚えている。椎名の家のためには多少君も迷惑を掛けたことも有ろうが、しかし尽したこともよく尽したね。

お茂さんの葬式を出すという前の日かに僕は一寸椎名の家へ弔みを言いに行った。なんでも君が怒ってしまって手が着けられない、と言ってお菊さんは途方に暮れている。そこへ僕は飛び込んで行った。話を聞いているうちに、露西亜煙草の粉が膝へ落ちて、僕の着物へは焼穴が出来た。では奈何すれば可いと言うんですか、兎も角出すものは出すようにするが好いじゃ有りませんかと僕が聞いたら、女の一量見にも行かないとお菊さんが言うものだから、その足で僕は君の下宿へ行ってみると、君は君で勝手にするが好いという顔付で、説が行われなければ退くよりほかはないと言っている。それから僕は君を椎名の家へ引張って行って、お茂さんの棺の置いてある側で、君等の間へ入った

ことが有った。

それぎり僕は君等の処置に任せておいて、口嘴（くちばし）を容（い）れなかったが、後になって君が僕のところへ来て、

「印紙の貼りッ放（ぱな）しはヒドい。」

と言って笑ったろう。

あそこを僕はお菊さん達の女らしい、自然なところかとも思うよ。年を取ったお母（つか）さんのことを考えてみ給え。女ばかりの世帯（しょたい）でよくあれまでにやったと思うね。

勝田君、君は僕の家（うち）で新花町（しんはなちょう）の角へ引移ってからも訪ねて来たことが有ろう。君が来て話して行った隣の部屋には年増（としま）の女の笑い声がしたはずだが、君は気が着かなかったか。田舎の女には似合わないほどの洒落者だ。

「どうして、彼（あ）の人は苦労人だ……」

と君が行った後で、その女が君のことを評したよ。見る人が見れば、左様（そう）いうものかしら、と僕は思った。苦労にも、君、いろいろ有るから。

僕はあらゆる芸術を味（あじわ）えるだけ味わうというような若い量見をもって、いくらか取っていた教師を辞し、東北の方から帰って(10)もう一度一書生の身に返った。それが初めて君に逢った頃の僕さ。僕がヴァザリの美術史などを開けて伊太利（イタリー）の文芸復興期時代の文学

と絵画の関係を尋ねたいと思ったは、もうずっと以前からだ。詩人であると同時に美術家であったP. R. B社中の運動などは余計にこの心を深くさせた。君に逢った頃はまた、しきりに文学と音楽とを並べて考えたい時代で、シュウマンの『音楽と音楽者』(11)などはあの当時僕が読み耽った書籍の一つだ。一度思い立ったことは兎も角もそれを試みないではいられないのが僕の性分だ。そこで僕は音楽の世界へもいくらか足を踏み入れた。僕は上野の音楽学校でそこに蔵ってある図書を猟ることを許された。バハ(12)の伝などが有って、借りて読んでみた。

こういう僕の位置は我儘な気楽なようでも、苦しいことも多かった。僕はあまり自分のしたいことをすると言って非難されると同時に、一方では真実に自分をショパンやワグネルまで連れて行ってくれるような人も見当らなかったから。

もし僕が金に窮るようなら助けようか、と君が佐藤君を通じて言って寄してくれたのも、あの新花町に母や兄と一緒に居た頃だった。そりゃ君の厚意は感謝したさ。けれども僕だって君が高利貸に苦められていたことを知っている。左様いう深刻な性質の金で君が僕を助けようと言ってくれても、それは僕の本意で無いと思ったから、そのことを佐藤君に話して君に断った。

君は佐藤君に、

「どうせ僕だって足りないさ――足りない序(ついで)に、何とかしようじゃないか。」

と話したそうだね。

彼様(ああ)いう君の行動は何となく今になって思い当る。君が椎名の家の方へ歩いて行ってお菊さん親子の力になろうとした心は、やがて僕を助けようと言ってくれた心ではなかったろうか……それほど君の心は寂寞(せきばく)を極めたものではなかったろうか……こうして音のしないほど静かに、忍び寄る雨のように、また僕のところへこっそりやって来てくれるという昔ながらの無言な君ではないか……

姉さんが亡くなってからのお菊さんも気の毒なようだった。しばらく何処かの屋敷づとめなどに行っていたことも有るではないか。秋葉(あきば)の大将が心配して、独りで椎名の家を立て通すなんて訳にも行くまいから、いっそ縁附(えんづ)いて、お母(っか)さんを安心させた方が好かろうとなったのだろう。それから君の方へ話が有ったのだろう。君も断る位なら何故(なぜ)最初からお菊さん母子(おやこ)に彼様(あんな)に深切を尽したのかね。そこが君だ。君なら頼母(たのも)しいと思うような人でもなんでも、君は極く冷然として答をしたのだろう。

妙なもので、散々苦労を仕抜いたお菊さんが今では立派な旦那さんが有り、子福者(こぶくしゃ)で、家(うち)は栄えている。お菊さんもなかなかやり手だね。安心し給え。

同じ本郷の中(うち)でも君が動いた下宿の二階へ僕は訪ねたことがある。日がカンカン部屋

の障子へ射して朝というよりは昼の方に近いほど明るい光の中で、

「今漸く起きたばかりだ。」

と言いながら、君は小さい長火鉢の前に坐って、例の長い髪を掻き上げた。朝寝で疲れたらしい君の容貌にはまだ夢の中の心地が残って働いているようにも見えた。

部屋には飾りらしい飾りもなかったが、でも瀟洒と取片附けてあって、好い心地がした。君は何を待つともないような様子で、長火鉢に掛けてある鉄瓶の湯を急須に移して、朝顔なりの茶呑茶椀に茶を注いで僕の前に置いた。

勝田君、あれきり僕は君に逢わないだろうか。それとも、ホラ、鈴木君や佐藤君と四人一緒になった時君は低い沈着いた声で小歌か何かを口吟んで、なぐさみに僕等に聞かせたことが有ろう。爽やかな笑い声が君の神経質な口唇から泄れるたびに、病人のようにデリケエトな君の手まで動いた。あれが最後だろうか。

僕が東京を去るようになってからも、一時絶えていた君と鈴木君との交通がまた長く続いたようだね。

「勝田は彼様いう男だけれど、またやって来るところが面白い。」

という意味の言葉を、たしか鈴木君の口から僕は聞いたように覚えている。

「何かにつけて思出すところをみると、矢張彼の男には変ったところが有ったとみえ

る。」

近頃になって鈴木君はそんな風に君の話をある雑誌に出したこともあるよ。

地方に行って、僕は一度君の洒落を聞いた。三橋さん――誰が言出したのか、あの人は以前から若い翁のように呼ばれる――あの三橋さんが雑誌を出した時、昔のよしみに僕にも何か言えというから、三橋さんも大変若返ったものだと僕が書いて送った。するとその次の月の雑誌を手にして見ると、君の洒落が載っている。君は僕の書いたものを引合に出して、彼の男があんなことを言ったが、三橋老人は決して若返ったとは見えない、彼の男も今では田舎の居候だ。山猿にしてはちと色が白過ぎるまでだ。あれを読んだ時は、アア勝田君はまだまだ達者でいるナ、と左様は思ったよ。そして君の洒落を難有く頂戴した。何故というに、僕の心は自分をあらわすに適当な清新な形式を探し求めている時だったから――

勝田君、君も小田原へ行く頃には最早全く黙ってしまった人のようだったね。戦士のように強い君の声は段々短く、きれぎれになって行って、終は僕の耳には聞えなくなってしまった……深い深い雪の中に埋められた声のように……

勝田君、あれほど強情を言い通していた君が到頭降参して、世話する女の人と一緒に晩年を送った。その話が近頃になってまた鈴木君と僕の間に出た。

「でも、勝田のような男が最後に極く平凡な女を見つけたところは面白い。」

と鈴木君が言うから、

「成程ねえ。大きに左様だ。」と僕は鈴木君の言葉に感心した。

鈴木君は僕の顔を見て笑い出すじゃないか。「前に君の言ったことなんだよ。」

「左様かナア。僕がそんなウマいことを言ったかナア。」

と言って僕は半信半疑で笑った。

どうも僕は自分で言ったことのような気がしない。矢張鈴木君の言葉としか思われない。よしこれが鈴木君の串談でないとしても、そのために長いこと思出しもしなかった君の晩年がまた僕に光って見えて来たとしたら、誰の言葉でも(13)好い。

勝田君、僕は今、柳橋に近い町の中に住んでいる。種菓子屋の隠居さん夫婦がもと住んだという家を借りている。僕がここへ引移って来た頃は、周囲は割合に閑静な町で、古い商家のある町々に続いて、昔のままの板葺屋根さえついこの頃まで二階から見られた。僕の家の裏には常磐津林中(14)のおかみさんも居るし、前には英一蝶(15)の子孫の住む家もある。一つ通を置いて古い漢方医の多紀の家のあともある。一中節(16)の家元、長唄の師匠、その他音曲にたずさわる人々の住家も多い。こういう町々に残った空気はあるいは君の心を悦ばせるものが有ろうかと思う。

しかし柳橋も変った。船宿の窓の灯が裏河岸の水に映ったということなどは、もうずっと昔話になった。旧両国の夜見世は浅草橋の通へ移り、橋も掛け替り、以前の広小路の跡には君の知らない小さな公園が出来た。そのために一部の狭斜の街は取払われて、僕が今住む方へ流れ込んで来た。町の三分の一は見る間に新しく建て直った。僕の隣には待合が出来、筋向うには芸者屋が越して来た。暗かった細い路地路地は急に明るくなった。何時の間にか僕の二階は三味線の音で取繞かれた。

ここへ来て僕は君の口からそく平という芸者の名を話のついでに聞いたことを思出した。君は若い時に、人に連れられて来て、この土地で多くの栄華と凋落とを見たという話を僕にしたことが有ろう。山村君の所謂恐しい君の「眼」は左様いう中で早く開いたのではないか。そく平という女の名も今では極く僅かの人の口に残っている。私がお酌の時分に、もうそく平さんは立派な姉さんでしたという女を見れば、白髪を染めているような人だ。君の名を記憶するような女は恐らく居まい。一頃両国橋の畔に近いところに増田屋の看板が出ていたが、近頃ではそれも見えなくなった。

勝田君、君は世と戦い、当時の文学者と戦い、迫り来る貧しさと苦痛とも戦い、しかも冷然として死んだ。斯様な風に僕は君の一生をある雑誌に書いてみた。君は微笑むだろうか。鈴木君の話に、勝田は陋巷に窮死したようなことを世間では言うが、どうして

亡くなった本所(ほんじょ)の家(うち)へ行ってみると、勝田は勝田らしい家(うち)を見つけていた、と僕に話したことも有るよ。

ある年、まだ僕の甥が生きていた頃のことだ。いかに言っても僕は今の住居(すまい)が狭くて困るものだから、河一つ越して本所の横網(よこあみ)の方へ家を探しに出掛けた。河岸(かし)からすこし折れ曲った町の中に、往来に向いて面白い窓のある、屋根の高い平屋を見つけた。裏の方へ廻って見ると板塀で囲われて庭もかなり広そうに見える。大屋さんも近いものだから、寄って聞くと、部屋の数も相応にある。しばらく明けてあるからもし借りてくれるなら屋賃はまけておくという。大屋さんの娘は裏口の木戸を開けて僕を案内してくれた。外から見掛けたより広い家で、片隅の一部を仕切って誰かに貸してある。庭の植木の間からそこに住む人の居ることが分る。戸を開けて上って見ると、往来に接して窓のある部屋は茶の間になっていて、細い古風な戸棚などが壁の中に造りつけてある。何(ど)の部屋へ行って見ても実に好く出来ているが、なにしろ薄暗い、壁などまで黒ずんだ緑色に塗ったところさえある。そのうちに、しばらく人も住まないような陰森(いんしん)な感じが身を襲うように遣って来た。

何となく身内がゾーとして来て、僕は独りで暗い戸棚などを見ていられなかった。恐しさのあまり、その空屋を飛出した。

「奈何いう家だろう。」

と僕は日の映った裏の板塀の外へ出て、種々に想像してみた。

あまりに部屋部屋が好く出来ているので、それに僕は心を引かれた。帰りに大屋さんの家へ寄って話してみると、そこの娘の口から君の名が出て来た。

勝田君、君が最後に移って住んだのは僕が見て来た家の一方に仕切ってあるところなんだそうだね。僕はそれとは知らずに君が枕した部屋の隣を歩いていた。尤も壁は厚くてほとんど隣の物音は聞えもしないほどヒッソリとしていたが。

それから二、三日経って、どうもまだ僕はあの家を断念することが出来なかった。甥を連れてもう一度一緒に見に行った。甥の意見をも聞くつもりだった。

「まあ、来て見給え。」

と僕は甥を誘って行った。

「へえ、ここが勝田さんの亡くなった家なんですか。」

と甥は僕と一緒に往来に立って隣の方の窓を外から眺めた。甥は君のことも蔭ながら知っていたからね。

また大屋さんの娘に戸を開けてもらって僕等は表の入口から入った。

「表の見附(17)は何でもない家のようで、内へ入って見ると実に凝ったことがしてある

——昔の人は考えて造ったものですナア。」

と言いながら甥も見て廻った。

「惜しいナア。いかに言っても暗いね。」

と僕は部屋部屋へ甥を連れて行った。その暗さは普通の暗さでなくて、妙に朦朧とした暗さだった。身体の震えて来るような暗さだった。

「下屋敷(18)にでも造ったものだろうか。変に陰気な家だね。」

「そうですねえ。」

「一寸、君、向うの方を見給え。何か芝居にでもあるお嬢さんが長い髪の毛を垂げて立って居そうじゃないか。」

僕は茶の間の横の暗い突当りにある白い古風な襖を甥に指してみせた。甥も見て笑いもしなかった。

「暗い。暗い。」

と甥も深い廂から日の光の射した縁側の方へ出て言った。

「叔父さんの神経で厭だと思ったら、御止しなすった方が好いでしょう。」

こう甥も言うものだから、僕等は互に顔を見合せて、やがてまた二人で心地の好い日の映った家の外へ出た。到頭僕は借りることを見合せた。

君が以前住んだという隣の家の勝手口からは、おかみさんらしい人が顔を出して、僕等の方を見ていた。

勝田君、甥も今では君と同じように最早この世には居ない人だ。それからまた僕の家では人数も小勢になり、住慣れた今のところに落着くようにもなった。

夕日は二階の部屋に満ちて来た。壁も、障子も、僕の眼前にあるものは何もかも深い色に輝いて来た。一度聞えなくなった君の声はこの節また僕の耳に聞えて来た。下座敷には今、遠い旅から帰って来た人が居る。十年の余も音信を聞かなかった人が居る。その年老いた客のために、僕は夕飯の仕度をさせようと思う。

左様いえば勝田君、君は以前とすこしも変らないではないか——ほとんど旧のままだ——君よりはずっと年少であった僕などが、髪の剛い故か、余計に白いやつが目立つとこの節では言われているのに、君の長い髪の毛は何時までも黒々として見える——

ある女の生涯

おげんはぐっすり寝て、朝の四時頃には自分の娘や小さな甥なぞの側に眼をさました。慣れない床（とこ）、慣れない枕、慣れない蚊帳（かや）の内（なか）で、そんなに前後も知らずに深く眠られたというだけでも、おげんにとってはめずらしかった。気の置けないものばかり――娘のお新に、婆（ばあ）やに、九つになる小さな甥まで入れると、都合四人も同じ蚊帳の内に枕を並べて寝たこともめずらしかった。

八月のことで、短か夜を寝惜むようなお新はまだよく眠っていた。おげんはそこに眠っている人形の側でも離れるようにして、自分の娘の側を離れた。蚊帳を出て、部屋の雨戸を一、二枚ほど開けてみると、夏の空は明けかかっていた。

「漸（ようや）く来た。」

とおげんは独りでそれを言ってみた。そこは地方によくあるような医院の一室で、遠

い村々から来る患者を容れるための部屋になっていた。蜂谷という評判の好い田舎医者がそこを経営していた。おげんが娘や甥を連れてそこへ来たのは自分の養生のためとはいえ、普通の患者が病室に泊まったようにも自分を思っていなかったというのは、一つはおげんの亡くなった旦那がまだ達者でさかりの頃に少年の蜂谷を引取って、書生として世話したという縁故があったからで。

「前の日に思い立って、翌る日は家を出て来るような、そんな旦那衆のようなわけにいかずか。」

「そうとも。」

「そこは女だもの。俺は半年も前から思い立って、漸くここまで来た。」

これは二人の人の会話のようであるが、おげんは一人でそれをやった。彼女の内部にはこんな独言を言う二人の人が居た。

おげんはもう年をとって、心細かった。彼女は嫁いで行った小山の家の祖母さんの死を見送り、旦那と自分の間に出来た小山の相続人でお新からいえばただ一人の兄にあたる実子の死を見送り、二年前には旦那の死をも見送った。彼女の周囲にあった親しい人達は、一人減り、二人減り、長年小山に出入してお家大事と勤めてくれたような大番頭の二人までも早やこの世に居なかった。彼女は孤独で震えるようになったばかりでなく、

もう長いこと自分の身体に異状のあることをも感じていた。彼女は娘のお新と共に――四十の歳まで結婚させることも出来ずに処女で通させて来たようなただ一人の不幸なお新と共に最後の「隠れ家」を求めようとするよりほかにはもう何等の念慮をも持たなかった。

このおげんが小山の家を出ようと思い立った頃は六十の歳だった。彼女は一日も手放しがたいものに思うお新を連れ、預り子の小さな甥を連れ、附添の婆やまで連れて、賑かに家を出て来たが、古い馴染の軒を離れる時には流石に限りない感慨を覚えた。彼女はその昂奮を笑いに紛わして来た。「みんな、行って来るぞい。」その言葉を養子夫婦にも、奉公人一同にも残しておいて来た。彼女の真意では、しばらく蜂谷の医院に養生した上で、是非とも東京の空まではとこころざしていた。東京には長いこと彼女の見ない弟達が居たから。

蜂谷の医院は中央線の須原駅[1]に近いところにあった。おげんの住慣れた町とは四里ほどの距離にあった。彼女が家を出る時の昂奮はその道のりを汽車で乗って来るまで続いていたし、この医院に着いてもまだ続いていた。しかし日頃信頼する医者の許に一夜を送って、桑畠に続いた病室の庭の見える雨戸の間から、朝靄の中に鶏の声を聞きつけた時は、彼女もホッとした。小山の家のある町に比べたら、いくらかでも彼女自身の生れ

た村の方に近い、静かな田舎に身を置き得たという心地もした。今度の養生は仮令半年も前からおげんが思い立っていたこととはいえ、一切から離れ得るような機会を彼女に与えた――長い年月の間暮してみた屋根の下からも、十年も旦那の留守居をして孤りの閨を守り通したことのある奥座敷からも、養子夫婦をはじめ奉公人まで家内一同膳を並べて食う楽みもなくなったような広いがらんとした台所からも。

「御新造さま(2)、大分お早いなし。」

と言って婆やが声を掛けた頃は、お新までもおげんの側に集まった。

「お母さんは家に居ても彼様だぞい。」とお新は婆やに言ってみせた。「冬でも暗いうちから起きて、自分の部屋を掃除するやら、障子をばたばたいわせるやら。そんなに早く起きられては若いものが堪らんなんて、よく家の人に言われる。わたしは隣りの部屋でも、知らん顔をして寝て居るわいなし――ええええ、知らん顔をして。」

お新はこんな話をするにも面長な顔を婆やの方へ近く寄せて言った。

そこへ小さな甥の三吉が飛んでやって来た。前の日にこの医院へ来たばかりで種々な眼についたものを一々おげんのところへ知らせに来るのも、この子供だ。蜂谷の庭に続いた桑畠を一丁(3)も行けば木曾川で、そこには小山の家の近くで泳いだよりはずっと静かな水が流れていることなぞを知らせに来るのも、この子供だ。

「桑畠の向うの方が焼けて居たで。俺がなあ、真黒に焼けた跡を今見て来たぞい。」

こんなことを三吉が言出すと、お新は思わずその話に釣り込まれたという風で、

「ほんとに、昨日のようにびっくりしたことはない。お母さんがあんな危ないことをするんだもの。炭俵に火なぞをつけて、あんな垣根の方へ投ってやるんだもの。わたしは、はらはらして見て居たぞい――ほんとだぞい。」

お新はもう眼に一ぱい涙を溜めていた。その力を籠めた言葉には年老いた母親を思うあわれさがあった。

「昨日は俺も見て居た。そうしたら、おばあさんがここのお医者さまに叱られて居るのさ。」

この三吉の子供らしい調子はお新をも婆やをも笑わせた。

「三吉や、その話はもうしないでおくれ。」とおげんが言出した。「このおばあさんが悪かった。俺も馬鹿な――大方、気の迷いだらずが――昨日は恐ろしいものが俺の方へ責めて来るじゃないかよ。汽車に乗ると、そいつが俺に随いて来て、ここの蜂谷さんの家の垣根の隅にまで隠れて俺の方を狙ってる。さあ、責めるなら責めて来いッて、俺も堪らんから火のついた炭俵を投げつけてやったよ。もうあんな恐ろしいものは居ないから、安心しよや。もうもう大丈夫だ。ゆうべは俺もよく寝られたし、御霊さま(4)は皆を守

って居て下さるし、今朝は近頃にない気分が清々とした。」

おげんは自分を笑うようにして、両手を膝の上に置きながらホッと一つ息を吐いた。

おげんの話にはよく「御霊さま」が出た。これはおげんがまだ若い娘の頃に、国学や神道に熱心な父親からの感化であった。お新は母親の機嫌の好いのを嬉しく思うという風で、婆やと三吉の顔を見比べておいて、それから好きな煙草を引きよせていた。

その朝から三吉はおげんの側で楽しい暑中休暇を送ろうとして朝飯でも済むとまた直ぐに屋外へ飛び出して行ったが、この小さな甥の子供心に言ったことはおげんの身に徹えた。彼女は家の方に居た時分、妙に家の人達から警戒されて、刃物という刃物は鋏から剃刀まで隠されたと気づいたことがよくある。年をとったおげんがつくづくこの世の冷たさを思い知ったのは、そういう時だった。そのたびに彼女は悲しさや腹立しさが胸一ぱいに込み上げて来て、わざわざ養子夫婦のいやがるように仕向けてみたこともある。時には白いハンケチで鼠を造って、それを自分の頭の上に載せて、番頭から小僧まで集まった仕事場を驚かしたこともある。あんなことをして皆を笑わせた滑稽が、まだまだ自分の気の確かな証拠として役に立ったのか、「面白いおばあさんだ」として皆に迎えられたのか、そこまではおげんも言うことが出来なかった。兎に角、この蜂谷の医院へ着いたばかりに桑畠を焼くような失策があって、三吉のような子供にまでそれを言われ

てみると、いかに自分ばかり気の確かなつもりのおげんでも、これまで自分の為たことで養子夫婦を苦しめることが多かったと思わないわけにはいかなかった。

お新は髪を束ね直した後のさっぱりとした顔付で母の方へ来た。その時、おげんは娘に言いつけて、お新が使った後の鏡を自分の方へ持って来させた。

「お父さんが亡くなってから、お母さんは一度も鏡を見ない。今日は蜂谷さんにもよく診察してもらうで、久しぶりでお母さんも鏡を見るわい。」

おげんは親しげに自分のことを娘に言ってみせて、お新がそこへ持って来た鏡に向おうとした。ふと、死別れてから何十年になるかと思われるようなおげんの父親のことが彼女の胸に来た。おげんの手はかすかに震えて来た。彼女の父親は晩年を暗い座敷牢に送った人であったから。

「ふーん。」

思わずおげんは唸るような声を出して自分の姿に見入った。彼女が心ひそかに映ることを恐れたような父親の面影のかわりに、信じ難いほど変り果てた彼女自身がその鏡の中に居た。

「えらい年寄になったものだぞ。」

とおげんは自分ながら感心したように言って、若かった日に鏡に向ったと同じ手付で

自分の眉のあたりを幾度となく撫で柔げてみた。

「ひどいものじゃないかや。何だか自分の顔のような気もしないよ。」

とまたおげんは言って、鏡を娘の方へ押しやった後でも嘆息した。

「ふーんのようなことだ。」

とお新もそこへ笑いころげた。

静かな日がそれから続くようになった。蜂谷の医院に来て泊っている他の患者達のことについても、一番早くいろいろな報告をもって来て、おげんの部屋を賑かすのは小さな甥だった。三吉が小山の家の方から通っている同じ学校の先生で、夏休みを機会に鼻の療治を受けに来ている人があると、三吉は直ぐそれを知らせにおげんのところへ飛んで来るし、あわれげな啞の小娘を連れて遠い山家の方から医院に着いた夫婦があると、それも知らせに飛んで来た。おげんはこの小さな甥やお新に誘われて木曾川の岸の岩石の間に時を送りに行って来ることもあった。夏らしい日あたりや、影や、時の物の茄子でも漬けて在院中の慰みとするに好いような沢山な円い小石がその川岸にあった。あの小山の家の方で、墓参りよりほかにめったに屋外に出たことのないようなおげんにとっては、その川岸は胸一ぱいに好い空気を呼吸することの出来る場所であり、透きとおるような冷い水に素足を浸してみることも出来る場所であった。おげんがその川岸から拾

い集めた小石で茄子なぞを漬けることを楽みに思ったのは、お新や三吉や婆やを悦ばせたいばかりでなく、その好い色に漬かったやつを同じ医院の患者仲間に、鼻の悪い学校の先生にも、唖の娘を抱いた夫婦者にも振舞いたいからであった。彼女はパンを焼くことなぞも上手で、そういうことは好きでよくした。在院中の慰みの一つは、その家から提げさせて来た道具で、小さな甥のために三時がわりのパンを焼くことであった。三吉はまた大悦びで、おばあさんが手製のふかしたてのパンを患者仲間の居る部屋部屋へ配りに行くこともあった。

おげんが過ぎ去った年月のことをしみじみ胸に浮べることの出来たのも、この静かな医院に移ってからであった。部屋に居て聞くと、よく蛙が鳴いた。昼間でも鳴いた。その声は男ざかりの時分の旦那の方へも、遠い旅から年をとって帰って来た旦那の方へもおげんの心を誘った。彼女が小山の家を出ようと思い立ったのは、必ずしも老年の今日に始まったことではなかった。旦那も達者、彼女もまだ達者で女のさかりの頃に、一度ならず二度ならず既にその事があった。旦那くらい好い性質の人で、旦那くらいまた、女のことに弱い人もめずらしかった、旦那が一旗揚げるといって、この地方から東京に出て家を持ったのは、あれは旦那が二十代に当時流行の猟虎の毛皮の帽子を冠った頃だ。まだお新も生れないくらいの前のことだ。あの頃にもう旦那の関係した芸者は幾人とな

くあって、その一人に旦那の子が生れた。おげんがそれを自分の手で始末しないばかりに心配して、旦那の行末の楽みに再びこの地方へと引揚げて来た頃は、さすが旦那にも謹慎と後悔の色が見えた、旦那の東京生活は結局失敗で、そのまま古い小山の家へ入ることは留守居の大番頭に対しても出来なかった。旦那が少年の蜂谷を書生として世話したのも、しばらくこの地方に居て教員生活をした時代だった。旦那がある酌婦(5)に関係の出来たのもその時代だ。その時におげんは旦那の頼みがたさをつくづく思い知って、失望のあまり家を出ようとしたが、それを果さなかった。正直で昔気質な大番頭等へも詫の叶う時が来た。二度目に旦那が小山の家の大黒柱の下に坐った頃は、旦那の一番働けた時代であり、それだけまた得意な時代でもあった。地方の人の信用は旦那の身に集まるばかりであった。交際も広く、金廻りもよく、おまけに人並すぐれて唄う声のすずしい旦那は次第に茶屋酒を飲み慣れて、土地の芸者と関係するようになった。旦那が自分の知らない子の父となったと聞いた時は、おげんはまたかと思った。その時もおげんは家を出る決心までして、東京の方に集まっている親戚の家を訪ねに行ったこともあったが、人の諫めに思い直して国へと引返した。あれほどおげんは頼み甲斐のない旦那から踏みにじられたように思いながらも、自分の前に手をついて平あやまりにあやまる旦那を眼前に見、やさしい声の一つも耳に聞くと、つい何もかも忘れて旦那を許す気にもな

った。おげんが年若な伜(せがれ)の利発さに望みをかけ、温順(おとな)しいお新の成長をも楽みにして、あの二人の子によって旦那の不品行を忘れよう忘れようとつとめるようになったのも、あの再度の家出をあきらめた頃からであった。

そこまで思いつづけて行くと、おげんは独りで茫然(ぼうぜん)とした。それからの彼女が自分の側に見つけたものは、次第に父に似て行く兄の方の子であり、まだこの世へも生れて来ないうちから父によって傷(きず)つけられた妹の方の子であったから。

回想はある都会風の二階座敷の方へおげんの心を連れて行って見せた。おげんの弟が二人も居る。おげんの伜が居る。伜の娵(よめ)も居る。その娵は皆の話の仲間入をしようとして女持(おんなもち)の細い煙管(きせる)なぞを取出しつつある。二階の欄(てすり)のところには東京を見物顔なお新も居る。そこはおげんの伜が東京の方に持った家で、夏らしい二階座敷から隅田川の水も見えた。おげんが国からお新を連れてあの家を見に行った頃は、旦那はもう疾(とっ)くにおげんの側に居なかった。家も捨て、妻も捨て、子も捨て、不義理のあるたけを後に残して行く時の旦那の道連(みちづれ)には若い芸者が一人あったとも聞いたが、その音信不通の旦那の在所(ありか)が何年か後に遠いところから知れて来て、僅(わず)かに手紙の往復があるようになったのも、丁度(ちょうど)その頃だ。おげんが旦那を待ち暮す心はその頃になっても変らなかった。機会さえあらば、何処(どこ)かの温泉地でなりと旦那を見、お新にも逢わせ、どうかして旦那の心

をもう一度以前の妻子の方へ引きかえさせたい。その下心でおげんは東京の地を踏んだが、あの伜の家の二階で二人の弟の顔を見比べ、伜夫婦の顔を見比べた時は、おげんは空しく国へ引返すよりほかに仕方がないと思った。二番目の弟の口の悪いのも畢竟姉を思ってくれるからではあったろうが、しまいにはおげんの方でも耐えきれなくなって、「そう後家、後家と言ってもらうまいぞや、」と言い返してみせたのも、あの二階だ。そうしたら弟の言草は、「この婆サも、まだこれで色気がある、」と。あまり憎い口を弟がきくから、「あるぞい――うん、ある、ある、」そう言っておげんは皆に別れを告げて来た。待っても、待っても旦那はあれから帰って来なかった。国の方で留守居するおげんが朝夕の友といえば、旦那の置いて行った机、旦那の置いて行った部屋、旦那のことを思い二人の子のことを思えば濡れない晩はなかったような冷い閨の枕――

回想はまた、広い台所の炉辺の方へもおげんの心を連れて行って見せた。高い天井からは炉の上に釣るした煤けた自在鍵(6)がある。炉に焚く火はあかあかと燃えて、台所の障子にも柱にも映っている。いそいそと立働くお新が居る。下女が居る。養子も改まった顔付で奥座敷と台所の間を往ったり来たりしている。時々覗きに来る三吉も居る。そこへおげんの三番目の弟に連れられて、しょんぼりと表口から入って来た人がある。この人が十年も他郷で流浪した揚句に、遠く自分の生れた家の方を指して、年をとってから

帰って来たおげんの旦那だ。弟は養子の前にも旦那を連れて御辞儀に行き、おげんの前へも御辞儀に来た。その頃は伜はもうこの世に居なかった。到頭旦那も伜の死目に逢わずじまいであったのだ。伜の娵も暇を取って行った。「御霊さま」はまだ自分等と一緒に居て下さるとおげんが思ったのは、旦那にお新を逢わせることの出来た時だった。けれども、これほどのおげんの悦びもそう長くは続かなかった。持って生れた旦那の性分はいくつになっても変らなかった。旦那が再び自分の生れた家の門を潜る時は、日が暮れてからでなければそれが潜れなかった。そんな思いまでして帰って来た旦那でも、だんだん席が温まって来る頃には茶屋酒の味を思出して、また若い芸者に関係したという噂がおげんの耳にまで入るようになった。旦那は人の好い性質と、女に弱いところを最後まで持ちつづけて亡くなった。遠い先祖の代からあるという古い襖も慰みの一つとして、女の臥たり起きたりする場所ときまっていたような深い窓に、おげんは茫然とした自分を見つけることがよくあった。

　考えまい、考えまいと思いながら、おげんは考えつづけた。彼女は旦那の生前に、自分がもっと旦那の酒の相手でもして、唄の一つも歌えるような女であったなら、旦那もあれほどの放蕩はしないで済んだろうか、と思い出してみた。おげんはこんなことも考えた。彼女と旦那の間に出来たお新は、幼い時分に二階の階段から落ちて、ひどく脳を

打って、それからあんな発育の後れたものになったとは、これまで彼女が家の人達にも、親戚にも、誰に向ってもそういう風にばかり話して来たが、実はあの不幸な娘のこの世に生れ落ちる日から最早ああいう運命の下にあったとは、旦那だけは思い当ることもあったろうと。そればかりではない、彼女自身にも人には言えない深傷を負わせられていた。彼女は長い骨の折れた旦那の留守をした頃に、伜の娵としばらく一緒に暮した月日のことを思出した。その時は伜が側に居なかったばかりでなく、娵まで自分を置いて伜の方へ一緒になりに行こうとする時であった。

「俺はツマラんよ、」と彼女の方でそれを娵に言ってみせて、別れて行く人の枕許でさんざん泣いたこともあった。「お母さん、そんなにぶらぶらしていらっしゃらないで、ほんとうにお医者さまに診てもらったらどうです、」と別れ際に慰めてくれたのもあの娵だった。どうも自分の身体の具合が好くないと思い思いして、幾度となく温泉地行なぞを思い立ったのも、もうあの頃からだ。けれども彼女が根本からの治療を受けるために自分の身体を医者に診せることだけは避け避けしたのは、旦那の恥を明るみへ持出すに忍びなかったからで。見ず知らずの女達から旦那を通して伝染させられたような病毒のために、いつか自分の命の根まで嚙まれる日の来まいものでもない、とは考えたばかりでも恐ろしいことであった。

「蛙が鳴いとる。」

と言って、三吉はおげんの側へ寄った。何時(いつ)の間(ま)に屋外(そと)へ飛出して行って、何時の間に帰って来ているかと思われるようなのは、この遊びに夢中な子供だ。

「ほんに。」とおげんは甥というよりは孫のような三吉の顔を見て言った。「そういえば三吉は何をして屋外(そと)で遊んで来たかや。」

「木曾川で泳いで来た。俺も大分うまく泳げるようになったに。」

三吉は子供らしい手付で水を切る真似をしてみせた。さもうまそうなその手付がおげんを笑わせた。

「東京の兄さん達も何処かで泳いで居るだらずかなあ。」

とまた三吉が思出したように言った。この子はおげんが三番目の弟の熊吉から預った子で、彼女が東京まで頼って行くつもりの弟もこの三吉の親に当っていた。

「どれ、そう温順(おとな)しくしておばあさんの側に遊んで居てくれると、御褒美を一つ出さずばなるまいテ。」

と言いながらおげんは菓子を取出して来て、それを三吉に分け、そこへ顔を見せたお新の前へも持って行った。

「へえ、姉さんにも御褒美。」

こうおげんが娘に言う時の調子には、まだほんの子供にでも言うような母親らしさがあった。

「蛙がよく鳴くに。」とその時、お新も耳を澄まして言った。

「昼間鳴くのは、何だか寂しいものだなあし。」

「三吉や、お前はあの口真似をするのが上手だが、このおばあさんも一つやってみせずか。どうしておばあさんだって、三吉には負けんぞい。」

子供を前に置いて、おげんは蛙の鳴声なぞを真似してみせて戯れるうちに、何時の間にか彼女の心は本物の蛙の声の方へ行った。何処かの田圃の方からでも伝わって来るような、さかんな繁殖の声は人に迫るように聞えるばかりでなく、医院の庭に見える深い草木の感じまでが憂鬱で悩ましかった。

「何だか俺はほんとに狂にでもなりそうだ。」

とおげんは半分串談のように独りでそんなことを言ってみた。耳に聞く蛙の声はややもすると彼女の父親の方へ——あの父親が晩年の月日を送った暗い座敷牢の格子の方へ彼女の心を誘った。おげんは姉弟中で一番父親に似ているとも言われた。そんなことまでが平素から気になっていた。どうして四十になっても独り立ちの出来ないような不幸な娘を連れていて——それを思うと、おげんは自分を笑いたかった。彼女はそこに置い

てある火鉢から細い真鍮の火箸を取ってみて、曲げるつもりもなくそれを弓なりに折り曲げた。

「おばあさん——またここのお医者さまに怒られるぞい。」

と三吉は言って、不思議そうにおげんの顔を見ていたが、やがて子供らしく笑出した。こういう場合に側に居るものの顔を見比べて、母を庇護おうとするのは何時でもお新だった。

「三ちゃんにはかなわない。直ぐにああいうところへ眼をつけるで。」

とお新も笑いながら言って、母の曲げた火箸を元のように直そうとした。お新はそんなことをするにも、丁寧に、丁寧にとやった。

蜂谷の医院へ来てから三週間ばかり経つうちに、三吉は小山の家の方へ帰りたいと言出した。おげんは一日でも多く小さな甥を自分の手許に引留めて、「おばあさんの側が好い。」と言ってもらいたかったが、退屈した子供を奈何することも出来なかった。三吉は独りでも家の方へ帰れると言って、次の駅まで二里ばかりは汽車にも乗らずに歩いて行こうとした。この田舎育ちの子供が独りでぽつぽつ帰って行く日にはおげんはお新と二人で村はずれまで見送った。学校の生徒らしい夏帽子に土地風なカルサン[7]穿きで、時々後方を振返り振返り県道に添うて歩いて行く小さな甥の後姿は、おげんの眼に残っ

た。

三吉が帰って行った後、にわかに医院の部屋もさびしかった。しかしおげんは久しぶりで東京の方に居る弟の熊吉に宛てた葉書を書く気になったほど、心持の好い日を迎えた。おげんは女らしい字を書いたが、兎角手が震えて、これまでめったに筆も持たなかった。書いてみれば、書けて、その弟にやる葉書を自分で眺めても、すこしも手の震えたような跡のないことは彼女の心にもうれしかった。九月を迎えるようになってからは、一層心持の好い日が続いた。おげんは娘や婆やを相手にめずらしく楽しい時を送ったばかりでなく、時にはこの村にある旧い親戚の家なぞを訪ねて歩いた。どうやら一生の晩年の静かさがおげんの眼にも見えて来た。彼女はその静かさを山家へ早くやって来るような朝晩の冷しい雨にも、露を帯びた桑畠にも、医院の庭の日あたりにも見つけることが出来るように思って来た。

「婆や、ちょっと一円貸しとくれや。」

とある日、おげんは婆やに言った。附添として来た婆やは会計を預っていたので、おげんが毎日いくらかずつの小遣いを婆やにねだりねだりした。

「一円でいい。」

とまたおげんが手を出して言った。

婆やは小山の家に出入の者でひどくおげんの気に入っていたが、金銭上のことになるとそうそうおげんの言うなりにもなっていなかった。

「そう御新造さまのようにお小遣いを使わっせると、わたしがお家の方へ申し訳がないで。」

と婆やはきまりのようにそれを言って、渋々おげんの請求に応じた。

こうした場合ほどおげんにとって、自分の弱点に触られるような気のすることはなかった。そのたびにおげんは婆やが毎日まめまめとよく働いてくれることも忘れて、腹立たしい調子になった。彼女はこの医院に来てから最早何程の小遣いを使ったとも、自分でそれを一寸言ってみることも出来なかった。

「お前達は、何でも俺が無暗とお金を使いからかすようなことを言う――」

こうおげんは荒々しく言った。

お新と共に最後の「隠れ家」を求めようとするおげんの心は、ますます深いものとなって行った。彼女は自分でも金銭の勘定に拙いことや、それがまた自分の弱点だということを思わないではなかったが、しかしそれを奈何ともすることが出来なかった。ただ、心細くばかりあった。いつまでも処女で年ばかり取って行くようなお新の前途が案じられてならなかった。お新は面長な顔かたちから背の高いところまで父親似で、長い眉の

あたりなぞも父親にそっくりであった。おげんが自分の娘と対いあって坐っている時は、亡くなった旦那と対いあっている思いをさせた。しきりに旦那のことを恋しく思わせるのも、娘と二人で居る時だった。父としては子を傷け、夫としては妻を傷けて行ったようなあの放蕩な旦那が、どうしてこんなに恋しいかと思われるほど。

「あああ、お新よりほかにもう自分を支える力はなくなってしまった。」

とおげんは独りで言ってみて嘆息した。

九月らしい日の庭にあたって来た午後、おげんは病室風の長い廊下のところに居て、他人まかせな女の一生の早く通り過ぎて行ってしまうことなぞを胸に浮べていた。そこへ院長蜂谷が庭づたいに歩いて来て、おげんを慰め顔に廊下のところへ腰掛けた。

「お嬢さんを見ると、先生のことを思出します。ほんとにお嬢さんは先生によく似てお出だ。」

蜂谷はおげんの旦那のことを「先生、先生」と呼んでいた。

「蜂谷さん、あれももう四十女よなし。」とおげんは言ってみせた。

「もうそうお成りですかいなあ。」と蜂谷も思出したように、「私が先生の御世話になった時分はお嬢さんもまだ一向におちいさかった。これまでにお育てになるのは、なかなかお大抵じゃない。」

「いえ、蜂谷さん、あれがあるばかりに私も持ちこたえられたようなものよなし。ほんとに、あれのお蔭だぞなし。あれは小さな時分からすこしも眼の放されないようなもので、それは危くて、危くて、「お新、こうしょや、ああしょや」ッて、一々私が指図だ。ゆっくりゆっくり私が話して聞かせると、そうするとあれにも分って、私の方で教えた通りになら出来る。なんでもああいう児(こ)には静かな手工(しゅこう)のようなことが一番好いで、そこへ私も気がついたもんだで、それから私も根気に家の仕事の手伝いをさせて。ええええ、手工風のことなら、あれも好きで為(す)るわいなし。そのうちに、あなた、あれも女でしょう。あれが女になった時なぞは、どのくらい私も心配したか知れずか。」

「全く、これまでになさるのはお大抵じゃなかった。医者の方から考えても、お嬢さんのような方(かた)には手工が適して居ます。もうこれまでになされば、小山さんも御安心でしょう。」

「そこですテ。私があれに干瓢(かんぴょう)を剥(む)かしてみたことが有りましたわい。あれも剥きたいと言いますで。青い夕顔に、真名板(まないた)に、庖丁と、こうあれに渡したと思わっせれ。ところが、あなた、あれはもう口をフウフウ言わせて、薄く切ってみたり、厚く切ってみたり。この夕顔はおよそ何分(なんぶ)ぐらいに切ったらいいか、そういうことになるとまるであれには勘考(かんがえ)がつかんぞなし。干瓢を剥くもいいが、手なぞを切って、危くて眼を放せず

か。まあ、あれはそういうものだで、どうかして私ももっとあれの側に居て、自分で面倒を見てやりたいと思うわなし。ほんに、あれがなかったら――どうして、あなた、私も今日までこうして気を張って来られずか――蜂谷さんも御承知なあの小山の家のごたごたの中で、十年の留守居がどうして私のようなものに出来ずか――」

思わずおげんは蜂谷を側に置いて、旧馴染にしか出来ないような話をした。何といってもお新のような娘を今日まで養い育てて来たことは、おげんが一生の仕事だった。話してみて、おげんは余分にその心持を引出された。

蜂谷は山家の人にしてもめずらしいほど長く延ばした鬚(ひげ)を、自分の懐中(ふところ)に仕舞(しま)うようにして、やがておげんの側を離れようとした。ふと、蜂谷は思いついたように、

「小山さん、医者稼業というやつは兎角忙しいばかりでして、思うようにも届きません。昨日から私も若いものを一人入れましたで。ええここの手伝いに。何かまた御用がありましたら、言付けてやって下さい。」

こう言って、看護婦なぞの往ったり来たりする庭の向うの方から一人の男を連れて来た。新たに医学校を卒業したばかりかと思われるような若者であった。蜂谷はその初々(ういうい)しく含羞(はにか)んだような若者をおげんの前まで連れて来た。

「小山さん、これが私のところへ手伝に来てくれた人です。」

と蜂谷に言われて、おげんは一寸会釈したが、田舎医者の代診には過ぎたほど眼付のすずしい若者が彼女の眼に映った。

「好い男だわい。」

それを思うと、おげんは大急ぎでその廊下を離れて、駈け込むように自分の部屋に戻った。彼女は堅く堅く障子をしめ切っておいて、部屋に隠れた。

九月も末になる頃にはおげんはずっと気分が好かった。おげんは自分で考えても九分通りまでは好い身体の具合を恢復したと思って、それを蜂谷にも話し、お新や婆やにも話して悦んでもらうほどであった。そこでいよいよ彼女も東京行を思立った。「小山さん、小山さん」と言って大切にしてくれる蜂谷ほどには、蜂谷の細君の受けも好くなくて、ややもすると機嫌を損ねやすいということも、一層おげんの心を東京へと急がせた。この東京行は、おげんにとって久しく見ない弟達を見る楽みがあり、その弟達に逢ってこれから将来の方針を相談する楽みがあった。彼女はしばらくお新を手放さねばならなかった。三月ばかり世話になった婆やにも暇を告げねばならなかった。東京までの見送りとしては、日頃からだの多忙しい小山の養子の代りとして養子の兄にあたる人が家の方から来ることになった。

出発の前夜には、おげんは一日も離れがたく思う娘の側に居て、二人で一緒に時を送

った。

「お新や、二人で気楽に話さまいかや。お母さんは横になるで、お前も勝手に足でもお延ばし。」

とおげんは言って、誰に遠慮もない小山の家の奥座敷に親子してよく寛いだ時のように、身体を横にしてみ、半ば身体を起しかけてみ、時には畳の上に起き直って尻餅でも搗いたようにぐたりと腰を落してみた。そしてそのたびに、深い溜息を吐いた。

「わたしは好きな煙草にするわいなし。」

とお新は母親の側に居ながら、煙草の道具を引きよせた。女持の細い煙管で煙草を吸いつけるお新の手付には、さすがに年齢の争われないものがあった。

「お新や、お母さんはこれから独りで東京へ行って来るで、お前は家の方でお留守居するだぞや。東京の叔父さん達とも相談した上で、お前を呼び寄せるで。よしか。お母さんの側が一番よからず。」

とおげんが言ったが、娘の方では答えなかった。お新の心は母親の言うことよりも、煙草の方にあるらしかった。

お新は母親のためにも煙草を吸いつけて、細く煙の出る煙管を母親の口に銜えさせるほどの親しみを見せた。この表情はおげんを楽ませた。おげんは娘から勧められた

煙管の吸口を軽く嚙み支えて、さもうまそうにそれを燻した。子の愛に溺れ浸っているこの親しい感覚は自然とおげんの胸に亡くなった旦那のことをも喚び起した。妻として尊敬された無事な月日よりも、苦い嫉妬を味わせられた切ない月日の方に、より多く旦那のことを思出すとは。おげんはそんな夫婦の間の不思議な結びつきを考えて悩ましく思った。婆やが来てそこへ寝床を敷いてくれる頃には、深い秋雨の戸の外を通り過ぎる音がした。その晩はおげんは娘と婆やと三人枕を並べて、夜遅くまで寝床の中でも話した。

　翌日は小山の養子の兄が家の方からこの医院に着いた。いよいよみんなに暇乞いして停車場の方へ行く時が来てみると、住慣れた家を離れるつもりであの小山の古い屋敷を出て来た時の心持がはっきりとおげんの胸に来た。その時こそ、おげんはほんとうに一切から離れて自分の最後の「隠れ家」を求めに行くような心地もして来た。お新と婆やは、どうせ同じ路を帰るのだからと言って、そこまで汽車で見送ろうとしてくれた。こうして四人のものは停車場を立った。

　汽車は二つばかり駅を通り過ぎた。二つ目の停車場ではお新も婆やもあわただしく車から降りた。

　養子の兄はおげんに、

「小山の家の衆がみんな裏口へ出て待受けて居ますで、汽車の窓から挨拶（あいさつ）さっせるがいい。」

こう言った頃は、おげんの住慣れた田舎町の石を載せた板屋根が窓の外に動いて見えた。もう小山の墓のあたりまで来た、もう桑畠の崖の下まで来た、といううちに、高い石垣の上に並んだ人達からこちらを呼ぶ声が起った。家の裏口に出てカルサン穿きで挨拶する養子、帽子を振る三吉、番頭、小僧の店のものから女衆まで、ほとんど一目におげんの立つ窓から見えた。

「おばあさん——おばあさん。」

と三吉が振ってみせる帽子も見えなくなる頃は、小山の家の奥座敷の板屋根も、今の養子の苦心に成った土蔵の白壁も、瞬（また）く間におげんの眼から消えた。汽車は黒い煙をところどころに残し、旧い駅路の破壊し尽された跡のような鉄道の線路に添うて、その町はずれをも離れた。

おげんはがっかりと窓際に腰掛けた。彼女は六十の歳になって浮浪を始めたような自己（おのれ）の姿を胸に描かずにはいられなかった。しかし自分の長い結婚生活が結局女の破産に終ったとは考えたくなかった。小山から縁談があって嫁いで来た若い娘の日から、すくなくも彼女の力に出来るだけのことは為（し）たと信じていたからで。彼女は旦那の忘れ形

見ともいうべきお新と共に、どうかしてもっと生甲斐のあることを探したいと心に思っていた。そんなことを遠い夢のように考えて、諏訪湖の先まで乗って行くうちに、汽車の中で日が暮れた。

　おげんは養子の兄に助けられながら、その翌日久し振(ぶり)で東京に近い空を望んだ。新宿から品川行に乗換えて、あの停車場で降りてからも弟達の居るところまでは、別な車で坂道を上らなければならなかった。おげんはとぼとぼとした車夫の歩みを辻車[8]の上から眺めながら、右に曲り左に曲りして登って行く坂道を半分夢のように辿った。

　弟達――二番目の直次と三番目の熊吉とは同じ住居でおげんの上京を迎えてくれた。おげんが心あてにして訪ねて行った熊吉はまだ外国の旅から帰ったばかりで、しばらく直次の家に同居する時であった。直次の家族は年寄から子供まで入れて六人もあった上に、熊吉の子供が二人も一緒に居たから、おげんは同行の養子の兄と共にかなり賑かなごちゃごちゃとしたところへ着いた。入れ替り立ち替りそこへ挨拶に来る親戚に逢ってみると、直次の養母はまだ達者で、頭の禿(はげ)もつやつやとしていて、腰もそんなに曲っているとは見えなかった。このおばあさんに続いて、襷(たすき)をはずしながら挨拶に来る直次の連合(つれあい)のおさだ、直次の娘なぞの後から、小さな甥が四人もおげんのところへ御辞儀に来た。

「どうも太郎や次郎の大きくなったのには、たまげた。三吉もよくお前さん達の噂をして居ますよ。あれも大きくなりましたよ。」

とおげんは熊吉の子供に言って、それから弟の居るところへ一緒になった。しばらく逢わずにいるうちに直次もめっきり年をとった。おげんは熊吉を見るのも何年振りかと思った。

「姉さんの旦那さんが亡くなったことも、私は旅に居て知りました。」

と熊吉は思出し顔に言ったが、そういう弟は五十五日も船に乗りつづけて遠いところから帰って来た人で、真黒に日に焼けていた。

「ほんとに、小山の姉さんはお若い。もっとわたしはお年寄になっていらっしゃるかと思った。」

そこへ来て言って、いろいろともてなしてくれるのは直次の連合（つれあい）であった。このおさだの言うことは御世辞にしても、おげんには嬉しかった。四人の小さな甥達はめずらしいおばあさんを迎えたという顔付で、かわるがわるそこへ覗（のぞ）きに来た。

おげんが養子の兄は無事に自分の役目を果したという顔付で、おげんの容体などを弟達に話しておいて間もなく直次の家を辞して行った。その晩から、おげんは直次の養母の側に窮屈な思いをして寝ることになったが、朝も暗いうちから起きつけた彼女は早く

から眼が覚めてしまって、なかなか自分の娘の側に眠るようなわけにはいかなかった。静かに寝床の上で身動きもせずにいるような隣のおばあさんの側で枕もとの煙草盆(9)を引きよせて、寝ながら一服吸うさえ彼女には気苦労であった。のみならず、上京して二日経ち、三日経ちしても、弟達はまだ彼女の相談に乗ってくれなかった。成程、弟達は久しぶりで姉弟三人一緒になったことを悦んでくれ、姉の好きそうなものを用意しては食膳の上のことまで心配してくれる。しかし肝心の相談となると首を傾げてしまって、ただただ姉の様子を見ようとばかりしていた。おげんに言わせると、この弟達の煮え切らない態度は姉を侮辱するにも等しかった。彼女は小山の家の方の人達から鋏を隠されたり小刀を隠されたりしたことを切なく思ったばかりでなく、肉親の弟達からさえ用心深い眼で見られることを悲しく思った。何のための上京か。そんなことぐらいは言わなくたって分っている、と彼女は思った。

到頭、おげんは弟達の居るところで、癇癪を破裂させてしまった。

「こんなに多勢弟が揃って居ながら、姉一人を養えないとは——呆痴め。」

その時、おげんは部屋の隅に立ち上って、震えた。彼女は思わず自分の揚げた両手がある発作的の身振りに変って行くことを感じた。弟達は物も言わずに顔を見合せていた。

「これは少しおかしかったわい。」

とおげんは自分に言ってみて、熊吉の側に坐り直しながら、眩暈心地の通り過ぎるのを待った。金色に光った小さな魚の形が幾つとなく空なところに見えて、右からも左からも彼女の眼前に乱れた。

こんなにおげんの激しやすくなったことは、酷く弟達を驚かしたかわりに、姉としての威厳を示す役にも立った。弟達が彼女のためにいろいろと相談に乗ってくれるようになったのも、それからであった。彼女はまた何時の間にか一時の怒りを忘れて行った。矢張り弟達は弟達で、自分のために心配していてくれると思うようにもなって行った。

ある日、おげんは熊吉に誘われて直次の家を出た。最早十月らしい東京の町の空がおげんの眼に映った。弟の子供達を悦ばせるような沢山な蜻蛉が秋の空気の中を飛んでいた。熊吉が姉を連れて行って見せたところは、直次の家から半町ほどしか離れていないある小間物屋の二階座敷で、熊吉は自分用の仮の仕事部屋に一時そこを借りていた。そこから食事の時や寝る時に直次の家の方へ通うことにしてあった。

「でも秋らしくなりましたね。駒形の家を思出しますね。」

と弟は言った。駒形の家とは、おげんの亡くなった伜が嫁と一緒にしばらく住んだ家

で、おげんにとっても思出の深いところであった。

「どうかすると私はまだ船にでも揺られて居るような気のすることも有りますよ。直さんの家の廊下が船の甲板で、あの廊下から見える空が海の空で、家ごと動いて居るような気のして来ることも有りますよ。」

とまた弟はおげんに言ってみせて、更に言葉をつづけて、

「姉さんも今度出ていらしってみて、おおよそお解りでしょう。直さんの家でも骨の折れる時ですよ。それは倹約にして暮しても居ます。そういうことも想ってみなけりゃなりません。私も東京に自分の家でも見つけましたら、そりゃ姉さんに来て頂いてもようござんす。もう少し気分を落着けるようにして下さい。」

「落着けるにも、落着けないにも、俺は別に何処も悪くないで。」とおげんの方では答えた。「ただ、何かこう頭脳(あたま)の中に、一とこ引ッつかえたようなところが有って、そこさえ直ればほかにもう何処も身体に悪いところはないで。」

「そうですかなあ。」

「俺を病人と思うのが、そもそも間違いだぞや。」

「なにしろ、あなたのところの養子もあの通りの働き手でしょう。あの養子を助けて、家の手伝いでもして、時には姉さんの好きな花でも植えて、余生を送るという気にはな

れないものですかなあ。」

「熊吉や、それは自分の娘でも満足な身体で、その娘に養子でもした人に言うことだぞや。あの旦那が亡くなってから、俺はもう小山の家に居る気もしなくなったよ。それに、お新のような娘を持って御覧。まあ俺のような親の身になってみてくれよ。お前のとこの細君も、まだ達者で居る時分に、この俺に言ったことが有るぞや。「どんなに自分は子供が多勢あっても、自分の子供を人に呉れる気にはならない」ッて。それ見よ、女というものはそういうものだぞ。うん、そこだ――そこだ――それだによって、どんな小さな家でもいいから一軒東京に借りてもらって、俺はお新と二人で暮したいよ。お前は直次と二人で心配してくれ。頼むに。月に三、四十円もあったら俺は暮らせると思う。」

「そんなことで姉さんが遣って行けましょうか。姉さんはいくら有っても足りないような人じゃないんですか。」

「莫迦、こけ。お前までそんなことを言う。なんでもお前達は、俺が無暗とお金を使いからかすようなことを言う。俺に小さな家でも持たして御覧。いくら要らずか。」

「どっちにしても、あなたのところの養子にも心配させるが好うござんすサ。」

「お前はそんな暢気なことを言うが、旦那が亡くなった時に俺はそう思った――俺は

もう小山家に縁故の切れたものだと思った――」

おげんは弟の仕事部屋に来て、一緒にこんな話をしたが、直次の家の方へ帰って行く頃は妙に心細かった。今度の上京を機会に、もっと東京で養生して、その上で前途の方針を考えることにしたら。そういう弟の意見には従いかねていた。熊吉は帰朝早々のいそがしさの中で、姉のために適当な医院を問合せていると言ったが、自分はそんな病人ではないとおげんは思った。彼女は年と共に口ざみしかったので、熊吉からねだった小遣で菓子を仕入れて、その袋を携えながら小さな甥達の側へ引返して行った。

「太郎も来いや。次郎も来いや。お前さん達があの三吉をいじめると、このおばあさんが承知せんぞい。」

とおげんは戯れて、町で買った甘い物を四人の子供に分け、自分でもさみしい時の慰みにした。

上京して一週間ばかりも経つうちに、おげんはあの蜂谷の医院で経験して来たと同じ心持を直次の家の方でも経験するようになった。「姉さん、姉さん」と直次が言って姉をいたわってくれるほどには、直次の養母や、直次が連合のおさだの受けは何となく好くなかった。おげんは弟の連合が子供の育て方なぞを逐一よく見て、それを母親としての自分の苦心に思い比べようとした。多年の経験から来たその鋭い眼を家の台所にまで

向けることは、あまりおさだに悦ばれなかった。

「姉さんはお料理のことでも何でもよく知っていらっしゃる。わたしも姉さんに教えて頂きたい。」

とおさだはよく言ったが、そのたびにおさだの眼は光った。

台所は割合に広かった。裏の木戸口(きどぐち)から物置の方へ通う空地は台所の前にもいくらかの余裕を見せ、冷々(ひえびえ)とした秋の空気がそこへも通って来ていた。おげんはその台所に居ながらでも朝顔の枯葉の黄ばみ残った隣家の垣根や、一方に続いた二階の屋根なぞを見ることが出来た。

「おさださん、わたしも一つお手伝いせず。」

とおげんはそこに立働く弟の連合に言った。秋の野菜の中でも新物の里芋なぞが出る頃で、おげんはあの里芋をうまく煮て、小山の家の人達を悦ばしたことを思出した。その日のおげんは台所のしちりんの前に立ちながら、自分の料理の経験なぞをおさだに語り聞かせるほど好い機嫌でもあった。うまく煮て弟達をも悦ばせようと思うおげんと、倹約一方のおさだとでは、炭のつぎ方でも合わなかった。

おげんはやや昂奮を感じた。彼女は義理ある妹に炭のつぎ方を教えようという心が先で、

「ええ、とろくさい——私の言うようにしてみさっせれ。」

こう言ったが、しちりんの側にある長火箸の焼けているとも気付かなかった。彼女は摑ませるつもりもなく、熱い火箸をおさだに摑ませようとした。

「熱。」

とおさだは口走ったが、その時おさだの眼は眼面におげんの方を射った。

「気違いめ。」

とその眼が非常に驚いたように物を言った。おさだは悲鳴を揚げないばかりにして自分の母親の方へ飛んで行った。何事かと部屋を出て見る直次の声もした。おげんは意外な結果に呆れて、皆なの居るところへ急いで行ってみた。そこには母親に取縋って泣顔を埋めているおさだを見た。

「ナニ、何でもないぞや。俺の手が少し狂ったかも知れんが、おさださんに火傷をさせるつもりでしたことではないで。」

とおげんは言って、直次の養母にもおさだにも詫びようとしたが、心の昂奮は隠せなかった。直次は笑い出した。

「大袈裟な真似をするない。あいつは俺の方へ飛んで来ないでお母さんの方へ飛んで行った。」

とおさだを叱るように言って、また直次は隣近所にまで響けるような高い声で笑った。

夕方に、熊吉が用達から帰って来るまで、おげんは心の昂奮を沈めようとして、縁先から空の見える柱のところへ行って立ったり、庭の隅にある暗い山茶花の下を歩いてみたりした。年老いた身の寄せ場所もないような冷たく傷ましい心持が、親戚の厄介者として見られるような悲しみに混って、制えても制えても彼女の胸の中に湧き上り湧き上りした。熊吉が来て、姉弟三人一緒に燈火の映る食卓を囲んだ時になっても、おげんの昂奮はまだ続いていた。

「今日は女同志の芝居があってね、お前の留守に大分面白かったよ。」

と直次は姉を前に置いて、熊吉にその日の出来事を話して無雑作に笑った。そこへおさだは台所の方から手料理の皿に盛ったのを運んで来た。

おげんはおさだに、

「なあし、おさださん——喧嘩でも何でもないで。おさださんとはもうこの通り仲直りしたで。」

「えええええ、何でもありませんよ。」

とおさだの方でも事もなげに笑って、盆の上の皿を食卓へと移した。

「うん、田舎風の御馳走が来たぞ。や、こいつはうまからず。」

と直次も姉の前では懐しい国言葉を出して、うまそうな里芋を口に入れた。その晩はおげんは手が震えて、折角(せっかく)の馳走もろくに咽喉(のど)を通らなかった。

熊吉は黙しがちに食っていた。食後に、おげんは自分の側へ来て心配するように言う熊吉の低い声を聞いた。

「姉さん、私と一緒にいらっしゃい――今夜は小間物屋の二階の方へ泊りに行きましょう。」

おげんは点頭(うなず)いた。

暗い夜が来た。おげんは熊吉より後れて直次の家を出た。遠く青白く流れているような天の川も、星のすがたも、よくはおげんの眼に映らなかった。弟の仕事部屋に上ってみると、姉弟二人の寝道具が運ばせてあって、おげんの分だけが寝るばかりに用意してあった。おげんは寝衣(ねまき)を着かえるが早いか、いきなりそこへ身を投げるようにして、その日あった出来事を思い出してみては深い溜息を吐いた。

「熊吉――この俺が何と見える。」

とおげんは床の上に坐り直して言った。熊吉は机の前に坐りながら姉の方を見て、

「姉さんのようにそう昂奮しても仕方がないでしょう。それよりはゆっくりお休みなさい。」

「うんにゃ。この俺が何と見えるッて、それをお前に聞いて居るところだ。みんな寄ってたかって俺を気違い扱いにして。」

急に涙がおげんの胸に迫って来た。彼女は、老い痩せた手でそこにあった坊主枕(10)を力まかせに打った。

「憚(はばか)りながら――」とおげんはまた独りでやりだした。「御霊(みたま)さまが居て、この年寄を守って居て下さるよ。そんな皆の思うようなものとは違うよ。たいもない。御霊さまはお新という娘をも守って居て下さる。この母が側に附いて居ても居なくても、守って居て下さる――何の心配することが要らずか。どうかすると、この母の眼には、あの智慧の足りない娘が御霊さまに見えることもある――」

熊吉はしばらく姉を相手にしないで、言うことを言わせておいたが、やがてまたおげんの方を見て、

「姉さんも小山の家の方に居て、何か長い間に見つけたものは有りませんでしたか。姉さんもお父さんの娘でしょう。あのお父さんは歌を詠(よ)みました。飛騨の山中でお父さんの詠んだ歌には、なかなか好いのが有りますぜ。短い言葉で、不器用な言い廻しで、それでもお父さんの旅の悲しみなどがよく出て居ますよ。姉さんにもああいうことがあったら、そんなに苦しまずにも済むだろうかと思うんですが。」

「俺は歌は詠まん。そのかわり若い時分からお父さんの側で、毎日のようにいろいろなことを教わった。聞いてみろや、何でも俺は言ってみせるに——何でも知ってるに——」

次第に戸の外もひっそりとして来た。熊吉は姉を心配するような顔付で、おげんの寝床の側へ来て坐った。熊吉は黙って煙草ばかりふかしていた。おげんの内部に居る二人の人が何時の間にか頭を持上げた。その二人の人が問答を始めた。一人が何か独言を言えば、今一人がそれに相槌を打った。

「熊吉はどうした。熊吉は居ないか。」

「居る。」

「いや、居ない。」

「いや、居る。」

「あいつも化物かも知れんぞ。」

「化物とは言ってくれた。」

「姉の気も知らないで、人を馬鹿にしてけつかって、そんなものが化物でなくて何だぞ。」

こういう二人の人は激しく相争うような調子にもなった。

「しッ——黙れ。」

「黙らん。」

「何故、黙らんか。」

「何故でも、黙らん。——」

同じ人が裂けて、闘おうとした。生命の焔は恐ろしい力で燃え尽きて行くかのような勢を示した。おげんは自分で自分を制えようとしても、内部から内部からと押出して来るようなその力を奈何することも出来なかった。彼女はひどく嘆息して、そのうちに何か微吟してみることを思いついた。ある謡曲の中の一くさりが胸に浮んで来ると、彼女は心覚えの文句を辿り辿り長く声を引いて、時には耳を澄まして自分の嘯くような声に聞き入って、秋の夜の更けることも忘れた。

寝ぼけたような鶏の声がした。

「ホウ、鶏が鳴くげな。鶏も眠られないとみえるわい。」

とおげんは言ってみたが、ふと気がつくと、熊吉はまだ起きて自分の側に坐っていた。彼女はおよそ何時間ぐらいその床の上に呻き続けたかもよく覚えなかった。ただ、しょんぼりと電燈のかげに坐っているような弟の顔が彼女の眼に映った。

翌日は熊吉もにわかに奔走を始めた。おげんは弟が自分のために心配して家を出て行

ったことを感づいたが、弟の行先が気になった。ずっと以前に一度、根岸の精神病院に入れられた時の厭わしい記憶がおげんの胸に浮んだ。旦那も国から一緒に出て来た時だった。その時にも彼女の方では、どうしてもそんな病院などには入らないと言い張ったが、旦那が入れと言うものだから、それではどうも仕方がないとあきらめて、それから一年ばかりをあの病院に送って来たことがある。その時の記憶がまた帰って来た。おげんはあの牢獄も同様な場所に身を置くということよりも、狂人の多勢居るところへ行って本物のキ印を見ることを恐れた。午後に、熊吉は小石川方面から戻って来た。果して、弟は小間物屋の二階座敷におげんと差向いで、養生園というところへ行って来たことを言い出した。江戸川の終点まで電車で乗って行くだけでもなかなか遠かったと話した。

「それは御苦労さま。ゆうべもお前は遅くまで起きて俺の側に附いて居てくれたのい。お気の毒だったぞや。」

こうおげんの方から言うと、熊吉は、額のところに手をあてて、いくらか安心したような微笑を見せた。

「俺にそんなところへ入れという話なら、真平。」とまたおげんが言った。「俺はそんな病人ではないで。何だかそんなところへ行くと余計に悪くなるような気がするで。」

「姉さんはそういうけれど、私の勧めるのは養生園ですよ。根岸の病院なぞとは、病院が違います。そんなに悪くない人が養生のために行くところなんですから、姉さんには丁度好かろうかと思うんです。今日は私も行って見て来ました。まるで普通の家でした。そこに広い庭もあれば、各自（めいめい）の部屋もあれば、好いお薬もある。明日にも姉さんが行きさえすれば、入れるばかりにして来ました。保養にでも出掛けるつもりで行ってみたら、どうです。」

「熊吉や、そんなことを言わないで、小さな家でも一軒借りることを心配してくれよ。俺は病院なぞへ入る気にはならんよ。」

「しかし姉さんだっても、いくらか悪いぐらいには自分でも思うんでしょう。すっかり身体を丈夫にして下さい。家を借りる相談なぞは、その上でも遅かありません。」

「いや、どうしても俺は病院へ行くことは厭（いや）だ。」

こう言っておげんは聞入れなかった。

「あああ、そんなつもりでわざわざ国から出て来ずか。」

とまた附けたした。

しかし、熊吉は姉の養生園行を見合せないのみか、その翌日の午後には自分でまず姉を見送る支度（したく）をして、それからおげんのところへ来た。熊吉は姉の前に手をついて御辞

儀した。それほどにして勧めた。おげんはもう嘆息してしまって、肉親の弟が入れというものなら、それではどうも仕方がないと思った。おげんはそこに御辞儀した弟の頭を一つぴしゃんと擲っておいて、弟の言うことに従った。

その足でおげんは小間物屋の二階を降りた。入院の支度するために直次の家へと戻った。彼女はトボケでもしないかぎり、何の面をさげて、そんな養生園へ行かれようと考えた。丁度、国から持って来た着物の中には、胴だけ剥いで、別の切地をあてがった下着があった。丹精して造ったもので、縞柄もおとなしく気に入っていた。彼女はその下着をわざと風変りに着て、その上に帯を締めた。

直次の娘から羽織も掛けてもらって、ぶらりと二番目の弟の家を出たが、兎角、足は前へ進まなかった。

小間物屋のある町角で、熊吉は姉を待合せていた。そこには腰の低い小間物屋のおかみさんも店の外まで出て、おげんの近づくのを待っていて、

「御隠居さま、どうかまあ御機嫌よう。」

と手を揉み揉み挨拶した。

熊吉は往来で姉の風体を眺めて、子供のように噴飯したいような顔付を見せたが、やがて連立って出掛けた。町で行逢う人達はおげんの方を振返り振返りしては、いずれも

首を傾(かし)げて行った。それを知るたびにおげんはある哀しい快感をさえ味わった。漠然とした不安の念が、憂鬱な想像に混って、これから養生園の方へ向おうとするおげんの身を襲うように起って来た。町に遊んでいた小さな甥達の中にはそこいらまで一緒に随いて来るのもあった。おげんは熊吉の案内で坂の下にある電車の乗場から新橋手前まで乗った。そこには直次が姉を待合せていた。直次は熊吉に代って、それから先は二番目の弟が案内した。

　小石川の高台にある養生園がこうしたおげんを待っていた。最後の「隠れ家」を求めるつもりで国を出て来たおげんはその養生園の一室に、白い制服を着た看護婦などの廊下を往来する音の聞えるところに、年老いた自分を見つけるさえ夢のようであった。病室は長い廊下を前にして他の患者の居る方へ続いている。窓も一つある。あのお新を相手に臥(ね)たり起きたりした小山の家の奥座敷に比べると、そこで見る窓はもっと深かった。

　養生園に移ってからのおげんは毎晩薬を服(の)んで寝るたびに不思議な夢を辿るようになった。病室に眼がさめてみると、生命のない器物にまで陰と陽とがあった。はずかしいことながら、おげんはもう長いこと国の養子夫婦の睦まじさに心を悩まされて、自分の前で養子の噂をする何でもない娵(よめ)の言葉までが妬(ねた)ましく思われたこともあった。今度東

京へ出て来て直次の養母などに逢ってみると、あの年をとっても髪のかたちを気にするようなおばあさんまでが恐ろしい洒落者（しゃれもの）に見えた。皆（みんな）、化物（ばけもの）だと、おげんは考えた。熊吉の義理ある甥で、おげんからいえば一番目の弟の娘の旦那にあたる人が逢いに来てくれた時にすら、おげんはある妬ましさを感じて、あの弟の娘はこんな好い旦那を持つかとさえ思ったこともあった。そのはずかしい心持で病室の窓から延び上って眺めると、時には庭掃除をする男がその窓の外へ来た。おげんはそんな落葉を掃きよせる音の中にすら、女を欺（だま）しそうな化物を見つけて、延び上り延び上り眺め入って、自分で自分の眼を疑うこともあった。

ある夕方が来た。おげんはこの養生園へ来てから最早（もう）幾日を過したかということもよく覚えなかった。廊下づたいに看護婦の部屋の側を通って、黄昏時（たそがれどき）の庭の見える硝子（ガラス）の近くへ行って立った。あちこちと廊下を歩き廻っている白い犬がおげんの眼に映った。狆（ちん）というやつで、体躯（からだ）つきの矮小（ちいさ）な割（わり）に耳の辺から冠（かぶ）さったような長い房々とした毛が薄暗い廊下では際立って白く見えた。丁度そこへ三十五、六ばかりになる立派な婦人の患者が看護婦の部屋の方から廊下を通りかかった。この婦人の患者はある大家から来ていて、看護婦はじめ他の患者まで、「奥様、奥様」と呼んでいた。

「お通り下さい。」

とおげんは奥様の方へ右の手をひろげてみせた。その時、奥様はすこしうつ向きがちに、おげんの立っている前を考え深そうな足どりで静かに通り過ぎた。見ると、そこいらに遊んでいた犬が奥様の姿を見つけて、長い尻尾(しっぽ)を振りながら後を追った。

「小山さん、お部屋の方へお膳が出て居ますよ。」

と呼ぶ看護婦の声に気がついて、おげんはその日の夕飯をやりに自分の部屋へ戻った。

廊下を歩む犬の足音は、それからおげんの耳につくようになった。看護婦が早く敷いてくれる床の中に入って、枕に就(つ)いてからも、犬の足音が妙に耳についてよく眠られなかった。おげんは小さな獣の足音を部屋の障子の外にも、縁の下にも聞いた。彼女はあの奥様の眠っている部屋の床板の下あたりを歩き廻る白い犬のかたちを想像でありありと見ることも出来た。八つ房という犬に連添って八人の子を産んだという伏姫(ふせひめ)のことなぞが自然と胸に浮んで来た。おげんはまだ心も柔(やわらか)く物にも感じやすい若い娘の頃に馬琴の小説本で読み、北斎の挿画で見た伏姫の物語[11]の記憶を辿って、それをあの奥様に結びつけて想像してみた。この想像から、おげんは言いあらわし難い恐怖を誘われた。

「小山さん、弟さんですよ。」

と、ある日、看護婦が熊吉を案内して来た。おげんは待ち暮らした弟を、自分の部屋

に見ることが出来た。

「今日は江戸川の終点までやって来ましたら、あの電車を降りたところに私の顔を知った車夫が居ましてね、しきりに乗れ、乗れって勧めましたっけ。今日はここまで歩きました。」

こう熊吉は言って、姉の見舞に提げて来たという菓子折をそこへ取出した。

「静かなところじゃ有りませんか。」

とまた弟は姉のために見立てた養生園がさも自分でも気に入ったように言ってみせた。

「どれ、何の土産を呉れるか、一つ拝見せず。」

とおげんは新しい菓子折を膝に載せて、蓋を取って見た。病室で楽めるようにと弟の見立てて来たらしい種々な干菓子がそこへ出て来た。この病室に置いてみると、そんな菓子の中にも陰と陽とがあった。おげんはそれを見て、笑いながら、

「こないだ、お玉が見舞に来てくれた時のお菓子が残って居るで、これは俺がまた後で、看護婦さんにも少しずつ分けてやるわい。」

お玉とは、おげんが一番目の弟の宗太の娘の名だ。お玉夫婦は東京に世帯を持っていたが、宗太はもう長いこと遠いところへ行っていた。おげんはその宗太の娘から貰った土産の蔵ってある所をも熊吉に示そうとして、部屋の戸棚についた襖までも開けて見せ

た。それほどおげんには見舞に来てくれる親戚がうれしかった。おげんはまた、弟からの土産を大切にして、あちこちと部屋の中を持ち廻った。

「熊吉や、」とおげんは声を低くして、「この養生園には恐い奥様が来て居るぞや。患者の中で、奥様が一番こわい人だぞや。多分お前も廊下で見掛けただらず。奥様が犬を連れて居て、その犬がまた気味の悪い奴よのい。誰の部屋へでも這入り込んで行く。この部屋まで這入って来る。何か食べる物でも置いてやらないと、そこいら中あの犬が狩りからかす。」

と言いかけて、おげんは弟の土産の菓子を二つ三つ紙の上に載せ、それを部屋の障子の方へ持って行った。しばらくおげんは菓子を手にしたまま、障子の側に立って、廊下を通る物音に耳を澄ました。

「今に来るぞや。あの犬が嗅ぎつけて来るぞや。こうしてお菓子を障子の側に置きさえすれば、もう大丈夫。」

おげんは弟に笑ってみせた。その笑いはある狡猾な方法を思いついたことを通わせた。彼女は敷居の近くにその菓子を置いて、忍び足で弟の側へ寄った。

「姉さん、障子をしめておいたら、そんな犬なんか入って来ますまいに。」と熊吉は言った。

「ところが、お前、どんな隙間からでも入って来る奴だ。何時の間にか忍び込んで来るような奴だ。高い声では言われんが、奥様が産んだのはあの犬の子だぞい。俺はもうちゃんと見抜いて居る――オオ、恐い、恐い。」

とおげんはわざと身をすぼめて、ちいさくなって見せた。

熊吉は犬の話にも気乗りがしないで、他に話頭(わとう)をかえようとした。弟はこの養生園の生活のことで、おげんの方で気乗りのしないようなことばかり話したがった。でもおげんは弟を前に置いて、対い合っているだけでも楽みに思った。

やがて熊吉はこの養生園の看護婦長にでも逢って、姉のことをよく頼んで行きたいと言って、座を起ちかけた。

「熊吉、そんなに急がずともよからず。」

とおげんは言って、弟を放したくなかった。

彼女は無理にも引留めたいばかりにして、言葉をついだ。

「こんなところへ俺を入れたのはお前だぞや。早く出すようにしてくれよ。」

それを聞いて熊吉は起ちあがった。見舞いに来る親戚も、親戚も、きっと話の終りには看護婦に逢って行くことを持出して、何時の間にか姿を隠すように帰って行くのが、おげんにとっては可笑(おか)しくもあり心細くもあった。この熊吉が養生園の応接間の方か

ら引返して来て、もう一度姉の部屋の外で声を掛けた時は、おげんもそこまで送りに出た。

多勢で広い入口の部屋に集まってその日の新聞なぞをひろげている看護婦達の顔付も若々しかった。丁度そこへ例の奥様も顔を見せた。

「これが弟でございます。」

とおげんは熊吉が編上げの靴の紐(ひも)を結ぶ後方(うしろ)から、奥様の方へ右の手をひろげてみせた。弟が出て行った後でも、しばらくおげんはそこに立ちつくした。

「きっと熊吉は俺を出しに来てくれる。」

とおげんは独りになってから言ってみた。

翌朝、看護婦はおげんのために水薬の罎(びん)を部屋へ持って来てくれた。

「小山さん、今朝からお薬が変りましたよ。」

という看護婦の声は何となくおげんの身にしみた。おげんは弟の置いて行った土産を戸棚から取出して、それを看護婦に分け、やがてちいさな声で、

「あの奥様の連れて居る犬が、わたしは恐くて、恐くて。」

と言ってみせた。看護婦は不思議そうにおげんの顔を眺めて、

「そんな犬なんか何処(どこ)にも居ませんよ。」

こう言って部屋を出て行った。

その時の看護婦の残して行った言葉には、思い疲れたおげんの心をびっくりさせるほどの力があった。

「俺もどうかして居るわい。」

思わずおげんはそこへ気がついた。しかし、あんなことを言ってみせて悪戯(いたずら)好きな若い看護婦が患者相手の徒然(つれづれ)を慰めようとするのだ、とおげんは思い直した。あの犬は誰の部屋へでも構わず入り込んで来るような奴だ。小さな犬のくせに、どうしてそんな人間の淫蕩の秘密を覚えたかと思われるような奴だ。亡くなった旦那が家出の当時にすら、指一本、人にさされたことのないほど長い苦節を守り続けて来た女の徳までも平気で破りに来ようという奴だ。そう考えると、おげんはこの養生園に居ることが遽(にわか)に恐ろしくなった。夕方にでもなって、他の患者が長い廊下をあちこちと歩いている時に、養生園の庭の見える硝子(ガラス)障子のところへ立ってみると、「そんな犬なんか居ませんよ。」と言った看護婦の言葉は果して人をこまらせる悪戯と思われた。あの奥様の後をよく追って歩いて長い裾(すそ)にまつわり戯れるような犬が庭にでも出て遊ぶ時とみえた。おげんは夢のような蒼(あお)ざめた光の映(あた)る硝子障子越しに、白い犬のすがたをありありと見た。

寒い、寒い日が間もなくやって来るようになった。待っても、待っても、熊吉は姉を

迎えに来てくれなかった。見舞に来る親戚の足も次第に遠くなって、直次も、直次の娘も、めったに養生園へは顔を見せなかった。おげんは小山の家の方で毎年漬物の用意をするように、病室の入口の部屋に近い台所に出ていた。彼女の心は山のように蕪菜を積み重ねた流し許の方へ行った。青々と洗われた新しい蕪菜が見えて来た。それを漬ける手伝いしていると、水道の栓から滝のように迸り出る水が流し許に溢れて、庭口の方まで流れて行った。おげんは冷い水に手を浸して、じゃぶじゃぶとかき廻していた。

看護婦は驚いたように来て見て、大急ぎで水道の栓を止めた。

「小山さん、そんな水いじりをなすっちゃ、いけませんよ。御覧なさいな、お悪戯をなさるものだから、あなたの手は皸だらけじゃありませんか。」

と看護婦に叱られて、おげんはすごすごと自分の部屋の方へ戻って行った。その夕方のことであった。おげんは独りでさみしく部屋の火鉢の前に坐っていた。

「小山さん、お客さま。」

と看護婦が声を掛けに来た。思いがけない宗太の娘のお玉がそこへ来てコートの紐を解いた。

「伯母さんはまだお夕飯前ですか。」とお玉が訊いた。

「これからお膳が出るところよのい。」とおげんは姪に言ってみせた。

「それなら、わたしも伯母さんと御一緒に頂くことにしましょう。わたしの分も看護婦さんに頼みましょう。」

「お玉もめずらしいことを言出したぞや。」

「実は伯母さん、今日は熊叔父さんのお使（つかい）に上りましたんですよ。わたしが伯母さんのお迎えに参りましたんですよ。」

しばらくおげんは姪の顔を見つめたぎり、物も言えなかった。

「お玉はこのおばあさんを担ぐつもりずらに。」

とおげんは笑って、あまりに突然な姪の嬉しがらせを信じなかった。

しかし、お玉が迎えに来たことは、どうやら本当らしかった。悩ましいおげんの眼には、何処までが待ちわびた自分を本当に迎えに来てくれたもので、何処までが夢の中に消えて行くような親戚の幻影（まぼろし）であるのか、その差別もつけかねた。幾度となくおげんはお玉の顔をよく見た。最早（もう）二人の子持になるとはいっても変らず若くているような姪の顔をよく見た。そのうちに、看護婦はお玉の方で頼んだ分をも一緒に、膳を二つそこへ運んで来た。おげんはめずらしい身ぶるいを感じた。二月（ふたつき）か三月（みつき）が二年にも三年にも当るような長い寂しい月日を養生園に送った後で、また弟の側へ行かれる日の来たことは。

食後に、お玉は退院の手続きやら何やらでいそがしかった。にわかにおげんの部屋も

たり来たりした。

活気づいた。若い気軽な看護婦達はおげんが退院の手伝いするために、長い廊下を往っ

「小山さん、いよいよ御退院でお目出とうございます。」

と年嵩な看護婦長までおげんを見に来て悦んでくれた。

「では、伯母さん、御懇意になった方のところへ行ってお別れなすったらいいでしょうに。伯母さんのお荷物はわたしが引受けますから。」

「そうせずか。何だか俺は夢のような気がするよ。」

おげんは姪とこんな言葉をかわして、そこそこに退院の支度をした。自分でよそゆきの女帯を締め直した時は次第に心の昂奮を覚えた。

「もうお俥も来て待って居りますよ。そんなら小山さん、お気をつけなすって。」

という看護婦長の声に送られて、おげんは病室を出た。

黒い幌を掛けた俥は養生園の表庭の内まで引き入れてあった。おげんが皆に暇乞いして、その俥に乗ろうとする頃は、屋外は真暗だった。霜にでもなるように寒い晩の空気はおげんの顔に来た。暗い庭の外まで出て見送ってくれる人達の顔や、そこに立つ車夫の顔なぞが病室の入口から射す燈火に映って、僅かにおげんの眼に光って見えた。間もなくおげんを乗せた俥はごとごと土の上を動いて行く音をさせて養生園の門から離れて

行った。

町の燈火がちらちら俥の上から見えるまでに、おげんはかなり暗い静かな道を乗って行った。彼女は東京のような大都会のどの辺を乗って行くのか、何処へ向って行くのか、その方角すらも全く分らなかった。ただ、幌の覗き穴を通して、お玉を乗せた俥の先に動いて行くのと、町の曲り角へでも来た時に前後の車夫が呼びかわす掛声とで、広々としたところへ出て行くことを感じた。さんざん飽きるほど乗って、やがて俥はある坂道の下にかかった。知らない町の燈火は夜見世（よみせ）でもあるように幌の外にかがやいた。俥に近く通り過ぎる人の影もあった。おげんは何がなしに愉快な、酔うような心持になって来た。弟も弟の子供達も自分を待ちうけていてくれるように思われて来た。昂奮のあまり、おげんは俥の上で楽しく首を振って、何か謡曲の一ふしも歌ってみる気になった。こういう時にきまりで胸に浮んで来る文句があったから、彼女はそれを吟じ続けて、好い機嫌で坂を揺られて行った。しまいには自分で自分の声に聞き惚れて、町の中を吟じて通ることも忘れるほど夢中になった。

漸く俥はある町へ行って停（と）まった。

「御隠居さん、今日はお目出度うございます。」

と祝ってくれる車夫の声を聞いて、おげんは俥から降りた。

その時はおげんもさんざん乗って行った俥に草臥(くたび)れていた。早く弟の家に着いて休みたいと思う心のみが先に立った。玄関には弟の家で見かけない婆やが出迎えて、

「さあ、お茶のお支度も出来て居りますよ。」

と慣れ慣れしく声を掛けてくれた。

おげんはその婆やの案内で廊下を通った。弟の見つけた家にしては広過ぎるほどの部屋部屋の間を歩いて行くと、またその先に別の長い廊下が続いていた。ずんずん歩いて行けば行くほど、何となく見覚えのある家の内だ。その廊下を曲ろうとする角のところに、大きな鋸(のこぎり)だの、厳(いか)めしい鉄の槌(つち)だの、その他、一度見たものには忘れられないような赤く錆(さ)びた刃物の類が飾ってある壁の側あたりまで行って、おげんはハッとした。

弟の家の婆やとばかり思っていた婦人の顔は、よく見ればずっと以前に根岸の精神病院で世話になったことのある年とった看護婦の顔であった。一緒に俥で来たと思ったお玉も何処へか消えた。

「何だか狐にでもつままれたような気がする。」

とおげんは歩きながら独りでそう言ってみた。

「小山さん、しばらく。」

と言っておげんの側へ飛んで来たのは、まがいのない白い制服を着けた中年の看護婦

であった。そこまで案内した年とった婦人は、その看護婦におげんを引渡しておいて、玄関の方へ引返して行った。そこの廊下でおげんが見つけるものは、壁でも、柱でも、桟橋でも、皆覚えのあるものばかりであった。

「ここは何処だらず。小山さんも覚えが悪い。一体、俺は何処へ来て居るのだずら。」

「ここは根岸の病院じゃありませんか。あなたが一度いらしったところじゃ有りませんか。」

おげんは中年の看護婦と言葉をかわしてみて、電気にでも打たれるような身ぶるいが全身を通り過ぎるのを覚えた。

翌朝になると、おげんは多勢の女の患者ばかりごちゃごちゃと集まって臥たり起きたりする病院の大広間に来ていた。夢であってくれればいいと思われるような、異様な感じを誘う年とった婦人や若い婦人がそこにもここにもごろごろして思い思いの世界をつくっていた。その時になってみて、おげんはあの小石川の養生園から誘い出されたことも、自分をここの玄関先まで案内して来た姪のお玉が何時の間にか姿を隠したことも、一層はっきりとその意味を読んだ。

「しまった。」

とおげんは心に叫んだが、その時は最早追付かなかった。

見ず知らずの人達と一緒ではあるが患者同志が集団として暮して行くこと、旧い馴染の看護婦が二人までもまだ勤めていること、それに一度入院して全快した経験のあることと――それらが一緒になって、おげんはこの病院に移った翌日から何となく別な心地（こころもち）を起した。勝手を知ったおげんは馴染も薄い患者ばかり居る大広間から抜け出して、ある特別な精神病者を一人置くような室の横手から、病院の広い庭の見える窓の方へ歩いて行ってみた。立派な丸髷（まるまげ）に結った何処かの細君らしい婦人で、新入の患者仲間を迎え顔におげんの方へ来て、何か思いついたように恐ろしく丁寧なお辞儀をして行くのもあった。

寒い静かな光線はおげんの行く廊下のところへ射して来ていて、何となく気分を落着かせた。その突当りには、養生園の部屋の方で見つけたよりもっと深い窓があった。

「俺はこんなところへ来るような病人とは違うぞい。どうして俺をこんなところへ入れたか。」

「さあ、俺にも分らん。」

おげんの中に居る二人の人は窓の側でこんな話を始めた。

「熊吉はどうした。」

「熊吉も、どうぞお願いだから、俺に入って居てくれと言うげな。」

「小山の養子はどうした。」

「養子か。あれも、俺に出て来てもらっては困ると言うぞい。」

「直次はどうした。」

「あれもそうだ。」

「お玉はどうした。」

「あれは俺を欺(だま)して連れて来ておいて。」

「みんなで寄ってたかって俺を狂人(きちがい)にして、こんなところへ入れてしまった。盲目(めくら)の量見ほど悲しいものはないぞや。」

おげんは嘆息してしまった。あの車夫がこの玄関先で祝ってくれた言葉、「御隠居さん、今日はお目出とうございます」はおげんの耳に残っていて、冷たかった。どうして自分はこんなところへ来なければならなかったか、それを考えておげんは自分で自分を疑った。

晩年を暗い座敷牢の中に送った父親のことがしきりとおげんの胸に浮んで来た。父の最後を思うたびにおげんは何処までも気を確かに持たねばならないと考えた。どうかしてあの父のようにはなって行きたくないと考えた。それにはなるべく父のことに触(さわ)らないように。同じ思出すにしても、父の死際(しにぎわ)のことには触らないように。これはもう長い

年月の間、おげんが人知れず努めて来たことであった。生憎とその思出したばかりでも頭脳の痛くなるようなことが、しきりに気に掛った。ある日も、おげんは廊下の窓のところで何時の間にか父の前に自分を持って行った。

青い深い竹藪がある。竹藪を背にして古い米倉がある。木小屋がある。その木小屋の一部に造りつけた座敷牢の格子がある。そこがおげんの父でも師匠でもあった人の晩年を過したところだ。おげんは小山の家の方から、発狂した父を見舞いに行ったことがある。父は座敷牢に入っていても、何か書いてみたいと言って、紙と筆を取寄せて、そんなになっても物を書くことを忘れなかった。「おげん、ここへ来さっせれ、一寸ここへ来さっせれ、」と父がしきりに手招きするから、何か書いたものでも見せるのかと思って、行くと、父は恐ろしい力でおげんを捉えようとして、もうすこしでおげんの手が引きちぎられるところであった。父は髭の延びた蒼ざめた顔付で、時には「あはは、あはは、」笑って、もうさんざん腹を抱えて反りかえるようにして、笑って笑い抜いたかと思うと、今度は暗い座敷牢の格子に取りすがりながら、さめざめと泣いた。

「お父さま――お前さまの心持は、この俺にはよく解るぞなし。俺もお前さまの娘だ。お前さまに幼少な時分から教えられたことを忘れないばかりに――俺もこんなところへ来た。」

おげんはそこに父でも居るようにして、独りでかき口説いた。狂死した父をあわれむ心は、眼前に見るものを余計に恐ろしくした。彼女は自分で行きたくない行きたくないと思うところへ我知らず引き込まれて行きそうになった。ここはもう自分にとっての座敷牢だ。それを意識することは堪えがたかった。

おげんは父が座敷牢の格子のところで悲しみ悶えた時の古歌も思出した。それを自分でも廊下で口ずさんでみた。

「きり〴〵す
　啼くや霜夜の
　さむしろに、
　ころもかたしき
　独りかも寝む[12]……」

最早、娘のお新も側には居なかった。おげんは誰も見ていない窓のところに取りすがって、激しく泣いた。

＊　＊　＊　＊

三年ほど経って、おげんの容体の危篤なことが病院から直次の家へ伝えられた。おげ

んの臨終には親戚のものは誰も間に合わなかった。

養生園以来、蔭ながら直次を通してずっと国から仕送りを続けていた小山の養子もそれを聞いて上京したが、おげんの臨終には間に合わなかった。おげんは根岸の病院の別室で、ただ一人死んで行った。

まだ親戚は誰も集まって来なかった。三年の間おげんを世話した年とった看護婦は夜の九時過ぎに、亡くなってまだ間もないおげんを見に行って、そこに眠っているような死顔を拭(ふ)いてやった。両手も胸の上に組合せてやった。その手は、あだかも生前の女のかなしみを掩(おお)うかのように見えた。

おげんの養子は直次の娘や子供と連立って十時頃に急いで来た。年とった看護婦は部屋を片付けながら、

「小山さんがお亡くなりになる前の日に、頭を剃りたいというお話がありましたっけ、お家の方に聞いてからでなくちゃと言いましてね、それだけは私がお止め申しました。病院にいらっしゃる間は、よくお裁縫なぞもなさいましたっけ。」

と親戚のものに話しきかせた。

長いこと遠いところに行っていたおげんの一番目の弟の宗太も、その頃は東京で、これもお玉の旦那と二人で急いで来たが、先着の親戚と一緒になる頃はやがて十一時過ぎ

であった。

「もう遅いから子供はお帰り。姉さんのお通夜は俺達でするからナ。それにここは病院でもあるからナ。」

と宗太が年長者らしく言ったので、直次の娘はおげんの枕もとに白いお団子だの水だのをあげておいて、子供と一緒に終りの別れを告げて行った。

親戚の人達は飾り一つないような病院風の部屋に火鉢を囲んで、おげんの亡き骸の仮りに置いてある側で、三月の深夜らしい時を送った。おげんが遺した物といっても、旅人のように極少なかった。養子はそれを始末しながら、

「よくそれでも、こんなところに辛抱したものだ。」

と言った。宗太も思出したように、

「姉さんも、俺が一度訪ねて来た時は大分落着いていて、この分ならもうそろそろ病院から出してあげてもいいと思ったよ。惜しいことをした。」

「そういえば熊叔父さんはどうしましたろう。」とお玉の旦那が言出した。

「あれのところには通知の行くのが遅かったからね。」

と言ってみせて、宗太は一つある部屋の窓の方へ立って行った。何もかもひっそりと沈まりかえって、音一つその窓のところへ伝わって来なかった。

「もうそろそろ夜が明けそうなものですなあ。」

とお玉の旦那も宗太の方へ立って行って、一緒に窓の戸を開けてみた。根岸の空はまだ暗かった。

子に送る手紙

一

　大震災のあった日から最早三十三日目になる。当地の様子はお前の居る木曾の山地へも日に日にはっきりと伝わって行ったことだろうと思う。私がひどく心配したのは、お前が私達のことを案じて上京を思い立ちはしないかということであった。震災以来、旅行の困難を聞くにつけ、お前の上京しないように、お前はお前でその地方にじっとしているように、私はそればかりを願っていた。幸いに私も無事、お前の弟達も無事、お前の妹も無事、それに飯倉一丁目まで延焼した大火をもまぬかれたので、そのことを早くお前に知らせ、お前の上京を思いとまらせようと願いながら、交通断絶の当時私の心はただ案じ煩うのみであった。

　私はこの驚くべき震災と火災と、その後の出来事について、狭い範囲ながら自分の見

聞したことをお前に宛てて書こうと思い立った。しかも、今日までそれも果し得ずにいた。住み慣れた東京の大半はほとんど昔日の面影を失ってしまい、飢餓は容赦なく無数の罹災者に迫って来るばかりでなく、昨日は何十人の負傷者が町をかつがれて通ったとか、今日はまた大きな余震がひょっとするとやってくるかも知れないとか、そういう混乱した空気と惨めな光景の渦の中にあって、実際私は何を書き得たろう。過ぐる一箇月の間、私達は一緒になって唯々互いに心配を分つのほかはなかった。私達は忍耐と抑制とを続けて、漸くここまで出て来られたような気がする。

一昨日の午後、私は用達のついでに麻布森元町から十番(1)の方へ歩いた。あの辺はお前もよく歩き廻ったところだろう。森元町から麻布新網町あたりにかけて、あの辺はこの界隈でも最も震災のはなはだしかったところだ。横町という横町には倒れた家屋の今だにそのままになっているのがある。破れた瓦や壁などのかき集めたのが往来に山のように積みかさねてある。私はその間を歩いて十番から麻布区役所の前へ出た。その時、私は日頃見かけない人達が列をつくって、白服を着けた巡査に護られながら、六本木の方面から町を通り過ぐるのを目撃した。脊の高い体格、尖った頬骨、面長な顔立、特色のある眼付なぞで、その百人ばかりの一行がどういう人達であるかは、すぐに私の胸へ来た。中には十六、七ばかりになる二、三の少年も混っていた。その人達こそ今から三十日

ほど前には実に恐ろしい幽霊として市民の眼に映ったのだ。青く晴れた秋の空の下で見れば、いずれも風呂敷包を手に提げ思い思いの風俗をして、中には鍔広の麦藁帽子を風に吹かせながら、いそいそと町の片側を並んで歩いて行った。仲間同志の班長かとみえて、青い徽章を腕に捲きつけ、一行を護り顔に附添いながら行くのもあった。私は何とも言ってみようのないような感じに打たれたまま、おそらく芝浦をさして帰国を急ぐらしいその人達の一行を見送った。

思わず私はこんなことを書いた。大震災以後、待ちわびた地方からの郵便が次第に早く私達の手に届くようになったことをも、ここに書き添えよう。つい先頃までは、九月三日附の手紙も、九月十日附の葉書も、それがかなり長い日数をかけて同時に同じ地方から到着したこともあったが、最早そんな混雑はなくなった。昨日も私は木曾福島の親戚から出た九月二十八日附の便りを受取った。それだけお前の居る神坂村(2)も近くなったような気がする。

私はこの次の便りから震災当時のことをお前に書いて送ろうと思う。昨今の東京は、あだかも一切を失ったものが灰燼の中から身を起して、漸く気を取り直そうとする人のように見える。戒厳令(3)すらまだ解かれずにある。多くの人々は焼跡の整理と罹災者の救助とにいそがしい。着のみ着のままで焼け出され、僅かに知人の許などに身を寄せて、

もうそろそろ寒い雨の来る昨今の陽気に、ろくろく夢も結ばないような人達が、私の周囲にだけでも今は何程(どれほど)あるか知れない。

九月一日は丁度(ちょうど)二科会(4)の展覧会が開かれるという日で、絵画の好きなお前の弟達は朝から上野まで出掛け、昼すこし前に帰って来た。秋の展覧会のプログラムなぞをひろげていた。お前の妹のところへは学校友達が遊びに来ていたし、東隣の大屋さんの女の児(こ)も遊びに来ている時で、あの子供らしい声も玄関の方に聞えていた。それほど私の家では事も無く暮している時であった。今年の春から吾家(うち)の方へ来て手伝っているおきぬさんも元気、お幸(5)(家婢)も相変らず働いている。あの二人は台所の方で昼飯の支度(したく)に忙しがっていた。

そこへ地震だ。思わず私は自分の勉強部屋からすぐ障子(しょうじ)の外の庭へ出た。私の地震ぎらいはお前もよく知っている通りだ。その私ですら、それほど大きな地震が来たとも思わなかった証拠には、自分の子供等に声一つ掛けようともしなかったくらいで、庭に居て家屋の揺れる音や物の落ちる音なぞを聞きながら、今に止(や)むだろうと考えていた。私は奥の部屋にある火鉢を庭に移して、火をいけていた。そのうちに激しく揺れて来た。私が急いで庭の木戸(きど)を開けた頃は、家のものは多く跣足(はだし)で飛出していた。

お前の知っている通り、ここは狭く窪い坂の下で、周囲は石垣と高い家屋とに取りまかれたようなところだろう。私達は逃げ場にこまった。家の前から坂の方へ通う石段のところはどっと来た土崩れや倒れた塀で既に道を塞がれてしまった。私達は東隣の裏庭にある青桐の下に集まって、激しい震動の通り過ぎるのを待った。子供等は、と見ると次郎、三郎、末子それから末子のお友達の顔が揃っていたし、大屋さんの家の女の児は跣足のままのおきぬさんに抱きかかえられていた。今にも落ちかかって来そうな家屋の軋む音、物の倒れる音、壁土の崩れる音なぞを聞きながら、一同あの青桐の下にかたまっていた時の心持はなかった。どこの家の窓からはずれ落ちるともなく硝子の砕ける音をも聞いた。私達が崖でもつたうように、危ない石の間を渡ったり、崩れた土を踏んだりして、漸く植木坂の細い通りへ出られたのは、あの隣家の庭からであった。

　その時になってもまだ私は、これで地震は止むだろうと思っていた。おそらくこれは私ばかりでなく、何処をどう飛出したかと思われるようなこの界隈の人達の多くが同じように感じたことだったろう。往来には平素落合うこともすくないような近所の家族までが出て、若いものに手をひかれている年寄、眼を円くしている子供、跣足のままで震えている娘、そのいずれもが遽かな出来事に胸をはずませながら立っていた。末子や、あのお友達なぞはお幸の手に縋りついていた。

植木坂を上って電車通りまで出てみると、はなはだしい破損の跡が一層眼についた。いかめしい土蔵の屋根は落ち、壁は崩れ、煉瓦という煉瓦の塀は大抵倒れていた。私は飯倉一丁目の方まで行ってみようとして、二度目の激しい揺り返しに逢った。私に随いて歩いて来た次郎は、私の手を堅く握りしめていて放さなかったくらいだ。あの東京天文台(6)の方へ曲ろうとする角の古い屋敷が私達の見ている前で崩壊しかけたのも、その時だ。私達がその日の昼飯の卓にむかおうとして支度しかけた頃から、まだものの二十分とは経っていなかったと思う。実に急激に、私達はこんな大きな異変の渦の中に居た。

揺り返しを恐れて、それからは家に這入ろうとするものがなかった。この近所の人達は相良さんの邸の前を択んで、あの桜の木の多いところへ集った。東京天文台に在勤する理学士の福見さんから後に聞いた話によると、大地震があって間もなくあの高台から望んで見た時は、火は十一箇所から起っていたという。私達が取りあえず避難した場所からは、それほどの火も望まなかったが、最初に高輪の方角にあたって空高く凄じい火煙のあがるのを見た。

私がすこし子供の側を離れかけると、次郎はすぐ心配して言った。

「父さん、どこへも行かずにおいで、みんなと一緒に集まっておいで。」

果てしのないような震動が気味悪く私達のからだに伝わって来た。すこし激しい揺り返しが来ると思わず私達は顔を見合せずにいられなかったが、そのたびにみんなの眼の色が変った。末子や、あの学校友達の娘は恐怖のあまり、お幸の膝に泣き伏した。私達はそこに有合(ありあ)うものを寄せあつめて、木の片に腰掛けたり、蓙(ござ)の上に坐ったりしたが、私達の多くはまだ跣足(はだし)のままであった。熱い秋の日が桜の葉の間から射して来るたびに、私は激しい渇きを覚えたが、それをどうすることも出来なかった。諸方の水道はすでに止まり、鳴戸鮨の裏手にある深い掘井戸の水も濁っていた。

　やや揺り返しの鎮まるのを待って、私達は相良さんの門前の方に移った。そこの桜の木の下に薄(うす)べりを敷いて、近所の人達と一緒に夜明しする覚悟をした。息を切って私のところへ駆けつけて来てくれた人の話によると、神田方面はさかんに燃えているとのことで、その人の下宿も焼け、宿の人達は行方(ゆくえ)も不明になったとか。あまりに息をはずませての話に、言う事もよく聞き取れなかった。その人は私の顔を見るだけに満足して、一片の西瓜(すいか)を私と半分ずつ分けて食い、ここへ来る途中で巡査にパンを貰(もら)ったがそれを誰にでもただで呉(く)れたという話なぞを残しておいて、また下町方面へ駆け出して行った。多くの知人の家もどうなったろう、それを思うと私もじっとしていられない気がした。

　お前は私達の南隣に、ある電気会社へ通勤する娘のあったことを覚えているか。あの

娘は手足を繃帯されたまま、荷車の上に載せられて、日暮れすこし前に家族の人達の心配しているところへ着いた。娘は他の朋輩と四人連れで会社の建築物の三階に居たという。中央に居た二人は圧死して、洗面台の下にあった両側の娘達だけが不思議な生命を助かったという。こんな悲惨な出来事が私達のすぐ隣から聞えて来た。その頃まで末子の学校友達はまだ私達と一緒に居たが、健気なおきぬさんは永坂に住む親達の許まであの娘を送り届けに行って来た。そろそろ暗くなりかけた桜の木のかげから望むと、下町方面は渦を巻いた煙で海のようで、その上には入道のような大きな層雲の形が遠い市街を摑むかのように起っていた。あれは雲か、それとも煙だろうか、と私が言った時に、お前の弟達は全部が火事の煙だと言い張った。今になって思うと、火焔と共に巻揚がったという旋風――あのお茶の水の女子師範の建築物が、僅か四分の間に燃え尽したといわれるような恐ろしい旋風は、あの中に起っていたのだろう。夕日をうけると共に次第に上の層から色変りがして暮れて行った。煙にしては強すぎるほど異様に白く光った陰影の濃い部分も次第に暮れて行く頃に、また驚くばかり地が震えた。私達は暗い葉のかげに提灯をつるし、薄べりの上に坐って、火事場の方のことを心配しつづけながら握飯を食った。

何とも知れず物の爆発するような音が一晩中火事場の方でトーン、トーンと聞こえていた。後になって天文台の福見理学士にあの音の事を尋ねてみたら、あれには他の音も混っていたろうが、多くは町々の電柱の上に装置してある油の鑵(かん)のはぜた音だとの答えであった。そうとは知らなかったものには、あの物凄(ものすご)い音が耳について、あれを聞いているだけでも油断のならない思いをさせた。お前の弟の遊び友達なぞは次郎と一緒になって、互(たがい)に少年らしく聞き耳を立て、あれは防火の手段として家屋を破壊するために投げる爆弾の音だろうというものがあり、薬品の倉庫などの破裂する音だろうというものもあった。芝浦の方で、海嘯(つなみ)が来るかも知れないといって騒いでいるという噂の伝わって来たのもあの晩だった。あの日の午後から夕方までに、私達のからだに感じた地震だけでも百七十回あまりあったとは、後になって聞いた。月明りに、飯倉の電車通りへ出てみると、下町方面から焼出されて来る人の群が往来に続いて、それが夜明がたまで絶えなかった。

　私達が火災の危険を身に近く感じはじめたのは夜の二時過ぐる頃であった。こんな麻布界隈まで火が迫って来ようとは、私達はじめ近所の人々でも、誰一人そんな事を思うものはなかった。虎の門を焼き、巴町を焼き、神谷町を焼いた火が、やがて飯倉一丁目まで近づいて来たのは、実に僅(わずか)の間であったような気がする。その時の火の手は三方か

ら揚っていた。鈴木さんの病院の裏手あたりに立って、今度の地震で崩れた坂の上の位置から向うの岡の方を望むと、たしか永坂町の高木さんの邸かと思われる高い建築物の壁に映る紅い火の反射が、おそろしく私の眼についた。右に往き左に往きする人中を分けて、あの坂の上の位置まで走って行って見るたびに、向うの岡の上に立つ建築物は一層強く火の反射を受けていた。それを見ると、私は自分の頰までが熱くほてって来る気がした。火は麻布谷町の方面からも近づいて来た。夜の空に舞い揚がる火の子が徳川さんの邸の内に落ち、あの邸内の椎の樹の上に落ちる頃は、私達の家も焼けるものと覚悟した。私達は沢山に背負って出る荷物が反って煩いになることを恐れ、着更えの着物二枚ずつぐらいのことにとどめて、めいめいそれを手に提げて、兎も角も三河台の角まで立退いた。もし火が追って来たら、六本木から青山の方面へ立退く心支度をしていた。

そのうちに夜は白々と明けかかった。幸にも風が変って、どうやら私達が危い所をまぬかれたと思う頃には、もうそこいらは朝だった。遠のいた火煙がまだもうもうと揚っている町の空には、遠い北国の果にでも見るような輝かない桃色の太陽を望んだ。何を見ても実に身にしみた。

私達が三河台の角から、もう一度相良さんの邸の前へ帰って行った頃は、大火も余程下火になったように見えた。その時になって見ると、麻布の郵便局も崩れ、多くの電柱

も倒れ、電車も不通になり、地方との交通機関の一切が早く断絶したことを知った。思いがけない一台の飛行機が、勇ましいプロペラの音を朝の空に響かせながら、高輪の方角から進んで来た。人々は争って空のよく見えるところへ出て、この救いのない状態に陥入った市民のために、特別の使命を果そうとしてやって来たような空中の訪問者を迎えた。それが震災後に私達の望んだ最初の飛行機であった。

この異常な場合に際会して、私は実際に目撃したこの近所の人達の心のあらわれをお前に話したい。あの飯倉片町の電車通りからすこし奥まったところに、白煉瓦と石とを按排して造った相良さんの邸の門はお前の眼にもあるだろうか。あれから鳴戸鮨の裏手へかけて、幾株かある桜の木の根元に薄べりを敷き並べ今度の大地震を避けていた人達のありさまをお前に見せたかった。そこには百五十人からの人が集まったろう。私達の近所附合というものも平素はごく冷淡で、その蓙の上へ行って坐るまで、私は自分のすぐ隣に居る人が竹沢さんの主人とも知らなかった。私達の家の北隣は鈴木さんで、あそこの茶の間の窓から聞えて来る赤ん坊の声をお前も聞いたことがあるだろう。高い石垣一つが隔てになって、今まで私は背中合せのように住んでいたあの鈴木さんがどこへ勤める人とも知らなかったくらいだ。大屋さんも、借家人も、あのうすべりの上では、ま

るで一家族のように膝を突合せて坐った。私が南隣の杉山さんの全家族を見たのも、それが初めての時といっていい。そこには地震で負傷した娘が手足を繃帯したままあおむきに寝かされている。子か孫かと思われるような人に背負(おぶ)さって避難して来ている髯(ひげ)の白い老人も居る。向うの桜の葉が蔭を落している方では、私達の見ている前でふところをひろげて、可愛い赤ん坊に乳を吸わせている年若な母親もある。足掛(あしかけ)七年も飯倉に住んでいて、ただの一度もこんな光景が今までに見渡されたろうか。こんなところに隣人を見つけた、それを思うとうれしかった。平素はめったに口をきいたこともないものが、そこでは言葉をかわし、握飯を分けて食い、また揺り返しが来たというたびに互いに顔を見合せて同じ胸の鼓動を覚えた。婦人もよく働いた。植木坂の上にある鈴木さんの病院は地震のために屋根の瓦を落とされ、塀を倒され、おそらくこの界隈での破損の一番大きかったところだろうといわれている。あそこでは家族の人達がみんな鎌倉の方であったのに、年とった看護婦と女中と、女の手ばかりで、よく主人の留守を支えた。これは一例に過ぎない。日頃労苦の認められることも少(すくな)い諸方の家の奉公人が思いのほかな勇気を示して、その主人を助けたことも、こんどの震災で見のがしがたい気がする。

最早(もう)六本木の辻あたりへは、この大火で焼落ちた市内の主な建築物(たてもの)や焼失した町の区

域などの謄写版(7)に刷られたものが貼り出された。飯倉片町あたりの電車の線路の上は焼け出されて来た人達の荷で満たされ、一丁目の坂の下の方から避難して来る無数の男女の群は青山渋谷の方面をさして続々この町を通りつつあった。

その頃は下火になったとはいっても、まだ遠くの町は焼けていた。下谷の徒士町から順に火に追われて、取出した荷物も一つ捨て、二つ捨て、最後に上野広小路の焼跡へ避難した人が後になって訪ねて来ての話しに、徒士町あたりが鳥越方面からの尻火で焼けたのは九月二日の午後二時頃であったという。こんな災害の激動を受けながらも、感じやすい女までが、足袋跣足、尻からげ(8)に、風呂敷包を背負い、焼跡の方の灰にまみれた手拭をかぶりながら、いずれも甲斐甲斐しくこの町を通った。乾き切った道路に馳せちがう自動車から舞い揚がる土ぼこりは、町の空を暗くした。私は通り過ぎる無数の避難者を眼前にして、一つところに長く立ってはいられなかった。町の様子を見るだけに満足して、また自分の子供の側へ引返して行った。

不思議な昼飯時が来た。火事場の方のことが心にかかりながら、私達は相良さんの邸の前で例刻に握飯を食ったが、誰もそれを昼飯と思うものはなかった。皆夕飯と思った。子供等も疲れが出たとみえて、昼飯に呼び起されるまではそこにごろごろしていたが、眼をさましたものはいずれも夜と昼を取りちがえたような顔付で、そこいらを見廻して

いた。何という町の暗さだったろう。引きつづく揺り返しの測りがたさに、日中だか夕方だか分らないようなその異様な暗さは、妙にみんなの心を重くした。この界隈には割合に掘井戸のある家があって、幸い私達は飲み水には事を欠かなかった。相良さんにあり鳴戸鮨にあり滝本さんにある深い掘井戸の水は、一時の濁りにとどまって、それを沸かして飲むことは出来た。

濃尾地方の震災(9)——といえば、あれはもう何十年になるかと思うほどずっと以前のことだが、あの当時の記憶が私の胸に浮かんで来た。私はあの大地震の後でひどい地割れのした美濃地方を通って、お前の今居る神坂村(みさかむら)に郷里の人達を訪うたことがある。その時、私はお前の祖母さんからあの震災当時のことを聞かされた。祖母さん達は震災地から離れた山の上に住んでいても、毎日毎晩絶え間のないように伝わって来る揺り返しを感じたという。私は祖母さん達が裏の竹藪(たけやぶ)で暮したという日数をはっきりとは記憶していないが、そこに戸板や蓙を持出して夜も竹藪で寝たというのは驚くほど長い日数の間であったと覚えている。それを私は次郎や三郎の側で思い出した。こんな大きな地震の来た後では、もっともっと揺り返しの続くことを覚悟せねばなるまいと子供等に話した。夕方の六時か七時頃はまた心配だと、子供等までそれを言い合っていた。

「放火をするものがあるから、気をつけるように。」

その警告がこんな混乱した町の空気の中へ伝わって来た。

私達が集まっていた場所は片町の電車通りからもよく見える位置にあったので、他からの避難者で疲れた足を休めて立寄るものも少くはなかった。その中には築地方面から火災を逃れて来た七、八人ばかりの婦人の連れもあった。いずれも二人三人ずつの子供を連れていて、火事場の混雑に夫にはぐれてしまったという人達であった。私達が一時凌ぎに集まっていた門前の近くには、こんな連中もやって来て、向うの桜の木の下に足を休めていた。

そこへ見慣れぬ三十五、六ばかりの洋服を着た男が来て立った。この町の人達が眼にも見えない恐ろしい敵の来襲を聞いたのは、その男からであった。私は不思議に思って、そんな風聞を確かめるためにその男の方へ近づいて行ってみたが、その時はもう先方で立去ろうとしているところであった。

物数奇か、親切か、それとも悪戯か、いずれとも分らないようなその男の残して置いて行ったものが、反って皆を不安にした。他からの避難者の中にはそろそろ荷物を片づけはじめるものがある。私達と一緒に薄べりの上に坐っていた人達までが、一人立ち、二人立ちして何となく騒がしい町の様子を気遣うようになった。

こんな時に耳の早いのは子供等だ。婦女子供はなるべく町の外へ避難せよ。夕方にはそんな声さえ私達の耳へ入った。大震、大火、旋風、海嘯――ありとあらゆる天変地異の襲いかかって来たようなこの非常時に、些細な風聞にも動かされやすくなっていたのは、子供等ばかりでもなかった。休まず眠らずにいた大人までが、みんな子供のようになっていた。

兎も角も、私達は他からの人の入込みやすいこんな門前の位置から、婦女子供を隠したかった。もっと安全な場所に一同を置きたかった。そこで私は竹沢さんと連立って、相良さんの邸内をこの町の人達のために開放するよう、その交渉に出掛けた。主人は洋行中と聞いたが、留守を預る人は快く私達の言うことを容れてくれた。やがて私が竹沢さんと一緒にそこを辞する頃は、あの門の鉄の扉が既に開かれていて、二百人ばかりの人達が邸の庭の内へ一時に崩れ込んだ。

「父さん――何処へ行ってるの。僕等は先刻から父さんばかり探していた。」

子供等は私が見えないのを心配して、この混雑の中を探し廻っていたのであった。

水を打ったような、シーンとした光景が、それから私達の周囲にあった。

「井戸に毒薬を入れる者があるそうですから気をつけて下さい。」

こんな警告が、そこに集まっていたものの不安を増させた。みんな提灯のあかりを消

して沈まり返っていた。薄暗い庭の木立の方からは百日咳(ひゃくにちぜき)(10)の赤ん坊の声が聞えて来るのみで、その他には音を立てるものもなかった。子供一人声を出さなかった。夜中過ぎに、私は邸内の裏側まで用を達(た)しに行って、試みに月明りの中を歩いてみたが、陰惨な空気は身を襲うようであった。でも、門の内外の警戒の厳重なのに安心して、また自分の子供等の側へ帰って来て横になった。深い夜露に濡れながら、それが屋外で送った二晩目だ。その晩はまた、瓦の崩れ落ちる音を聞いたほどの強い揺り返しも来た。

こんどの大火に追われた人の話を聞くに、火が間近(まぢか)に迫って来るまでは互いに手を引き合っていた人達でも、しまいには各自(てんで)に自分だけ助かろうと思っていないものはなかったという。これと同じようなことを私達は相良さんの邸の庭で経験した。あまりに厳重な鉄の扉の内に置かれて、逃げ路も塞がれてしまったような人達は、そのために却(かえ)って非常な恐怖を抱いた。万一噂のある敵でも襲って来た場合には、どうしたらあの塀を飛び越えられるだろうとか、どうしたらあの木の蔭に身を隠せるだろうとか、各自にそんなことを考えた。みんな自分のことだけしか思わなかった。子供一人、声を出すもののなかったような、あのおそろしい沈黙がそれだった。

「敵が来る、敵が来る……」

お伽話でもない限りは信じられないような、二千人もの敵が襲って来るという風聞はその翌日になっても続いた。敵は既に六郷川(11)の附近で撃退せられたから安心せよというものがあり、いや、その残党がもぐり込んで来ないとも限らないというものがあった。それにつけても私はかつて仏蘭西(フランス)の旅にあって、世界の大戦に際会した当時のことを思い出す。アウストリア対セルビアの宣戦が布告され、続いて独逸(ドイツ)に対する仏蘭西の宣戦が布告された当時、巴里(パリ)の都はどんな混乱に陥ったことか。

「エスピオン、エスピオン……」

その声が仏独国境の交通断絶を聞くと同時に起った。独逸人の経営する商店で巴里にあったものは、そのほとんどすべてが巴里市民のために破壊し尽された。「エスピオン」とは探偵のことで、当時の仏蘭西人にいわせたら「独逸の犬」という意味にも当ろう。あの頃の熱狂した仏蘭西人は仏蘭西人を疑ったが、こんどの大震災で東京の真中(まんなか)には「エスピオン」のかわりに、哀しむべき「幽霊」が飛出した。

「いずれ、こんなことを言い触らして歩く奴(やつ)があるんでさ——こういう時には、馬鹿や狂人(きちがい)がよく飛出しますからね。」

といって憤慨するものがあった。こんなに多くの人が苦しみを重ねているのを見たら、敵でも私達を救う気になるだろう。実際、私達は噂のある敵の来襲よりも、自分等のう

ちから飛出す幽霊を恐れた。そんな流言に刺激されて、敵でもないものが真実の敵となって顕れて来るのを恐れた。こういう時に新聞でもあって、正確な報道を伝えてくれたらば、とつくづくそう思った。市中を護る巡査も既に疲れ切っていたろうし、焼死んだものもあったろうし、市民の多くも休まず眠らずであった。みんな、どうてんしてしまったのだ。

一夜のにがい経験に懲りて、この町の人達が各自に互いを護ろうとするようになったのは、それからであった。北隣の鈴木さん、小原さんなぞに随いて、お前の弟達も思い思いに用心の棒を携え、日の暮れるころから町を護りに出るようになった。夜の十二時には、また大きな地震が来るという流言の伝わったのも、その三日目の晩であった。

しきりにお前のことが気にかかって来た。東京の大半は既に灰燼と化し、全市の死亡者は十万乃至二十万と数えられ、本所の被服廠[12]だけでも三万以上の人が死んだといわれたばかりでなく、東京以外でも横浜全滅の報が伝えられ、震災の区域は湘南一帯の地から房州の方にまで及んでいると知った時の私達の驚きは。お前は長野または愛知方面からの新聞をひろげた時に、どんな心持でこの大震災の通信を読んだろう。当地の様子はどんな風にお前の地方へ伝えられたろう。

四日目から私達は北隣の鈴木さんの家の一部を借りて、取りあえず吾家(わがや)のもの一同そこへ立退くことにした。これは、植木坂の下から相良さんの邸の前へ通う細い道路が危険であったために、揺り返しのたびに破損を増して来て、何時(いつ)あの崖崩れと地割れのした方から高い石垣が崩れて来ないとも限らなかったからで。私達はまだ自分の家の方に帰って眠る気にはなれなかったが、お蔭で北隣の屋根の下に身を置くことが出来た。おそらくお前はなんにも此方(こちら)の様子が分からずにいたろうから、兎も角も私達が無事に立退いたことだけでも早く知らせたいと思いながら、それをどうすることも出来なかった。丁度、その四日目に私達の立退き先へ訪ねてくれた人があった。その人はお前の知らない青年だが、日頃身を寄せていた日本橋の商家の全滅したため、早くも東京を去ろうと思い立った一人で、これから汽車に乗れるところまで歩いて行くと言って、暇乞(いとまご)いかたがた寄ってくれた。その人の帰って行くのが信州の小諸であったから、私はあの町に信濃毎日(13)の通信員のあったことを思い出し、その通信員に逢って此方の様子を伝えてくれるようにとくれぐれも頼んでみた。私のつもりでは、もし信濃毎日紙上の一隅にでも此方の様子を伝えてもらうことが出来たら、あの山の上に居る多くの知人に安心してもらえるばかりでなく、さだめし私達の安否を気づかっているお前の眼にも触れることがあるだろうと。

お幸の父親はその日の中に常陸の大津から着いた。あのおやじさんはお幸の事を心配して来たばかりでなく、他にも東京に奉公している息子や娘の身の上を案じて、川口までは汽車で駆けつけ、それから七里ばかり歩いて漸く東京に入ることが出来たという。地方から上京した人で、私達が一番早く迎えたのもあのおやじさんだった。お幸の父親は、ここまで来る途中で行き逢った人の群の中に、尋ね人だれそれ、立退き先どこそこ、何の某、と眼につくように書いた広告を人の背中に見つけ、洋傘の先にも見つけ、どうかすると歩いている人の頭の上にまでそれを見つけたと語っていた。子供のことが心配になるなら、次郎、三郎、末子のうちを大津の方まで預かって行こうか、そんな風に言ってくれるのも田舎気質のおやじさんらしかった。

旅行も困難になって来た。戒厳令は既に布かれ、焼け残った銀行の扉も堅く鎖された。その四日目頃に私達の家にあった貯えは米一升五合しかなかった。頼めば玄米を分けてもらうことも出来、茄子や南瓜なぞの乏しい野菜を手に入れることも出来たが、私達は事実において籠城するに等しい思いをした。

私は自分の身の周囲のことばかり書いて、その他のことはまだ何もお前に書いて送らなかった。もっと私はこの手紙をつづけるつもりで、筆を執りはじめたが、お前の知っ

ている通りな病後の私の健康がそれを許しそうもない。私は震災の起った当時の僅かな身辺の報告にとどめて、一ト先ずこの手紙を終ろうと思う。

焼跡の方からは、私達の心配していた人達の消息がその後ぽつぽつ分って来た。下町方面に住んで消息も多く不明であった人達のことが知れて来るにつれて、ある人は巣鴨へ、ある人は渋谷へ、ある人は小石川へ、いずれも日比谷公園だの浜離宮だのに一旦火を遁れた上で、それぞれの場所へと避け惑うた光景が想像せられる。私の知っているかぎりでも、窓から飛んで腰を打ったもの、顔を傷けたもの、芝草の中に顔を埋めて火焔を防いだもの、あるいは被服廠で不思議な生命を助かったもの、そういう人達の話を何程聞いたか知れなかった。

私はこの手紙に多くの書漏したことのあるのを遺憾に思う。これまでの私の通信は僅かに九月の四、五日まであたりのことに過ぎなかったが、あの頃はまだ市中の秩序も恢復されず、電燈の無い町々は暗く、日の暮れる頃から人の往来も稀な時であった。赤い笑いがそこいらを支配している時であった。怪しい敵の徘徊するものとあやまられて、六本木の先あたりで刺された人のことを後になって聞けば、まがいもない同胞の青年であったというような時であった。その青年は声の低いためと、呼び留められても答えのはっきりしなかったためと、宵闇の町を急ぎ足に奔り過ぎようとしたためとで怪しまれ、

血眼(ちまなこ)になって町々を警戒していた人達に追跡せられて、そんな無惨な最後を遂げたという。こうした出来事が、たまに私のところへ見える二人姉妹の親戚の間にすら起っていた。私達の家の附近には、この町を去ろうとした人のあったのもあの頃だ。

「あなたがたを置いて、逃出すものと思って下すっては困りますよ。決してそういう訳ではありませんから……」

こんな言葉を残しておいて行く人もあった。どこそこの家族は、郊外の方へ移るそうだとか、どこそこの主人は留守居を残しておいて娘達と共に田舎行を思い立ったとか、そんな噂を聞くたびに実に心細い思(おもい)をした。

聞けば、こんどの大地震では、お前の居る山地の方ですらかなりの衝動をうけたというではないか。年老いた人のある家ではその年寄を背負って屋外(そと)に飛び出したほどであったというではないか。今後お前が再び見得る日の東京は果してどんな東京だろう。お前の眼にある東京の大半は、今はほとんど昨日の面影を止(とど)めない。どんな最大階級の言葉をもって来ても、こんどの惨害を形容するには足りないと言った人もある。この大きな自然の破壊に面しては、実に眼も眩(くら)み胸も塞がるばかりだ。

二

九月二日附でお前から出した葉書はずっと後になって私の手許に届いた。震災以来、地方からの音信も暫(しば)らく絶えはてた頃なので、あの葉書は私達の待ちわびているところへ着いた。あれには今度の震災のことは何も言ってなくて、お前が相変らず丈夫でその田舎に働いているということや、二百十日も無事にすんで日に焼けた農夫達の笑顔も思いやられるということや、ことしの収穫の季節も近づいていてまたいそがしくなるということなぞをお前は書いてよこしてくれた。おそらくお前はあの葉書を出して間もなく――ほとんど行き違いにといってもいいくらいに、こちらの大地震と大火とを聞いたろう。あの恵那(えな)山の見える西筑摩の山地のいかにも平和なありさまがお前の葉書で想像されるにつけ、それを読んだ私達は一層震災以後の気分を深くした。お前からのあの葉書ばかりでなく、他から郵送される刊行物でぽつぽつと私の手許に届いたのを見ると、その多くは震災以前に用意されたものであったから、それらの刊行物から私の受取る感じはあだかも遠い「昨日」から受取るもののそれに似ていた。震災以前と、震災以後とでは、こんなにも私達の気分が違うかと思われるようになった。

それからのお前の便りも、あの混雑の中でよくそれでも失われずに、順に届いてうれしかった。最近にお前から来た葉書の中には、何度こちらからも便りをしたか知れないがあれも届いたか届かないか、としてあった。それを見て、お前の方でもやはり私達と同じ思（おもい）であったことを知った。そういえば、今日は大地震の来た日から数えて六十七日目にもなる。もうお前の居る木曾の山地へは霜も来ているだろう。こちらですら既に幾度となく時雨（しぐれ）がやって来た。大火後とかく落ちつかなかった私達もこの節はやや落ちついて来たし、私の健康も実に遅緩（ゆっくり）ではあるがしかし確実に恢復（かいふく）しつつある。今こそ震災当時のことを振返ってみるにも好い時だ。

吉村さんが焼跡の方から、私達のところへ訪ねて来たのは九月四日であった。下町の大火と聞いた時に、まず安否の気遣われた人の一人はお前も懇意なあの吉村さんであった。それというのも吉村さんの住居が、中洲（なかす）と霊岸島（れいがんじま）との間に挟まれたような位置にあって、一方は隅田川、一方は土州橋（どしゅうばし）だし、もし橋でも落ちたらほとんど逃げ場に困難したろうと思われたからで、何処にどう避難したかも消息のまだよく分らない人達も多かった中で、私達が焼跡の方から最初に迎えたのもあの吉村さんだ。

私達は北隣の鈴木さんの家の一部を借りて、そこに一時立退いている時であった。火

鉢にかけた鉄瓶の湯も庭で沸かすようにしてあり、椅子や腰掛も軒下に持出してあり、地震で崩れかけた壁もまだそのままにしてあって、何を見てもいたいたしく、落ちついていなかった。その私達の立退き先へ帽子も冠らずに、水の罎を手にした吉村さんが訪ねて来た。私はこの訪問者が灰や土ぼこりを浴びた着物を一目見たばかりでも、ほんとうにおそろしい焼跡の方から逃れて来た人を見る気がした。吉村さんといえば、ちいさい時分には私の背中に乗せてそこいらを負い廻ったこともあるほどの親しい間柄だ。よくそれでもこの人が助かった、無事に訪ねて来てくれたと思った。

　吉村さんは土州橋側の船に、家族もろともその日まで避難していたことから語り出した。その四日ばかりほとんど休まず眠らずであったという吉村さんが、食物らしい食物にありついたのは、船の中で玄米の握飯をつくった朝だけで、昼と晩とは甘藷や豆で辛くも餓を凌いでいた話をはじめた。

「生命びろいということを言いますが、今度のことばかりは言葉にも尽せません。私は二度も三度も生命を拾ったようなものです。」これは火と戦い、餓と戦いつづけて来た人の心から出た述懐だ。

　しかし、その灰まみれな、いたいたしい様子で訪ねて来てくれたにもかかわらず、私はめったに見ない吉村さんをその時に見た。それは旧い着物を脱ぎ捨ててかかった人を

見る感じだ。その肥った身体――吉村さんの肥り方が亡くなったお父さんにそっくりなのは、お前に話したこともあったろう――には平素にまさる力が充ち満ちているように見え、この震災に喪心した様子などは更になく、動作や表情は生々としていて、むしろ快活なくらいであった。この吉村さんが飲料に渇き切っていたように、私の方で勧める茶をさも甘そうに幾杯となくかえて飲み、そこへおきぬさん(この人が当時吾家の方へ来て手伝っていることは前の手紙にも書いておいた)が絞って出したつめたい手拭で顔や手を心地よさそうに拭いて、それから語り出したところによると、箱崎町辺の人が地震の後で恐れたのは火事ではなくて、にがい経験のある海嘯であったという。海嘯があるかも知れないから気をつけるように。その声を聞きつけて、子供を抱きかかえながら家の外へ出る途端に、眼前では地割れがする。そこからおそろしく水が噴き出す。急いで近所の大きな屋敷の側へ寄ろうとすれば、その塀が倒れかかって来る。こんな話を聞いただけでも、当時のことが思いやられる。でも吉村さん達が船に遁れるだけの時の余裕は十分にあったという。その証拠には、吉村さんは浜町の方に住む親戚の小谷さんを見に走って行って、「一緒に船へ逃げたらどうです」と勧めてみるほどの余裕はあったという。そればかりでなく、日頃懇意な船頭が手伝ってくれて、家具の一部を船まで運ぶほどの余裕すらもあったという。

崎町辺でこんな大きな火事になろうと思ったものはなかったということだ。

「船へ、船へ。」

その時の焦った人の心持は、ただただ海嘯(つなみ)の襲って来るのを避けようがためで誰も箱

船へ移ってからの吉村さんの話は一層おそろしかった。

「なにしろ、あの隅田川の水が熱くなりましたからね。」

という話を更によく聞いてみると、恐れた海嘯のかわりに、思いがけない火が来た。深川方面は先に焼けたというが、船からいえば風上で、後から焼けた日本橋方面がむしろ風下に当っていた。そこで吉村さん達の船は深川寄りの岸の方に避けて、いくらかでも煽(あお)りを受けることの少いところに錨(いかり)をおろしていた。どうかすると両岸から起る凄じい焔が隅田川の中央で相闘ったという。風の合間を見ては、僅かに吉村さん達は水の上で深い息をつくことが出来たとか。

「熱いよう――熱いよう。」

子供等が船の中で泣き叫ぶ声を聞いただけでも、吉村さん達は生きた心地もなかったという。

しかし、吉村さんが地震後の困難と戦った話は、こんな大火の当時のことのみに限ら

なかった。その後には餓も来た。激しい渇きも来た。その渇きに駆られて臭気のある隅田川の水を汲んで飲んだ人達もあったそうだが、無数の溺死者の死体がいずれも同じような両手を揚げた姿勢のままで、上げたり下げたりする潮の中に流れ漂っていたという。吉村さんは飲料水を得るために、船の繋いである岸から鎧橋の畔の方まで水汲みに通った話をした。おそらく子煩悩の吉村さんのことだから、子に飲ませることを楽みに、バケツに汲んだ水を頭に載せ、焼跡を歩いて通ったろうかと思う。それから船の中での盗みの話が出て、餓に駆られた人達のために自分の米を盗まれたという話も出た。

心の好いこと無類と言いたいこの吉村さんが、そういう自分でも隣の船から乾鱈を盗んで来た話をはじめた時は、思わず私も吹き出した。

「だって、こんな場合には仕方がないんですもの。そりゃ私ばかりじゃありません、みんな隣の船へ盗みに行きました。船の中では、お互いに盗んだり盗まれたりでサ。」

私達は顔を見合せて笑った。互に非常な時に際会したことを思った。

「兎に角、私の方へ引揚げていらっしゃい。私もここの家は一時凌ぎに借りているのですが、空いた部屋でよかったら誰方でもお使い下さいって、ここの主人が親切に言ってくれます。部屋のことは私が引受けました。」

「では、そうさせて頂きましょうか。」

吉村さんもよろこんだし、私もうれしかった。吉村さんは船への帰りがけに、私の方で勧めた玉子の五つばかりあったのを、二つだけは自分で甘そうに割って呑み、残りの三つは子供の土産に貰って行くと言って、それを大事そうにハンケチに包んで提げて行った。その日吉村さんはかなり長く私の許で話していて、お幸(家婢)のつくって出した昼の握飯をやった後でも、まだしばらく話して行ったが、明日を約しての立ちがけには思わず落涙しておられた様子であった。

こんな時に、お前も国から出て来なければいいが、その心配が私の胸を往来していた。旅行はますます困難になったと聞く頃だ。私はお前がこちらの様子を心配して上京を思い立ちはしないかと思って、独りでそのことを案じつづけていた。私達の立退き先へは、吉村さんばかりでなく、無事な顔を見せに立寄ってくれる見舞いの客や、まだ行方不明な知人のことを問合せに来る人達なぞがあって、一日ごたごたした。そこへお幸の弟も顔を見せた。お幸の弟は私が世話して昼は銀座尾張町のある書店へ手伝いに通い、晩は神田の商工学校の夜学に通っていた青年だ。この人も火事場の方で働いた話を持って来た。私は前に、お前に宛てて、一時私達が避難の場所とした相良さんの邸前の桜の木蔭からおそろしい黒煙を下町方面に望んだと書いたろう。おそらく私がお前の弟達と一緒

に、胸をふるわせながらあの黒煙を望んでいた頃は、吉村さんは土州橋の側から船に移ろうとした頃であったろうし、お幸の弟はまた、銀座の方で書店の主人の年老いた父親を自分の背中に負いながら、大森方面をさして走ったという頃であったろう。腰がぬけて立てない娘、それを連れている母親、そういう途方に暮れた人達をお幸の弟は尾張町辺の混雑の中で目撃したとか。あの吉村さんが深川寄りの隅田川の水の上で火の子を防いでいた頃は、お幸の弟は自分の下宿のある下谷御徒士町辺を走り廻っていて、迷い児になった可愛らしい女の児を荷車の上に救うには救ったが、その児の親の行方も分らなくて困ったという頃であったろう。

　私達は不安な日を送っていた。まだ三田あたりでは放火の噂で、人々は血眼になって騒いでいると聞く頃であった。

「父さん、十番の方へでも行って御覧。ゆうべなぞは皆、竹槍を持っていて、一町毎にそういう人達が待ち構えていて、行先を言わないものは町を通さなかったそうだ。今夜は今井さんの小父（おじ）さんなども本物の槍を持出すそうだよ。本物と言うから、可笑（おか）しくて仕様がない。そのくせ、古い錆（さ）びた槍だ。しかし今井さんの小父さんは、あれで戦争に出たこともある人なんだからね。」

　こんな話を私の側へ持って来るのはお前の弟だ。どんな事柄でも、それを次郎や三郎

の口から聞く時は半分お伽話で、それほど殺伐な気を起させなかった。

こんどの震災では、あの末子もひどくうろたえてしまって、自分の風呂敷を何度となく包み直してみたり、だんだん乏しくなる蠟燭を数えてみたりなぞして、ただただ部屋の内をまごまごしていた。すこしでも揺り返しが来ると末子はすぐに顔色を変えて、その眼には底の知れないような驚異をあらわした。夜が来ると、末子は自分の風呂敷包を枕の代りにして、足袋もはいたままで寝た。私達は庭の雨戸も一方だけ開けたまま、何時激しい揺り返しが来ても、すぐ飛び出せるようにしておいて、暗い蠟燭のかげで時を送った。時には私は家の外へ見廻りに行った。闇に動く白い洋服姿の人達は、その辺を警めている鈴木さん、小原さんなぞと知れた。そこへ提灯をさげ、町の方から帰って来る次郎に逢うと、私はこの麻布飯倉の片町と仲町とだけに出来ている夜警の合言葉を持出して、戯れにそれを次郎にかけてみた。

「片。」

「片」とは合言葉で、すぐに「仲」と答えなければならない。ところが、まだ不慣れなお前の弟はその合言葉にぐっとつかえてしまったのだ。

「ちゃんと分って居るんだが、口へ出て来ないんだ。」

こんなことを云って次郎は私を笑わせた。

夜の九時といえば町の通行を禁じられていた。諸方(ほうぼう)に飼われていた家畜も多くどうなったろう。沈んだ空には、犬の鳴声一つ聞えなかった。震災前までは、ここの鈴木さんの家と私の家の間にある塀をつたって、夜でも鳴く宿なし猫の声が耳についたものだが、あの猫も急に居なくなった。

まぶしいくらいの九月の日が射して来た。崩れ落ちた石垣にも、無惨に破壊された崖にも、倒れたままの電柱にも、その他まだ一時的の修繕の手も届かないこの飯倉の傾斜をなした浅い谷間(たにあい)には、大地をはぐくみ育てる日の光が満ちて来ていた。試みに鈴木さんの家の前から植木坂の通路の方へと歩いて行ってみると、崖の秋草の青々としたのも今一度見直す気がして、身にしみた。地割れのしたあの細道はまだ危くて、うっかり通られなかった。植木坂の下あたりには、ぼんやりと日の光の中に立って、傾いた塀なぞを眺めている人もあった。

私はその足で植木坂の上まで出てみた。電車の線路の上に焼出された荷物を並べた多くの避難者はもう見えなかったけれども、焼跡へ、焼跡へと歩いて行く人達が、女でも足袋跣足(たびはだし)に竹の杖をついて、舞揚(まいあが)る土ほこりの中を織るように通り過ぎていた。そこには甲斐甲斐しい足取りと、命がけの喘(あえ)ぎと、殺気を帯びた混雑とがあった。震災以来、

何となく町の相も変って来ているように見えた。そこから私はまだまだ油断のならないような不安な心持を誘われた。

吉村さんのために約束しておいた自動車は、ガソリンの払底（ふってい）から、その日に行かれるかどうかも覚束（おぼつか）ないとの話であったが、そのうちに運転手が支度の出来たことを告げに来た。これが平素なら、私はあの家族を迎えに自分で身支度して出掛けるところだが、どうもまだ自分の病後のからだが気に掛（かか）っていた。そこで私は次郎を探した。あれならこの役を果せるだろうと思った。

前の日に吉村さんが鉛筆で書いて置いて行った図を見ても、ここから土州橋側まで自動車でも容易でない時であった。広い焼跡は電車道を辿るよりほかに、ちょっと見当のつけようもないという時であった。吉村さんは渡れる橋々の名を書いて置いて行ったが、風と潮との加減で土州橋に繋いである船の位置すら毎日のように変っているという。おそらく吉村さんは朝の中からあの河岸のところに登って、こちらから迎えに行く車を待遠（まちどお）しく思っていたことだろう。次郎が吉村さん達のお供をして、やがて飯倉まで引返して来たのは、それから二、三時間ばかりの後のことであった。自動車から私達の立退（たちのき）先まで運ばれる荷物を見ると、よくそんなに出せたと思うくらいあった。

次郎は途中で見て来た話を私にして、橋々の畔（たもと）などにはいくつかの死体が横たわって

いたと言った。

「そこいらには煉瓦や瓦が一ぱいで、道も何もないようなところさ。切れた電線は糸のようにだらだらさがっていたよ。」

こんな無造作なお前の弟の話を通しても、焼跡の方のことが想像された。

「よくこんなに荷物が出せましたね。」

「ええ、私くらい荷物を出したものは、船にはありません。みんなこれは船頭が出してくれたんです。私が浜町の親戚を探しに行ってる留守に、あの船頭が運んでくれたんです。」

「よっぽど船頭にはお礼を言ってもいいね。」

まず好かったという顔付の吉村さんをつかまえて、私は自分の心の悦(よろこ)びを述べた。蔭ながら私は心配していた。船の中での六十人もの人達のために毎朝の握飯をつくって働いたのも吉村さんの家族だと聞いているのに、そういう皆の先に立って働いていた吉村さんが一同を残しておいて、無造作に船を離れることが出来るかどうかと案じられるくらいであった。

「こんなに荷物の出たのは、自分でも不思議なくらいですよ。着る物や寝道具には当

分困りません。まあ、ふだんから正直にして居て、悪い事もしなかったお蔭かと思いますね。」

と吉村さんは庭に立ったまま私に言ってみせた。この吉村さんは細君と、末の乳呑児と、残りの荷物とをまだ船の方に置いて、二人の幼い子供だけをつれて来た。

「ゆうべは船の中に、四組も夫婦喧嘩がありました。」

という話を聞いてみると、その中の一人の母親は赤痢(14)の疑いのある病児をかかえていたとか。医者の救いも求められないような焼跡の船の中で、その児の始末をどうするかがみんなの問題になっていたとか。悲惨な話ではないか。

取りあえず私はお幸に言いつけて、自分の粗末な浴衣をそこへ取出させた。そんな洗濯着物か何かでも、さっぱりと吉村さんに着更えてもらった時はうれしかった。櫛の歯をあてる暇すらもなかったようなこの人が髪をかきあげて、私の前に坐ったのを見ると、男ざかりのみずみずしさだ。灰まみれになっていた頭の持主とは別人のように見えた。

吉村さんは、姉と弟との二人の子供を側に置いて、

「自分のものは自分で始末をしておくんですよ。今までとはちがいますよ。」

と言い聞かせていたのは、この震災のために起って来た驚くばかりの人の生涯の激変を語ってみせていたのだろう。これから更に新しい出発をしようとするその激しい意気

込みをも語ってみせていたのだろう。

私は名状しがたい心持で、吉村さんの側を離れずに坐っている姉弟(きょうだい)の子供の顔を眺めた。さすがに亡くなったおばあさんのお仕込みだけあって、二人とも行儀がいい。殊に姉娘の方の子供の眉といい、額つきといい、八十いくつまで長生した吉村さんの祖母さんの面影をしのばせた。

その時、私は吉村さんの子供に言った。

「ここへいらっしゃい。末ちゃんとも一緒に遊んで下さい。麻布まで来ればもう大丈夫ですよ。この小父(おじ)さんがついて居ますからね。」そう言って、それから末子と遊ばせた。

吉村さんもいろいろでいそがしかった。その吉村さんの姿がすこしでも見えないと、弟の方の子供は家の外まで父親を探しに出て、門のところでしくしくやり出した。「そんなに泣くんじゃないよ。」と弟の方へ走って行って慰(なだ)めすかしている姉娘の様子もいじらしかった。

到頭、私も氷枕に就(つ)くようになった。震災以来の睡眠不足が激しい眩暈(めまい)を引起した。私の愚図愚図(ぐずぐず)した健康も歯がゆいほどのもので、実は私はこんな際にもっと自分の身体

を鍛えるつもりであったが、それが病気にさわったらしい。おきぬさんやお幸はかわるがわる私のために、夜ふけてから蠟燭をつけて、滝本さんの台所口の方まで冷い掘井戸の水を汲みに行ってくれたが、あの二人が鈴木さんの裏づたいに石垣を下りて行く下駄の音や、釣瓶縄(つるべなわ)(15)の滑るたびにひびけて来る井戸の車の音なぞを私は枕の上で聴いていた。

その翌朝になっても、私は床を離れることが出来なかった。この周囲の混雑した中で、めずらしく新聞の配達があったと聞くだけでも、じっとしてはいられないような町の空気の中で、私は出来るだけ静かにして横になっていなければならなかった。

こんな時には春以来の病後の感が一層深い。私の枕もとへは、擂鉢(すりばち)で玄米を搗(つ)く音が他の部屋から聞えて来ていた。あれはおきぬさんが庭に向いた縁側のところに腰掛けて、客の取次をしながら根気に搗いていた音だ。擂鉢で米を搗くと聞いたら、お前なぞは吹出すだろう。こんな町の中では木の臼(うす)のある家も稀だから、ある人が来てビイルの空罎(あきびん)の中で玄米をつくことを教えてくれてから、私の家では擂鉢でそれを試みることにした。杵(きね)もすりこ木(ぎ)で間に合せた。私は枕の上で、さびしく単調に伝わって来るあの音を聞きながら、まだ人も訪ねず、震災の見舞にすらも出掛け得ないでいるもどかしさをつくづく自分の胸に浮べた。仮りにお前が私の側に居るとしたら、私は今度の大震災でこんな隣家へ飛込んで来て、しかも自分の家の屋根をここの茶の間の窓から眺めるような、そ

の不思議さをお前に語ったろう。私はまた、以前に住んでいた浅草新片町の方のことを持出したろう。そしてお前も懇意なあの種菓子屋さんも、この大火にはどうしたかと言出したろう。深川には、函館の伯父さんの娘にあたるおけいちゃんが、火事前までかなり大きな蕎麦屋を出していたと聞いた。あの人のことも、きっと私達の噂（うわさ）に上ったろう。神田に、日本橋に、浅草に、と数えて来ると、私の知っているかぎりでも、まだ行方不明の人達が何程（どれほど）あるか知れない時であった。

午後に、いくらか私も気分が好くなって起き出しているところへ、吉村さん夫婦が荷車と一緒に着いた。吉村さんの細君は乳呑児を負いながら、荷車の後について焼跡を歩いて来たというが、涙なしには私達と一緒になれなかった。

「どうです。今朝船で着更えて来た着物が――これですぜ。」

と吉村さんは灰まみれになった両方の袖を私にひろげて見せた。吉村さんはまた肥った頬にすこし笑みを浮べながら、

「今になってみると、私もすこし荷物を出し過ぎましたよ。」

と言ったが、そんな言葉のはしにもこの人の性質がよくあらわれていたかと思う。

吉村さんの荷物がよく出せたと私までそう思ったことには、自動車一台と、荷車一台とでは運びきれないで、箪笥（たんす）その他は別の車で運んで来るほどあった。

「けさは船頭が言出して、みんな陸（おか）へ上ってもらいました。」

と吉村さんは言った。

「船頭が言うのも無理はありません。河の水がだんだん臭くなって、とてもあんなところに船を繋いではおけませんからね。あの船頭も国へ帰ると言って居ましたっけ。」

こんな時に、一ぱし青年団の顔付で、よろこび勇んで荷物を運ぶ手伝いをするのはお前の弟達だ。

九月の七日には、吉村さんは浜町の親戚の行方を探しに朝早くから身支度して出掛けた。私は庭へ向いた三畳の静（しずか）な部屋の方へ移って、床の間に懸（かか）っている掛物の見えるところで臥（ね）たり起きたりしていた。しかし私はそうそう自分のからだをいたわってばかりはいられなかった。青竹を杖について、わざわざ遠くから無事な顔を見せに来てくれる客でもあると、思わず氷枕を離れて、身に熱のあることも忘れて話し込んだ。木曾福島救護団の人達が訪ねて来てくれたのも、吉村さんの留守中の時であった。あの人達は甲斐甲斐しい草鞋（わらじ）ばきに、檜木笠（ひのきがさ）(16)だ。郷里の訛（なま）りのある言葉を聞いただけでも、私はお前の方のことを思出した。

よっぽど私はあの郷里から出て来た人達に、お前への言伝（ことづ）てを頼もうかと思った。救護団の連中がまだしばらく東京に滞在すると聞いて、それを頼んでも間に合うまいかと

思い直した。その時、私はあの人達の話で、吉村さんの親戚にあたる小谷さんが遠く木曾まで落ちのびて行ったことを知った。

この話を、焼跡の方から草臥(くたび)れたらしい顔付をして帰って来た、吉村さんに聞かせた時のそのよろこびようはなかった。

「へえ、木曾とは全く気がつきませんでしたね。これで姉の行方でも分りませんと、私もこうしては居られないんですけれど――まあ居ても起(た)っても居られないようなものですけれど――まず、好かった。さすがに姉は姉らしい逃げ方をしたなあ。木曾とは、よく逃げた。」

このよろこびは吉村さんに限らなかった。行方不明な知人の消息が一人ずつ分って来るたびに、私達はいずれも同じ思いに打たれた。

その晩は、鈴木さんに、吉村さんに、私達に、三つの家族が同じ屋根の下に一緒になった。鈴木さんは燈火(あかり)も一つで間に合せようと言って、祭礼の時の古い提灯を持出して、それを部屋部屋の中央の鴨居(かもい)のところに吊るした。一方では赤ん坊に乳を呑ませる音も聞え、一方ではひそひそ話をする女中同志の声も聞えた。一切が平時に見られない図だった。その日、本所の被服廠の方まで焼跡を歩きに行って来たと言って、無数に重なり合った死体の眼についているという話をそこへ持寄るのも鈴木さんだった。私だけは、

横になる我儘（わがまま）を許してもらって、色の褪（あ）せた紅（あか）い提灯のかげに集まる皆の話を枕の上で聴いた。その晩はまた、かなり激しい揺り返しが二度も来た。

漸く九月の八日になって私達は自分等の立退き先から家の方に帰ることが出来た。一時の混乱もやや静まり、市内の秩序も日に日に恢復しかけて来てみると、まるでそこいらは大きな潮の引き去って行った後のようになった。各地への罹災者の移送も開始せられて、二十万の人が既に東京を退却したといわれる。ある亜米利加（アメリカ）のお客の言草（いいぐさ）ではないが、一年の間に出てもいいようなかずかずの法令が僅か一週間に出たのも、過ぐる七日の間のことであった。その後には、壊れるものはすっかり壊れてしまったような、言い知れぬ淋しさが残った。

町々では食料品の配給が始まった。白い徽章（きしょう）の布を腕に捲きつけた在郷軍人(17)や青年団の人々が、野菜、牛肉の罐詰（かんづめ）、メリケン粉なぞを各戸に配りに来た。多くの人々は罹災者の救護に忙しくて、まだ焼跡の整理なぞには手も届かない頃であった。私達の家の方へは、おきぬさんの兄さんが沼津から中央線を遠廻りして、汽車の停（と）まったところから二十里も歩いた末に、漸くここまで訪ねて来てくれたというが、そんな話を聞いてみても旅行の困難が思いやられた。

私はこの震災前に、お前への小さな贈り物を一つ用意したが、あのことはまだ何もお前に知らせなかった。少年のためにも著作をしたいと思う心から、かねて私は一冊のおさなものがたりを書くことを思い立っていたが、それを果したのはことしの四月五月のことであった。私は春から四十日も長く床に就いた後で、小田原の海岸の方まで保養に出掛ける頃はまだ病気も快くなかったが、その後気分の好い時であったので、それを果すことが出来た。実はあの本は、お前と、お前の弟達と、お前の妹とに宛てて書いた。お前にお伽話でもあるまい。そう私も思わないでもなかったが、しかし幾つになって読んでみてもらってもいいのはお伽話だ。私は四人の子供に話しかける父親のおさなものがたりとして、あれを書いた。どうして私があのことをお前に内証にしておいたかというに、お前を一つ驚かしたいと思ったからだ。すっかり製本の新しく出来上ったところで、それをお前の居る神坂村へ送りつけて、こんな贈り物が来たかと悦んでもらいたかったからだ。

九月のはじめには出版されるばかりに支度の出来ているところへ、今度の大地震に逢った。私はあの本も十中八、九までは望みのないものかと考えて、原稿を焼く著作者のかなしみに想い到った。同じ子供が二度と産めないように、あの小さなおさなものがたりも私にとっては二つと作る気にはなれないものだから。

思わず私がこんなことを書きつけたのは、あの原稿の助かったことをお前に話したいためだ。あの本の挿画を頼んでおいた画家が震災の見舞に立寄ってくれてそのことが分った。原稿の校正刷がその画家の手許に無事に保存されてあった。これも行方不明なものの消息の分って来た悦びの一つではないか。その画家は焼跡を歩いて来るにも写生の帳面を手放さないほどの熱心な人で、途中での所見を私に語って、文化的な設備のあったところほど今度の惨害のはなはだしかったことを私に語ってみせた。生きようとする多くの人の苦しみ——そのことに話が触れると、画家はある光景を眼に浮べたように、

「実に一切が露骨です——好いことも、悪いことも。」

そういう意味の言葉を私のところへ残しておいて行った。

私達の家の方へは、吉村さん夫婦も三人の子供を連れて一緒に引移って来た。私のつもりでは、家は手狭でも、当分避難の場所として吉村さん夫婦を置いてあげたかった。しかし吉村さんの立場として、私がまだ臥（ね）たり起きたりしているところへこれ以上の世話になるとは気の毒に思うと言った。丁度小石川の方から荷車をもって迎えに来てくれたのを機会に、吉村さん達はそちらの方へ移って行こうとした。まったく、席の暖まる暇もないとは、震災以来の吉村さんの境涯であった。

「荷物だけは置いていらっしゃるか。」

と私は吉村さんに言って、しばらく預かってあげることにした。植木坂の上にはもう夜具蒲団の数をつんだ一台の荷車が吉村さん夫婦を待っていた。

今度の大火では、おおよそ三つの相異なった立場の人がある。一人は、割合に安全な離れた位置から火を見ていられたもの。例えば青山の伯父さんのように。一人は今すこしで火に追われるところまで行って、どうにか無事であったもの。例えば私のように。今一人は、全く焼出されたもの。例えば吉村さんのように。

そろそろさびしい雨がこの町へやって来るようになった。風はあるが暑い日の後には、夜に入って驟雨の来るような日が続いた。その後には細い雨が降り続いた。まだ電燈もなく、蠟燭も次第に乏しくなって来たので、私達は胡麻の油を粗末な皿に入れて、俄か造りの燈明で家の内を照らすことにした。静かに燃える燈火の穂は暗かった。私はそれに映る子供等の顔の見えるところで、強い雨が来るかも知れないという噂さを皆と一緒にして、この家の周囲にある石垣の崩れるのを恐れた。私達の庭には一時凌ぎに突っかい棒の丸太を入れて、それで石垣を支えてあった。石垣の上の高い大工さんの家の方からは、何時あの崖が雨のために崩れて来るかも知れなかった。

地震に疲れた私は、一晩も降りつづいた雨に疲れた。家のものも皆、疲れが出たとみ

えて、時々しぐれのやって来るような淋しい日を送った。着のみ着のままで焼出された罹災者の心細さも、これから寒空に向おうとするそれらの人達の心配も、ひとごととは思えなかった。

日比谷の中央郵便局で地方行の郵便物を受付けると聞いたのも、私達がこういう日を送っている時のことだ。それを知ると、私は取りあえずお前宛の葉書を書いたが、その葉書すら無事にお前の手に届くであろうかと危ぶんだ。それほど周囲の事情は混雑していた。ちょうど、木曾福島小学校の職員で私の許へ見舞に立寄ってくれた年若な教師があった。その人は翌日には木曾福島まで帰ろうとする矢先で、お前宛に書いた葉書も預かって行こうと言ってくれた。私は何かの厚紙の二つに折ってあるのを見つけ出し、その中にお前宛の葉書を入れてそれを木曾行きの先生のポケットに納めてもらった。幸い私達は無事であるからお前もこの際には上京を見合せるようにと書いたあの葉書は、実はその先生が木曾福島まで持って行って投函してくれたのだ。

まだ私は一歩も焼跡の方へ踏み入れていなかった。震災以後、九日も十日もの日数がたって、それでも行方の分らないような人達のことは、ひどく気にかかって来た。本所、深川方面には、そういう人達がある。私は焼跡にころがっていたという焼死者の噂を聞くにも勝して、うんともすんとも音沙汰のない人達の行方の方に、一層胸を打たれるよ

うな寂寞（せきばく）を感じた。お前は覚えているかどうか知らないが、神田から植物園へ火を避け、更に川越まで落ちのびて行った消息が、漸く九日目になって私達のところへ分って来た加藤さんのような人もある。

三

太郎よ、一日の仕事をお仕舞（しま）い、父さんの手紙がお前を待っている。こんな風に私は耕作の見習いに余念もないお前を呼びかけるような心持で、この便りを書こう。お前の居る神坂村の山地の方でその後のこちらの消息を読んでみてもらおう。

ことしは実に春が待たれた。大火後の東京では暮からチブス[18]だ天然痘[19]だという中で、焼跡の方の寒いバラック住居（ずまい）を思いやるこの界隈の町の人達の心が五箇月も続いた。来るか来るかと思って待っていた温暖（あたたか）い雨がなかなかやって来なくて、三月の彼岸と聞いてもまだ私達は、冬籠りの状態から抜けきることも出来なかった。あの秩父の連山あたりへは雪でも来たかと思われるような、寒い日を送った後では、遠い越後方面が深い積雪に埋められたという新聞の記事なぞを読むたびに、私達はお前の居る山地の方の噂をした。ことしくらい冬季に雨の少いこともめずらしかった。どうかすると乾いた寒さが

二十日の余も続きに続いて、町々の樹木には生きた色もなかった。毎年きまりでこの町中へやって来る淡い溶けやすい雪は、あれはいかにも春の前触れらしいもので、あの屋根から落ちる雪の音を聞いたばかりでも春先らしい気のするものだが、ことしは一度もあの音を聞かなかった。そのかわりに、いかにも激しい春の霜を見た。こんなに季節の後(おく)れた、それだけまた冬の長かった中で、幾万もの男や女の墓地のような焼跡には、日に日に新しいバラックの建てられて行ったことを想像してみてほしい。そこには何程(どれほど)の人の心が同じように、ことしの春の来るのを待ち侘びていたかを想像してみてほしい。

お前が私達と一緒に年越しかたがた震災後の東京を見に一寸(ちょっと)出掛けて来たのは、あれは暮の二十二日だったろうか。私達は一年振りでこの麻布にお前を迎え、何となく若い農夫らしくなって来たお前の土産話を聞くのを楽みに思った。お前の弟達やお前の妹が大きくなったことは、お前を驚かしたろうか。次郎なぞは私より脊(せ)が高いくらいだ。三郎は九文(もん)[20]の足袋をはくようになり、一昨年あたりまでは四つ身[21]の着物で間に合った末子が、本裁(ほんだ)ち[22]でなければ着られないというほど脊が延びた。ひどいものではないか。

そういえばお前達の母さんが亡くなってから、今年でもう十五年になる。私は独りで部屋のなかを歩いていて「養(フ)レ子(ヲ)風塵(ノ)間」[23]という昔の人の詩の句などを自分の胸に浮べ

てみることがある。震災後、この焼跡からはいろいろなものが掘り出された。驚くべく悲しむべき幾多の悲劇が生れた。そこから発散する社会の空気はかなり息苦しいものであった。おそらくお前が私の年頃にでもなったら、この私がどんな心持で過ぐる半年ばかりの非常時に際会したか、その息苦しい空気の中で自分の子供を護らねばならなかったか、それを想像してみてくれる時もあるだろう。

　震災後になって、旧い東京はあまり好きでもなかったという意見を発表した人が少くはなかった。しかし私のように、少年時代からの生涯の大部分を東京に送って、銀座の大倉組の角のところに初めて電燈というものの点ぜられた頃からのこの都会を見つづけて来たものにとっては、旧い記憶を辿ってみるだけでも感慨なしにはいられない。おそらくあの日本橋橘町あたりから富沢町辺へかけて、黒光りのする土蔵造りの商家が高い甍をならべ、軒並に紺の暖簾を連らねたような光景は最早二度と見られまい。私は日本橋大伝馬町の勝新という針問屋を知っていた縁故から、同じ勝田の一大家族が栄えていた時分の石町の通りをよく往ったり来たりしたことがある。あの勝新の家も疾くになくなり、先代も故人になって、富ちゃんという子息さんだけが残っていた。今度の震災では、その富ちゃんも大火に追われて、病軀を本郷の切通し坂まで運んで行く途中で亡くなったとか。私はそれを伝え聞いて、滅び行く江戸の最後の人の一人という感じを深く

した。

震災後の知人の動静をもすこしここに書きつけよう。私の知っている狭い範囲だけでも、今度の震災は何程の人の境遇を変えたか知れない。箱崎町の吉村さん、猿楽町の加藤さんなぞが、あるいは四谷に、あるいは池袋にという風に、今の場所に落ちつくまでには七度か八度も住所を変えた。ほんとに一旦家を失ってからの加藤さんなぞは飄泊そのものとも言いたいくらいで、どこまで行ったら落ちつくことかと思われるほどであった。

「当町は御承知の如く全滅と申しても不可なき有様にて、見るかげもなし、建長、円覚両大寺、八幡宮楼門、その他倒壊、あさましき限りに候」

これは震災後に、鎌倉の蒲原さんから来た便りだ。あの友達も鎌倉から静岡へ動いた。東京の本郷西片町に長く住んでいた高安さんも一家を挙げて大阪へ動いた。深川の方面に新たなバラック住居を始めたもの、遠く川越方面に医院を開業したもの、こう数えて来ると震災のために動いた人達のことはここに尽せない。

「今後数箇年間、われわれの世界が閉じられるかと思うと泣きたくなります。」と書いてよこした懇意な美術家もある。

そういえば、あの震災当時の大火に山の手方面の焼けなかったというは、東京の復興に何程(どれほど)幸いしていることだろう。罹災者の保護に、物資の供給に、その他、山の手というものが焼けなかったばかりに東京も今日あることを得たかと思われる。仮りに東京が横浜あたりと同じような全滅の悲運の下にあったとして御覧、到底これほどの復興の機運が今日までに促せようとも思われない。

震災後の第一の春がようやくやって来た。今まで愚図愚図していた陽気が、めきめき温暖(あたたか)さを増したと思うと、そこいらはもう、楽しい四月だ。駆け足でやって来たようなことしの春は、下町の焼跡へも、山の手へも、一斉に新らしい生気をそそぎ入れるようになった。

何といっても都会としての東京は、隅田川を離れられない。それが東京の運命であろう。一月は一月より賑(にぎや)かさを増して行くような、この頃のバラックの町を見ようとして家を出掛けるような場合に、どの方角をさして私の足が向いて行くかといえば、矢張(やはり)私は隅田川まで行ってみたい。

先月の末、私は次郎と三郎を連れて電車で下町の方へ出掛けた。私達は大川端[24]の方まで春を迎えに行くような心持で乗って行った。お前が上京した頃、芝の愛宕山から望ん

で見た焼跡の町々は随分さびしいものだったろう。私達が震災後に初めてあの愛宕山に登ってみた頃は、もっとさびしかった。どうだろう、あの黒焦げになった枯木の立つ丘の傾斜のところには、浅くはあるが青々とした若草の色を見るようになった。私達は電車の窓からそれを望みながら乗って行った。

築地辺に出来た新しいバラックの町も、震災後にはめったに私の通らなかったところだ。電車はそこで乗換えねばならなかったから、私達は両国行の来るのを待って、別の電車で桜橋を渡り、鎧橋を渡った。同じバラック風の仮建築でも人形町辺まで行って見るものは、何となく下町らしい。やがて私達は両国まで乗って行って、橋のたもとあたりでしばらく時を送った。

両国の附近といえばお前の弟や妹が三人までも生れたところだ。震災後に私は一度次郎達を連れて以前の住居の跡を訪ねたことがある。あの頃はまだ全くの焼跡であった。隅田川の色も物凄く変っていた。両国橋を渡ったところからは富士山を望むことも出来た。どうして富士はおろか、足柄の連山までも容(かたち)をあらわしたほど、大火後の町の空は遠いところも近く見えて、武蔵野の姿が私達の眼に浮んで来るくらいであった。あの頃の思いをすれば、両国の附近は最早(もう)見ちがえるほどの賑(にぎや)かさだ。

私達は河蒸汽(かわじょうき)(25)で永代まで下ってみた。何となく空も霞み、浅濁りのした水の色までが

春めいて見えた。河蒸汽そのものも、船乗り場も、野趣があって好い。だぶだぶだぶ音のする春の水、風をうけて走る帆、岸に光るバラックの屋根――なにもかも、河口らしい空気と煙との中に一緒になって、私の心を楽ませないものはなかった。流れよ、流れよ、とも言いたい隅田川には、およそ幾艘の船が動いていると言ってみることも出来ないくらいで、大きな都会の気象が、一番よくその水の上に感じられた。そこには春の焔にまじって、もう一度この東京を破壊のどん底から甦（よみがえ）らせるような、大きな力が、溢（あふ）れ、流れて来ていた。

嵐

子供等は古い時計のかかった茶の間に集まって、そこにある柱の側へ各自の背丈を比べに行った。次郎の背の高くなったのにも驚く。家中で、一番高い。あの児（こ）の頭はもう一寸（すん）四分（ぶ）[1]ぐらいで鴨居（かもい）にまで届きそうに見える。毎年の暮に、郷里の方から年取りに上京して、その時だけ私達と一緒になる太郎よりも、次郎の方が背はずっと高くなった。

茶の間の柱の側は狭い廊下づたいに、玄関や台所への通い口になっていて、そこへ身長を計りに行くものは一人ずつその柱を背にして立たせられた。そんなに背延びしては狡（ずる）いと言い出すものがあり、もっと頭を平（たいら）にしてなどと言うものがあって、家中のものがみんなで大騒ぎしながら、誰が何分延びたというしるしを鉛筆で柱の上に記しつけておいた。誰の戯（たわむ）れから始まったともなく、もう幾つとなく細い線が引かれて、その一つ一つには頭文字（かしらもじ）だけを羅馬字（ローマ）であらわしておくような、そんないたずらもしてある。

「誰だい、この線は。」

と聞いてみると、末子のがあり、下女のお徳のがある。いつぞや遠く満洲の果から家をあげて帰国した親戚の女の児の背丈までもそこに残っている。私の娘も大きくなった。末子の背は太郎と二寸ほどしか違わない。その末子が最早九文の足袋をはいた。四人ある私の子供の中で、身長の発育にかけては三郎が一番おくれた。一頃の三郎は妹の末子よりも低かった。日頃、次郎贔屓の下女は、何かにつけて「次郎ちゃん、次郎ちゃん」で、そんな背の低いことでも三郎をからかうと、そのたびに三郎は口惜しがって、

「悲観しちまうなあ――背はもうあきらめた。」

とよく嘆息した。その三郎がめきめきと延びて来た時は、いつの間にか妹を追い越してしまったばかりでなく、兄の太郎よりも高くなった。三郎はうれしさのあまり、手を振って茶の間の柱の側を歩き廻ったくらいだ。そういう私が同じ場所に行って立ってみると、ほとんど太郎と同じほどの高さだ。私は春先の筍のような勢いでずんずん成長して来た次郎や、三郎や、それから末子をよく見て、時にはこれが自分の子供かと心に驚くことさえもある。

私達親子のものは、遠からず今の住居を見捨てようとしている時であった。こんなに

みんな大きくなって、めいめい一部屋ずつを要求するほど一人前に近い心持を抱くようになってみると、何かにつけて今の住居は狭苦しかった。私は二階の二部屋を次郎と三郎にあてがい(この兄弟は二人ともある洋画研究所の研究生であったから)、末子は階下にある茶の間の片隅で我慢させ、自分は玄関側の四畳半に籠って、そこを書斎とも応接間とも寝部屋ともして来た。今一部屋もあったらと、私達は言い暮して来た。それに、二階は明るいようでも西日が強く照りつけて、夏なぞは耐えがたい。南と北とを小高い石垣に塞がれた位置にある今の住居では湿気の多い窪地にでも住んでいるようで、雨でも来る日には茶の間の障子は殊に暗かった。

「ここの家には飽きちゃった。」

と言い出すのは三郎だ。

「父さん、僕と三ちゃんと二人で行って探して来るよ。好い家があったら、父さんは見においで。」

次郎は次郎でこんな風に引受け顔に言って、画作の暇さえあれば一人でも借家を探しに出掛けた。

今更のように、私は住み慣れた家の周囲を見廻した。ここは一番近いポストへちょっと葉書を入れに行くにも二町(2)はある。煙草屋へ二町、湯屋へ三町、行きつけの床屋へも

五、六町はあって、どこへ用達に出掛けるにも坂を上ったり下ったりしなければならない。慣れてみれば、よくそれでも不便とも思わずに暮して来たようなものだ。離れて行こうとするに惜しいほどの周囲でもなかった。

実に些細なことから、私は今の家を住み憂く思うようになったのであるが、その底には、何かしら自分でも動かずにいられない心の要求に迫られていた。七年住んでみれば沢山だ。そんな気持から、兎角心も落ちつかなかった。

ある日も私は次郎と連立って、麻布笄町から高樹町あたりをさんざん探し廻った揚句、住み心地の好さそうな借家も見当らず仕舞いに、空しく植木坂の方へ帰って行った。いつでもあの坂の上に近いところへ出ると、そこに自分等の家路が見えて来る。誰かしら見知った顔にも逢う。暮から道路工事の始まっていた電車通りも石やアスファルトにすっかり敷きかえられて、橡の並木のすがたも何となく見直す時だ。私は次郎と二人でその新しい歩道を踏んで、鮨屋の店の前あたりからある病院のトタン塀に添うて歩いて行った。植木坂は勾配の急な、狭い坂だ。その坂の降り口に見える古い病院の窓、そこにある煉瓦塀、そこにある蔦の蔓、すべて身にしみるように思われて来た。

下女のお徳は家の方に私達を待っていた。私達が坂の下の石段を降りるのを跫音で聴

き知るほど、最早三年近くもお徳は私の家に奉公していた。主婦というもののない私の家では、子供等の着物の世話まで下女に任せてある。このお徳は台所の方から肥った笑顔を見せて、半分子供等の友達のような、慣れ慣れしい口をきいた。

「次郎ちゃん、好い家があって？」

「駄目。」

次郎はがっかりしたように答えて、玄関の壁の上へ鳥打帽(3)をかけた。私も冬の外套を脱いでおいて、借家探しに草臥れた眼を自分の部屋の障子の外に移した。僅かばかりの庭も霜枯れて見えるほど、まだ春も浅かった。

私が早く自分の配偶者を失い、六歳を頭に四人の幼いものをひかえるようになった時から、既にこんな生活は始まったのである。私はいろいろな人の手に子供等を託してみ、いろいろな場所にも置いてみたが、結局父としての自分が進んで面倒を見るよりほかに、母親のない子供等をどうすることも出来ないのを見出した。不自由な男の手一つでも、どうにか吾が児の養えないことはあるまい、その決心に到ったのは私が遠い外国の旅から自分の子供の側に帰って来た時であった。その頃の太郎は漸く小学の課程を終りかけるほどで、次郎はまだ腕白盛りの少年であった。私は愛宕下のある宿屋にいた。二部屋あるその宿屋の離れ座敷を借り切って、太郎と次郎の二人だけをそこから学校へ通わせ

た。食事のたびには宿の女中がチャブ台などを提げながら、母屋の台所の方から長い廊下づたいに、私達の部屋まで支度をしに来てくれた。そこは地方から上京する馴染の客をおもに相手としているような家で、入れ替り立ち替り滞在する客も多い中に、子供を連れながら宿屋住居する私のようなものもめずらしいと言われた。

外国の旅の経験から、私も簡単な下宿生活に慣れて来た。それを私は愛宕下の宿屋に応用したのだ。自分の身のまわりのことはなるべく人手を借りずに。そればかりでなく、子供にあてがう菓子も自分で町へ買いに出たし、子供の着物も自分で畳んだ。

この私達には、いつの間にか、いろいろな隠し言葉も出来た。

「ああ、また太郎さんが泣いちゃった。」

私はよくそれを言った。少年の時分には有りがちなことながら、兎角兄の方は「泣き」やすかったから、夜中に一度ずつは自分で眼をさまして、そこに眠っている太郎を呼び起した。子供の「泣いたもの」の始末にも人知れず心を苦めた。そんなことで顔を紅めさせるでもあるまいと思ったから。

次第に、私は子供の世界に親しむようになった。よく見ればそこにも流行というものがあって、石蹴り、めんこ、剣玉、べい独楽という風に、あるものは流行りあるものは廃れ、子供の喜ぶ玩具の類までが時につれて移り変りつつある。私はまた、二人の子供

の性質の相違をも考えるようになった。正直で、根気よくて、眼をパチクリさせるような癖のあるところまで、何となく太郎は義理ある祖父さんに似て来た。それに比べると次郎は、私の甥を思い出させるような人懐こいところと気象の鋭さとがあった。この弟の方の子供は、宿屋の亭主でも誰でも遣りこめるほどの理窟屋だった。

盆が来て、みそ萩や酸漿で精霊棚(4)を飾る頃には、私は子供等の母親の位牌を旅の鞄の中から取出した。宿屋住居する私達も門口に出て、宿の人達と一緒に麻幹を焚いた。私達は順に迎え火の消えた跡をまたいだ。すると、次郎はみんなの見ている前で、

「どれ、三ちゃんや末ちゃんの分をもまたいで――」

と言って、二度も三度も焼け残った麻幹の上を飛んだ。

「ああいうところは、どうしても次郎ちゃんだ。」

と宿屋の亭主は快活に笑った。

ややもすれば兄を凌ごうとするこの弟の子供を制えて、何を言われても黙って順っているような太郎の性質を延ばして行くということに、絶えず私は心を労しつづけた。その心づかいは、子供から眼を離させなかった。町の空で、子供の泣き声や喧嘩する声でも聞きつけると、私はすぐに座を起った。離れ座敷の廊下に出てみた。それが自分の子供の声でないことを知るまでは安心しなかった。

私のところへは来客も多かった。ある酒好きな友達が、この私を見に来た後で、「久し振りで何処かへ誘おうと思ったが、ああして子供をひかえているところを見ると、どうしてもそれが言い出せなかった、」と人に語ったという。その話を私は他の友達の口から聞いた。でも、私も、引込んでばかりはいられなかった。世間に出て友達仲間に交りたいような夕方でも来ると、私は太郎と次郎の二人を引連れて、いつでも腰巾着づきで出掛けた。

そのうちに、私は末子をもその宿屋に迎えるようになった。私は額に汗する思いで、末子を迎えた。

「二人育てるも、三人育てるも、世話する身には同じことだ。」

と私も考え直した。長いこと親戚の方に預けてあった娘が学齢に達するほど成人して、また親の懐に帰って来たということは、私にとっての新しい歓びでもあった。その頃の末子はまだ人に髪を結ってもらって、お手玉や千代紙に余念もないほどの小娘であった。宿屋の庭のままごとに、松葉を魚の形につなぐことなぞは、殊にその幼い心を楽ませた。兄達の学校も近かったから、海老茶色の小娘らしい袴に学校用の鞄で、末子をもその宿屋から通わせた。にわかに夕立でも来そうな空の日には、私は娘の雨傘を小脇にかかえて、それを学校まで届けに行くことを忘れなかった。

私達親子のものは、足掛二年ばかりの宿屋住居の後で、そこを引揚げることにした。愛宕下から今の住居のあるところまでは、歩いてもそう遠くない。電車の線路に添うて長い榎坂を越せば、やがて植木坂の上に出られる。私達は宿屋の離れ座敷にあった古い本箱や机や箪笥なぞを荷車に載せ、相前後して今の住居に引移って来たのである。

今の住所へは私も多くの望みをかけて移って来た。婆やを一人雇い入れることにしたのもその時だ。太郎は既に中学の制服を着る年頃であったから、すこし遠くても電車で私の母校の方へ通わせ、次郎と末子の二人を愛宕下の学校まで毎日歩いて通わせた。その頃の私は二階の部屋に陣取って、階下を子供等と婆やにあてがった。

しばらくするうちに、私は二階の障子の側で自分の机の前に坐りながらでも、階下に起るいろいろな物音や、話声や、客のおとずれや、子供等の笑う声までを手に取るように知るようになった。それもそのはずだ。餌を拾う雄鶏の役目と、羽翅をひろげて雛を隠す母鶏の役目とを兼ねなければならなかったような私であったから。

どうかすると、末子の啜り泣く声が階下から伝わって来る。それを聞きつけるたびに、私はしかけた仕事を捨てて、梯子段を駆け降りるように二階から降りて行った。

私は直ぐ茶の間の光景を読んだ。いきなり箪笥の前へ行って、次郎と末子の間に入っ

た。太郎は、と見ると、そこに争っている弟や妹をなだめようでもなく、ただ途方に暮れている。婆やまでそこいらにまごまごしている。

私は何も知らなかった。末子が何をしたのか、どうして次郎がそんなにまで平素の機嫌をそこねているのか、さっぱり分らなかった。ただただ私は、まだ兄達二人との馴染も薄く、こころぼそく、兎角里心(さとごころ)を起しやすくている新参者の末子がそこに泣いているのを見た。

次郎は妹の方を鋭く見た。そして言った。

「女のくせに、威張っていやがらあ。」

この次郎の怒気を帯びた調子が、はげしく私の胸を打った。

兄とはいっても、その頃の次郎は漸く十三歳ぐらいの子供だった。日頃感じやすく、涙もろく、それだけ激しやすい次郎は、私の蔭に隠れて泣いている妹を見ると、さもいまいましそうに、

「父さんが来たと思って、好(い)い気になって泣くない。」

「喧嘩は止(よ)せ。末ちゃんを打つなら、さあ父さんを打て。」

と私は箪笥の前に立って、ややもすれば妹をめがけて打ちかかろうとする次郎を遮(さえぎ)った。私は身をもって末子を庇護(かば)うようにした。

「父さんが見ていないと直ぐこれだ。」とまた私は次郎に言った。「どうしてそう解らないんだろうなあ。末ちゃんはお前達とは違うじゃないか。他から父さんの家へ帰って来た人じゃないか。」

「末ちゃんのお蔭で、僕が父さんに叱られる。」

その時、次郎は子供らしい大声を揚げて泣き出してしまった。

私は家の内を見廻した。丁度町では米騒動以来の不思議な沈黙がしばらくあたりを支配した後であった。市内電車従業員の罷業(5)の噂も伝わって来る頃だ。植木坂の上を通る電車も稀だった。たまに通る電車は町の空に悲壮な音を立てて、窪い谷の下にあるような私の家の四畳半の窓まで物凄く響けて来ていた。

「家の内も、外も、嵐だ。」

と私は自分に言った。

私が二階の部屋を太郎や次郎にあてがい、自分は階下へ降りて来て、玄関側の四畳半に坐るようになったのも、その時からであった。そのうちに、私は三郎をも今の住居の方に迎えるようになった。私は独りで手を揉みながら、三郎をも迎えた。

「三人育てるも、四人育てるも、世話する身には同じことだ。」

と末子を迎えた時と同じようなことを言った。それからの私は、茶の間にいる末子の

よく見えるようなところで、二階の梯子段を昇ったり降りたりする太郎や次郎や三郎の跫音もよく聞えるようなところで、ずっと坐り続けてしまった。

こんな世話も子供だから出来た。私は足掛五年近くも奉公していた婆やにも、それから今のお徳にも、串談半分によくそう言って聞かせた。もしこれが年寄りの世話であったら、いつまでも一つ事を気に掛けるような年老いた人達を奈何してこんなに養えるものではないと。

私達がしきりに探した借家も容易に見当らなかった。好ましい住居もすくないものだった。三月の節句も近づいた頃に、また私は次郎を連れて一軒別の借家を見に行って来た。そこは次郎と三郎とで精しい見取図まで取って来た家で、二人ともひどく気に入ったと言っていた。青山五丁目まで電車で、それから数町ばかり歩いて行ったところを左へ折れ曲ったような位置にあった。部屋の数が九つもあって、七十五円なら貸す。それでも家賃が高過ぎると思うなら、今少しは引いてもいいと言われるほど長く空屋になっていた古い家で、造作もよく、古風な中二階など殊におもしろく出来ていたが、部屋が多過ぎて未だに借手がないとのこと。よっぽど私も心が動いて帰って来たが、一晩寝て考えた上に、自分の住居には過ぎたものとあきらめた。

適当な借家の見当り次第に移って行こうとしていた私の家では、障子も破れたまま、かまわずに置いてあった。それが気になるほど眼について来た。せめて私は毎日眺め暮す身のまわりだけでも繕いたいと思って、障子の切張りなどをしていると、そこへ次郎が来て立った。

「父さん、障子なんか張るのかい。」

次郎はしばらくそこに立って、私のすることを見ていた。

「引越して行く家の障子なんか、どうでもいいのに。」

「だって、七年も雨露を凌いで来た屋根の下じゃないか。」

と私は言ってみせた。

煤けた障子の膏薬張り(6)を続けながら、私は更に言葉をつづけて、

「ホラ、この前に見て来た家サ。あそこはまるで主人公本位に出来た家だね。主人公さえ好ければ、他のものなぞはどうでも好いという家だ。ただ、主人公の部屋だけが立派だ。ああいう家を借りて住む人もあるかなあ。そこへ行くと、二度目に見て来た借家の方がどのくらい好いか知れないよ。いかに言っても、父さんの家には大き過ぎるね。」

「僕も最初見つけた時に、大き過ぎるとは思ったが――」

この次郎は私の話を聞いているのかと思ったら、何かもじもじしていた後で、私の前

に手をひろげてみせた。

「父さん、月給は？」

この「月給」が私を笑わせた。毎月、私は三人の子供に「月給」を払うことにしていた。月の初と半ばとの二度に分けて、半月に一円ずつの小遣を渡すのを私の家ではそう呼んでいた。

「今月はまだ出さなかったかねえ。」

「父さん、きょうは二日だよ。三月の二日だよ。」

それを聞いて、私は黒いメリンスを巻きつけた兵児帯(7)の間から蝦蟇口を取出した。その中にあった金を次郎に分け、丁度そこへ屋外からテニスの運動具をさげて帰って来た三郎にも分けた。

「へえ、末ちゃんにも月給。」

と私は言って、茶の間の廊下の外で古い風琴を静かに鳴らしている娘のところへも分けに行った。その時、銀貨二つを風琴の上に載せた戻りがけに、私は次郎や三郎の方を見て、半分串談の調子で、

「天麩羅の立食なんか、ごめんだぜ。」

「父さん、そんな立食なんかするものか。そこは心得ているから安心してお出よ。」と

次郎は言った。

楽しい桃の節句の季節は来る、月給にはありつく、やがて新しい住居での新しい生活も始められる、その一日は子供等の心を浮き立たせた。末子も大きくなって、もう雛いじりでもあるまいというところから、茶の間の床には古い小さな雛と五人囃子(ばやし)などをしるしばかりに飾ってあった。それも子供等の母親がまだ達者な時代からの形見として残ったものばかりだった。私が自分の部屋に戻って障子の切張を済ます頃には、茶の間の方で子供等のさかんな笑い声が起った。お徳の賑(にぎや)かな笑い声もその中に混って聞えた。

見ると、次郎は雛壇の前あたりで、大騒ぎを始めた。暮の築地小劇場(8)で「子供の日」のあった折に、たしか「そら豆の煮えるまで(9)」に出て来る役者から見て来たらしい身振り、手真似が始まった。次郎はしきりに調子に乗って、手を左右に振りながら茶の間を踊って歩いた。

「オイ、父さんが見てるよ。」

と言って、三郎はそこへ笑いころげた。

私達の心は既に半分今の住居(すまい)を去っていた。

　私は茶の間に集まる子供等から離れて、独りで自分の部屋を歩いてみた。僅かばかりの庭を前にした南向きの障子からは、家中で一番静かな光線が射して来ている。東は窓だ。二枚の硝子戸越しに、隣りの大屋さんの高い塀と樫の樹とがこちらを見おろすように立っている。その窓の下には、地下室にでもいるような静かさがある。

　丁度三年ばかり前に、五十日あまりも私の寝床が敷きづめに敷いてあったのも、この四畳半の窓の下だ。思いがけない病が五十の坂を越した頃の身に起って来た。私はどっと床についた。その時の私は再び起つことも出来まいかと人に心配されたほどで、茶の間に集まる子供等まで一時沈まり返ってしまった。

　どうかすると、子供等のすることは、病んでいる私をいらいらさせた。

「父さんを怒らせることが、父さんの身体には一番悪いんだぜ。それくらいのことがお前達に解らないのか。」

　それを私が寝ながら言ってみせると、次郎や三郎は頭をかいて、すごすごと障子のかげの方へ隠れて行ったこともある。

　それからの私はこの部屋に臥たり起きたりして暮した。めずらしく気分の好い日が来た後には、また疲れやすく、眩暈心地のするような日が続いた。毎朝の気分がその日その日の健康を予報する晴雨計(10)だった。私の健康も確実に恢復する方に向って行ったが、

いかに言ってもそれが遅緩で、もどかしい思いをさせた。何程の用心深さで私は折々の暗礁を乗り越えようと努めて来たか知れない。この病弱な私が、兎も角も住居を移そうと思い立つまでに漕ぎつけた。私は何かこう眼に見えないものが群がり起って来るような心持で、本棚がわりに自分の蔵書のしまってある四畳半の押入をもあけて見た。いよいよこの家を去ろうと心をきめてからは、押入の中なぞも、まるで物置のようになっていた。世界を家とする巡礼者のような心であちこちと提げ廻った古い鞄——その外国の旅の形見が、まだそこに残っていた。

「子供でも大きくなったら。」

私はそればかりを願って来たようなものだ。あの愛宕下の宿屋の方で、太郎と次郎の二人だけを側に置いた頃は、まだそれでも自由がきいた。腰巾着附きでも何でも自分の行きたいところへ出掛けられた。末子を引取り、三郎を引取りするうちに、眼には見えなくても降り積る雪のような重いものが、次第に深くこの私を埋めた。

しかし私は独りで子供を養ってみているうちに、だんだん小さなものの方へ心をひかれるようになって行った。年若い時分には私も子供なぞはどうでもいいと考えた。反って足手纏いだぐらいに考えたこともあった。知る人もすくない遠い異郷の旅なぞをして

み、帰国後は子供の側に暮してみ、次第に子供の世界に親しむようになってみると、以前に足手纏いのように思ったその自分の考え方を改めるようになった。世はさびしく、時は難い。明日は、明日はと待ち暮してみても、いつまで待ってもそんな明日がやって来そうもない。眼前(めのまえ)に見る事柄から起って来る多くの失望と幻滅の感じとは、いつでも私の心を子供に向けさせた。

そうはいっても、私が自分の直ぐ側にいるものの友達になれた訳ではない。私は今の住居に移ってから、三年も子供の大きくなるのを待った。その頃は太郎もまだ中学へ通い、婆やも家に奉公していた。釣だ遠足だといって日曜毎に次郎もじっとしていなかった時代だ。一体、次郎はおもしろい子供で、一人で家の内を賑(にぎや)かしていた。夕飯後の茶の間に家のものが集まって、電燈の下で話し込む時が来ると、弟や妹の聞きたがる怪談なぞを始めて、夜の更(ふ)けるのも知らずに、皆を恐がらせたり楽(たの)しませたりするのも次郎だ。そのかわり、いたずらも烈(はげ)しい。私がよく次郎を叱ったのは、この児をたしなめようと思ったばかりでなく、一つには婆やと子供等の間を調節したいと思ったからで。太郎贔屓の婆やは、何かにつけて「太郎さん、太郎さん」で、それが次郎をいらいらさせた。

この次郎がいつになく顔色を変えて、私のところへやって来たことがある。

「我儘(わがまま)だ、我儘だって、どこが、我儘だ。」

見ると次郎は顔色も青ざめ、少年らしい怒りに震えている。何がそんなにこの児を憤らせたのか、よく思い出せない。しかし、私も黙ってはいられなかったから、

「お前の暴れ者は研究所でも評判だというじゃないか。」

「誰が言った――」

「弥生町の奥さんがいらしった時に、なんでもそんな話だったぜ。」

「知りもしないくせに――」

次郎が私に向って、こんな風に強く出たことは、後にも先にもない。急に私は自分を反省する気にもなったし、言葉の上の争いになってもつまらないと思って、それぎり口をつぐんでしまった。

次郎がぷいと表へ出て行った後で、太郎は二階の梯子段を降りて来た。その時、私は太郎をつかまえて、

「お前はあんまり温順過ぎるんだ。お前が一番の兄さんじゃないか。次郎ちゃんに言って聞かせるのも、お前の役じゃないか。」

太郎はこの側杖を喰うと、持前のように口を尖らしたぎり、物も言わないで引き下ってしまった。そういう場合に、私のところへ来て太郎を弁護するのは、いつでも婆やだった。

しかし、私は子供を叱っておいては、いつでも後で悔いた。自分ながら、自分の声とも思えないような声の出るに呆れた。私は独りで唇を噛んで、仕事もろくろく手につかない。片親の悲しさには、私は子供を叱る父であるばかりでなく、そこへ提げに出る母をも兼ねなければならなかった。丁度三時の菓子でも出す時が来ると、一人で二役を兼ねる俳優のように、私は母の方に早替りして、茶の間の火鉢の側へ盆を並べた。次郎の好きな水菓子なぞを載せて出した。

「さあ、次郎ちゃんもおあがり。」

すると、次郎はしぶしぶそれを食って、やがて機嫌を直すのであった。

私の四人の子供の中で、三郎は太郎と三つちがい、次郎とは一つちがいの兄弟にあたる。三郎は次郎の暴れ屋ともちがい、また別の意味で、よく私の方へ突きかかって来た。何をこしらえて食わせ、何を買って来てあてがっても、この児はまだ物足りないような顔ばかりを見せた。私の姉の家の方から帰って来たこの児は、容易に胸を開こうとしなかったのである。上に二人も兄があって絶えず頭を押えられることも、三郎を不平にしたらしい。それに、次郎贔屓のお徳が婆やに替って私の家へ奉公に来るようになってからは、今度は三郎が納まらない。丁度婆やの太郎贔屓で、兎角次郎が納まらなかったように。

「三ちゃん、人を抓っちゃいやですよ。ひどいことをするのねえ、この人は。」

「なんだ。なんにもしやしないじゃないか。ちょっと触ったばかりじゃないか――」

お徳と三郎の間には、こんな小ぜり合いが絶えなかった。

「父さんはお前達を悪くするつもりでいるんじゃないよ。お前達を好くするつもりで育てているんだよ。母さんでも生きてて御覧、どうして言うことをきかないような子供は、よっぽどひどい目に逢うんだぜ――あの母さんは気が短かかったからね。」

それを私は子供等に言い聞かせた。あまり三郎が他人行儀なのをみると、時には私は思い切り打ち懲そうと考えたこともあった。ところが、幼少な時分から自分の側に置いた太郎や次郎を打ち懲すことは出来ても、十年他に預けておいた三郎に手を下すことは、どうしても出来なかった。ある日、私は自分の忿りを制えきれないことがあって、今の住居の玄関のところで、思わずそこへやって来た三郎を打った。不思議にも、その日からの三郎は反って私に馴染むようになって来た。その時も私は自分の手荒な仕打ちを後で悔いはしたが。

「十年他へ行っていたものは、父さんの家へ帰って来るまでに、どうしたってまた十年はかかる。」

私はそれを家のものに言ってみせて、よく嘆息した。

私達が住慣れた家の二階は東北が廊下になっている。窓が二つある。その一つからは、小高い石垣と板塀とを境に、北隣の家の茶の間の白い小障子まで見える。三郎はよくその窓へ行った。遠い郷里の方の木曾川の音や少年時代の友達のことなぞを思い出し顔に、その窓のところでしきりに鶯の啼声の真似を試みた。

「うまいもんだなあ。とても鶯の名人だ。」

三郎は階下の台所に来て、そこに働いているお徳にまで自慢して聞かせた。

ある日、この三郎が私のところへ来て言った。

「父さん、僕の鶯を聴いた？　僕がホウウホケキョとやると、隣の家の方でもホウホケキョとやる。僕は隣の家に鶯が飼ってあるのかと思った。それほど僕もうまくなったかなあと思った。ところがねえ、本物の鶯が僕に調子を合せていると思ったのは、大間違いサ。それが隣の家に泊っている大学生サ。」

何かしら常に不満で、常に独りぼっちで、自分のことしか考えないような顔付をしている三郎が、そんな鶯の真似なぞを思いついて、寂しい少年の日を僅かに慰めているのか。そう思うと、私はこの子供を笑えなかった。

「母さんさえ達者でいたら、こんな思いを子供にさせなくとも済んだのだ。もっと子供も自然に育ったのだ。」

と私も考えずにはいられなかった。

私が地下室に譬(たと)えてみた自分の部屋の障子へは、町の響(ひびき)が遠く伝わって来た。私はそれを植木坂の上の方にも、浅い谷一つ隔てた狸穴(まみあな)の坂の方にも聞きつけた。私達の住む家は西側の塀を境に、ある邸(やしき)つづきの抜け道に接していて、小高い石垣の上を通る人の跫音(あしおと)や、いろいろな物売りの声がそこにも起った。何処の石垣の隅で鳴くとも知れないような、ほそぼそとした地虫の声も耳に入る。私は庭に向いた四畳半の縁先へ鋏(はさみ)を持出して、よく延びやすい自分の爪を切った。

どうかすると、私は子供と一緒になって遊ぶような心も失ってしまい、自分の狭い四畳半に隠れ、庭の草木を友として、僅かに独りを慰めようとした。子供は到底母親だけのものか、父としての自分は偶然に子供の内を通り過ぎる旅人に過ぎないのか――そんな嘆息が、時には自分を憂鬱にした。そのたびに気を取り直して、また私は子供を護ろうとする心に帰って行った。

安い思いもなしに、移り行く世相を眺めながら、独りでじっと子供を養って来た心地はなかった。しかし子供はそんな私に頓着していなかったようにみえる。

七年も見ているうちには、みんなの変って行くにも驚く。震災の来る前の年あたりに

は太郎は既に私の側にいなかった。この児は十八の歳に中学を辞して、私の郷里の山地の方で農業の見習いを始めていた。これは私の勧めによることだが、太郎もすっかりその気になって、長い支度に取掛った。ラッケットを鍬に代えてからの太郎は、学校時代よりもずっと元気づいて来て、翌年あたりにはもう七貫目(11)ほどの桑を背負い得るような若者であった。

　次郎と三郎も変って来た。私が五十日あまりの病床から身を起して、発病以来初めての風呂を浴びに、鼠坂から森元町の湯屋まで静かに歩いた時、兄弟二人とも心配して私のからだを洗いに随いて来たくらいだ。私の顔色はまだ悪かった。私は小田原の海岸まで保養を思い立ったこともある。その時も次郎は先きに立って、弟と一緒に、小田原の停車場まで私を送りに来た。

　やがて大地震だ。私達は引続く大きな異変の渦の中にいた。私が自分の側にいる兄妹三人の子供の性質をしみじみ考えるようになったのも、早川賢というような思いがけない人の名を三郎の口から聞きつけるようになったのも、その頃からだ。

　毎日のような三郎の「早川賢、早川賢」は家のものを悩ました。昨日は何十人の負傷者がこの坂の上をかつがれて通ったとか、今日は焼跡へ焼跡へと歩いて行く人達が舞上る土ぼこりの中に続いたとか、そういう混雑がやや沈まって行った頃に、幾万もの男や

女の墓地のような焼跡から、三つの疑問の死骸が暗い井戸の中に見出されたという驚くべき噂が伝わった。

「ああ――早川賢も遂に死んでしまったか。」

この三郎の感傷的な調子には受売（うけうり）らしいところもないではなかったが、まだ子供だ子供だとばかり思っていたものが最早（もう）こんなことを言うようになったかと考えて、むしろ私にはこの児の早熟が気に掛（かか）った。

震災以来、しばらく休みの姿であった洋画の研究所へも、またポツポツ研究生の集まって行く頃であった。そこから三郎が目を光らせて帰って来るたびにいつでも同じ人の噂をした。

「僕等の研究所にはおもしろい人がいるよ。「早川賢だけは、生かしておきたかったねえ」――だとサ。」

無邪気な三郎の顔を眺めていると、私はそう思った。何程（どれほど）の冷い風が毎日この児の通う研究所あたりまでも吹き廻している事かと。私はまた、そう思った。あの米騒動以来、誰しもの心を揺り動かさずにはおかないような時代の焦躁が、右も左もまだほんとうにはよく分らない三郎のようなところまでもやって来たかと。私は屋外（そと）からいろいろなことを聞いて来る三郎を見るたびに、ちょうど強い雨にでも濡れながら帰って来る

自分の子供を見る気がした。

私達の家では、坂の下の往来への登り口にあたる石段の側の塀のところに、大きな郵便箱を出してある。毎朝の新聞はそれで配達を受けることにしてある。取出して来て見ると、一日として何か起っていない日はなかった。あの早川賢が横死を遂げた際に、同じ運命を共にさせられたという不幸な少年一太のことなぞも、さかんに書き立ててあった。またかと思うような号外売がこの町の界隈（かいわい）へも鈴を振り立てながら走ってやって来て、大袈裟な声で、そこいらに不安を撒（ま）きちらして行くだけでも、私達の神経が尖らずにはいられなかった。私は、年もまだ若く心も柔（やわらか）い子供等の眼から、殺人、強盗、放火、男女の情死、官公吏の腐敗、その他胸も塞がるような記事で満たされた毎日の新聞を隠したかった。生憎（あいにく）と、世にも稀に見る可憐な少年の写真が、ある日の紙面の一隅に大きく掲げてあった。評判の一太だ。美しい少年の生前の面影はまた、一層その死をあわれに見せていた。

末子やお徳は茶の間に集まって、その日の新聞をひろげていた。そこへ三郎が研究所から帰って来た。

「あ——一太。」

三郎は直ぐにそれへ眼をつけた。読みさしの新聞を妹やお徳の前に投げ出すようにし

て言った。

「こんな、罪もない子供までも殺す必要がどこにあるだろう――」

その時の三郎の調子には、子供とも思えないような力があった。

しかし、これほどの熱狂もいつの間にか三郎の内を通り過ぎて行った。伸び行くさかりの子供は、一つところに止(とど)まろうとしていなかった。どんどん昨日のことを捨てて行った。

「オヤ――三ちゃんの「早川賢」もどうしたろう。」

と、ふと私が気づいた頃は、あれほど一時大騒ぎした人の名も忘れられて、それが「木下繁、木下繁」に変っていた。木下繁も最早(もう)故人だが、一時は研究所あたりに集まる青年美術家の憧憬(しょうけい)の的となった画家で、みんなから早い病死を惜まれた人だ。

その時になってみると、新しいものを求めて熱狂するような三郎の気質が、何となく私の胸に纏(まと)まって浮んで来た。どうしてこの児がこんなに大騒ぎをやるかというに――早川賢にしても、木下繁にしても――彼等がみんな新しい人であるからであった。

「父さんは知らないんだ――僕等の時代のことは父さんには解らないんだ。」

訴えるようなこの児の眼は、何よりも雄弁にそれを語った。私も万更(まんざら)、こうした子供の気持が解らないでもない。よりすぐれたものとなるためには、自分等から子供を叛(そむ)か

せたい――それくらいのことは考えない私でもない。それにしても、少年らしい不満でさんざん子供から苦められた私は、今度はまた新しいもので責められるようになるのかと思った。

末子も眼に見えてちがって来た。堅肥りのした体格から顔つきまで、この娘はだんだんみんなの母親に似て来た。上は男の子供ばかりの殺風景な私の家にあっては、この娘が茶の間の壁のところに小乾す着物の類も眼につくようになった。それほど私の家には女らしいものも少なかった。

今の住居の庭は狭くて、私が猫の額に譬えるほどしかないが、それでも薔薇や山茶花は毎年のように花が絶えない。花の好きな末子は茶の間から庭へ降りて、僅かばかりの植木を見に行くことにも学校通いの余暇を慰めた。今の住居の裏側にあたる二階の窓のところへは、巣をかけに来る蜂があって、それが一昨年も来、去年も来、何か私の家には好い事でもある前兆のように隣近所の人達から騒がれたこともある。末子はその窓の見える抜け道を通っては毎日学校の方から帰って来た。そして、好きな裁縫や編物のような、静かな手芸に飽きることを知らないような娘であった。そろそろ女の洋服が流行って来て、女学校通いの娘達が靴だ帽子だと新規な風俗をめずらしがる頃には、末子も紺地の上着に襟のところだけ紫の刺繍のしてある質素な服をつくった。その短い上着の

まま、早い桃の実の色した素足を脛のあたりまであらわしながら、茶の間を歩き廻るなぞも、今までの私の家には見られなかった図だ。

この娘がぱったり洋服を着なくなった。私も多少本場を見て来たその自分の経験から、「洋服のことなら父さんに相談するがいいぜ」なぞと末子に話したり、帯で形をつけることは東西の風俗ともに変りがないと言い聞かせたりして、初めて着せてみる娘の洋服には母親のような注意を払った。十番で用の足りないものは、銀座まで買いにお徳を娘につけてやった。それほどにして造りあげた帽子も、服も、附属品一切も、僅か二月ほどの役にしか立たないことを知った時に私も驚いた。

「串談じゃないぜ。あの上着は十八円もかかってるよ。そんなら初めから洋服なぞを造らなければいいんだ。」

日頃父一人を頼りにしている娘も、その時ばかりは私の言うことを聞入れようとしなかった。お徳がそこへ来て、

「どうしても末子さんは着たくないんだそうですよ。洋服はもう要らないから、欲しい人があったら誰かに進げて下すってもいいなんて……」

こういう場合に、末子の代弁をつとめるのは、いつでもこの下女だった。それにしても、どうかして私は折角新調したものを役に立てさせたいと思って、

「洋服を着るんなら、父さんがまた築地小劇場を奢る。」と言ってみせた。すると、お徳がまた娘の代りに立って来て、

「築地へは行きたいし、どうしても洋服は着たくないし……」

それが娘の心持だった。その時、お徳はこんなことも附けたして言った。

「よくよく末子さんも、あの洋服がいやになったとみえますよ。もしかしたら、屑屋に売ってくれてもいいなんて……」これほどの移りやすさが年若な娘の内に潜んでいようとは、私も思いがけなかった。でも、私も子に甘い証拠には、何かの理由さえあれば、それで娘の我儘を許したいと思ったのである。お徳に言わせると、末子の同級生で新調の校服を着て学校通いをするような娘は今は一人もないとのことだった。

「そんなに、みんな迷っているのかなあ。」

「なんでも「赤襟の姉さん」(12)なんて、次郎ちゃん達がからかったものですから、あれから末子さんも着なくなったようですよ。」

「まあ、あの洋服はしまっておくサ。また役に立つ日も来るだろう。」

到頭私には娘の我儘を許せるほどのはっきりした理由も見当らず仕舞であった。私は末子の「洋服」を三郎の「早川賢」や「木下繁」にまで持って行って、娘は娘なりの新しいものに迷い苦んでいるのかと想ってみた。時には私は用達のついでに、坂の上の電

車路を六本木まで歩いてみた。婦人の断髪はやや下火でも、洋装はまだこれからという頃で、思い思いに流行の風俗を競おうとするような女学校通いの娘達が右からも左からもあの電車の交叉点に群がり集っていた。

私達親子のものが今の住居を見捨てようとした頃には、こんな新らしいものも遠い「昨日」のことのようになっていた。三郎なぞは、「木下繁」ですら最早問題でないという顔付で、仏蘭西最近の画界を代表する人達――殊に、ピカソオなぞを口にするような若者になっていた。

「父さん、今度来たビッシェール(13)の画は随分変っているよ。あの人は、どんどん変って行く――確かに、頭が好いんだろうね、頭が好いんだろうね。」

この児の「頭が好いんだろうね」には私も吹き出してしまった。

私の話相手――三人の子供等はそれぞれに動き変りつつあった。三人の中でも兄さん顔の次郎なぞは、五分刈であった髪を長めに延ばして、紺飛白の筒袖を袂に改めた――それもすこしきまりの悪そうに。顔だけはまだ子供のようなあの末子までが、いつの間にか本裁の着物を着て、女らしい長い裾をはしょりながら、茶の間を歩き廻るほどに成人した。

「子供でも大きくなったら。」

長いこと待ちに待ったその日が、漸く私のところへやって来るようになった。しかしその日が来る頃には、私はもう動けないような人になってしまうかと思うほど、そんなに長く坐り続けた自分を子供等の側に見出した。

「強い嵐が来たものだ。」

と私は考えた。

「父さん――家はありそうで、なかなか無いよ。僕と三ちゃんとで毎日のように歩いてみた。二人ですっかり探してみた。この麻布から青山辺へかけて、もう僕等の歩かないところはない……」

と次郎が言う頃は、私達の借家探しも一ト休みの時だった。なるべく末子の学校へ遠くないところに、そんな註文があった上に、好さそうな貸家も容易に見当らなかったのである。あれからまた一軒あるにはあって、借手のつかないうちにと大急ぎで見に行って来た家は、既に約束が出来ていた。今の住居の南隣に三年ばかりも住んだ家族が私達よりも先に郊外の方へ引越して行ってしまってからは、一層周囲もひっそりとして、私達の庭へ来る春も遅かった。

めずらしく心持の好い日が私には続くようになった。私は庭に向いた部屋の障子をあ

けて、兎角気になる自分の爪を切っていた。そこへ次郎が来て、

「父さんは何処へも出掛けないいんだねえ。」

とさも心配するように、それを顔にあらわして言った。

「どうして父さんの爪はこう延びるんだろう。こないだ切ったばかりなのに、もうこんなに延びちゃった。」

と私は次郎に言ってみせた。貝爪というやつで、切っても、切っても、延びて仕方がない。こんなことはずっと以前には私も気付かなかったことだ。

「父さんも弱くなったなあ。」

と言わぬばかりに次郎はややしばらくそこにしゃがんで、私のすることを見ていた。丁度三郎も作画に疲れたような顔をして、油画の筆でも洗いに二階の梯子段を降りて来た。

「御覧、お前達がみんなで噛るもんだから、父さんの脛はこんなに細くなっちゃった。」

私は二人の子供の前へ自分の足を投げ出してみせた。病気以来肉も落ち痩せ、ずっと以前には信州の山の上から上州下仁田まで二十里の道を歩いたこともある脛とは自分ながら思われなかった。

「脛嚙り（すねかじ）と来たよ。」

次郎は弟の方を見て笑った。

「太郎さんを入れると、四人もいて嚙るんだから、たまらないや。」

と三郎も半分他人の事のように言って笑った。そこへ茶の間の唐紙（からかみ）のあいたところから、ちょいと笑顔を見せたのは末子だ。脛嚙りは、ここにも一人いると言うかのように。

その時まで、三郎は何かもじもじして、言いたいことも言わずにいるという風であったが、

「父さん――ホワイトを一本と、テラ・ロオザ(14)を一本買ってくれない？　絵具が足りなくなった。」

こう切り出した。

「こないだ買ったばかりじゃないか。」

「だって、足りないものは足りないんだもの。絵具がなけりゃ、何も描（か）けやしない。」

と三郎は、不平顔である。すると、次郎は早速弟の言葉をつかまえて、

「あ――また嚙るよ。」

この次郎の串談（じょうだん）が、みんなを吹き出させた。

私は子供等に出して見せた足をしまって、何気なく自分の掌を眺めた。いつでも自分の掌を見ていると、自分の顔を見るような気のするのが私の癖だ。忌々しいことばかりが胸に浮んで来た。私はこの四畳半の天井から沢山な蛆の落ちたことを思い出した。それが私の机の側へも落ち、畳の上へも落ち、掃いても掃いても落ちて来る音のしたことを思い出した。何が腐り爛れたかと薄気味悪くなって、二階の部屋から床板を引きへがして見ると、鼠の死骸が二つまでそこから出て来て、その一つは小さな動物の骸骨でも見るように白く曝されていたことを思い出した。私は恐ろしくなった。何かこう自分のことを形にあらわして見せつけるようなものが、しかもそれまで知らずにいた自分の直ぐ頭の上にあったことを思い出した。

その時になってみると、過ぐる七年を私は嵐の中に坐りつづけて来たような気もする。私のからだにあるもので、何一つその痕跡をとどめないものはない。髪はめっきり白くなり、坐り胼胝は豆のように堅く、腰は腐ってしまいそうに重かった。朝寝の枕もとに煙草盆を引きよせて、寝そべりながら一服やるような癖もついた。私の姉がそれをやった時分に、私はまだ若くて、年取った人達の世界というものを覗いて見たように思ったことを覚えているが、ちょうど今の私がそれと同じ姿勢で。

私はもう一度、自分の手を裏返しにして、鏡でも見るようにつくづくと見た。

「自分の掌（てのひら）はまだ紅（あか）い。」

と独り思い直した。

午後の好い時をみて、私達は茶の間の外にある縁側に集まった。そこには私の意匠した縁台が、縁側と同じ高さに、三尺ばかりも庭の方へ造り足してあって、蘭（あららぎ）、山査子（さんざし）などの植木鉢を片隅の方に置けるだけのゆとりはある。石垣に近い縁側の突当りは、壁によせて末子の小さい風琴（オルガン）も置いてあるところで、その上には時々の用事なぞを書きつける黒板も掛けてある。そこは私達が古い籐椅子（とういす）を置き、簡単な腰掛椅子を置いて、互いに話を持ち寄ったり、庭を眺めたりして来た場処だ。毎年夏の夕方には、私達が茶の間のチャブ台を持ち出して、よく簡単な食事に集まったのもそこだ。

庭にある遅咲きの乙女椿の蕾（つぼみ）も漸くふくらんで来た。それが眼につくようになって来た。三郎は縁台のはなに立って、庭の植木を眺めながら、

「次郎ちゃん、ここの植木はどうなるんだい。」

この弟の言葉を聞くと、それまで妹と一緒に黒板の前に立って何かいたずら書きをしていた次郎が、白墨をそこに置いて三郎のいる方へ行った。

「そりゃ、引抜（ひっこぬ）いて持って行ったって、構うもんか——もとからここの庭にあった植木でさえなければ。」

「八つ手（やつで）も大きくなりゃあがったなあ。」

「あれだって、父さんが植えたんだよ。」

「知ってるよ。山茶花だって、薔薇だって、そうだろう。あの乙女椿だって、そうだろう。」

気の早い子供等は、八つ手や山茶花を車に積んで今にも引越して行くような調子に話し合った。

「そんなにお前達は無造作に考えているのか。」と私はそこにある籐椅子を引きよせて、話の仲間に入った。「父さんぐらいの年齢（とし）になって御覧、家というものはそう無暗（むやみ）に動かせるものでもないに。」

「どこかに好い家はないかなあ。」

と言出すのは三郎だ。すると次郎は私と三郎の間に腰掛けて、

「そう、そう、あの青山の墓地の裏手のところが、まだすこし残ってる。この次にはあそこを歩いてみるんだナ。」

「なにしろ、日あたりが好くて、部屋の都合がよくて、庭もあって、それで安い家と来るんだから、むずかしいや。」と三郎は混ぜ返すように笑い出した。

「もっと大きい家ならある。」と次郎も私に言ってみせた。

「五間(ま)か六間という丁度好いところがない。これはと思うような家があっても、そういうところはみんな人が住んでいてネ。」

「父さん、五間で四十円なんて、こんな安い家を探そうたって無理だよ。」

「そりゃ、ここの家は例外サ。」と私は言った。「まあ、ゆっくり探すんだナ。」

「なにも追い立てを喰ってる訳じゃないんだから――ここにいたって、いられないことはないんだから。」

こう次郎も兄さんらしいところを見せた。

やがて自分等の移って行く日が来るとしたら、どんな知らない人達がこの家に移り住むことか。そんなことがしきりに思われた。庭にある山茶花でも、つつじでも、何度私が植替えて手入れをしたものか知れない。暇さえあれば箒(ほうき)を手にして、自分の友達のようにそれらの木を見に行ったり、落葉を掃いたりした。過ぐる七年の間のことは、そこの土にもここの石にも種々(いろいろ)な痕跡を残していた。

いつの間にか末子は黒板の前を離れて、霜溶けのしている庭へ降りて行った。

「次郎ちゃん、芍薬(しゃくやく)の芽が延びてよ。」

末子は庭にいながら呼んだ。

「蔦の芽も出て来たわ。」

とまた石垣の近くで末子の呼ぶ声も起った。

遠い山地の方に出来かけている新しい家が、別にこの私達に見えて来た。こんな落つかない気持で今の住居(すまい)に暮している中にも、その噂が私達の間に出ない日はなかった。私は郷里の方に売物に出た一軒の農家を太郎のために買取ったからである。それを峠の上から村の中央にある私達の旧家の跡に移し、前の年あたりから大工を入れ、新しい工事を始めさせていた。太郎も既に四年の耕作の見習いを終り、雇い入れた一人の婆やを相手にまだ工事中の新しい家の方に移ったと知らせて来た。彼もどうやら若い農夫として立って行けそうに見えて来た。

一体、私が太郎を田舎に送ったのは、もっとあの子を強くしたいと考えたからで。土に親しむようになってからの太郎は、だんだん自分の思うような人になって行った。それでも私は遠く離れている子の上を案じ暮して、自分が病気している間にも一日もあの山地の方に働いている太郎のことを忘れなかった。郷里の方から来る便りは何程(どれほど)この私を励ましたろう。私はまた次郎や三郎や末子と共に、何程それを読むのを楽しみにしたろう。そういう私は未だに都会の借家住居で、四畳半の書斎でも事は足りると思いながら、自分の子のために永住の家を建てようとすることは、我ながら矛盾した行為だと考

えたこともある。けれども、これから新規に百姓生活に入って行こうとする子には、寝る場所、物食う炉辺、土を耕す農具の類からして求めてあてがわねばならなかった。

私の四畳半に置く机の抽斗の中には、太郎から来た手紙や葉書がしまってある。その中には、もう麦を蒔いたとしたのもある。工事中の家に移って障子を張り唐紙を入れしてみたら、まるで別の家のように見えて来たとしたのもある。これが自分の家かと思うと、何だか恐ろしいような嬉しいような気がして来たとしたのもある。誰に気兼ねもなく、新しい木の香のする炉辺に胡坐をかいて、飯をやっているところだとしたのもある。

ふとしたことから、私は手にしたある雑誌の中に、この遠く離れている子の心を見つけた。それには父を思う心が寄せてあって、いろいろなことがこまごまと書きつけてあった。四人の兄妹の中での長男として、自分は一番長く父の側にいてみたから、それだけ親しみを感ずる心も深いとしたところがあり、それからまた、父の勧農によって自分もその気になり、今では鍬を手にして田園の自然を楽む身であるが、四年の月日も空しく過ぎて行った、これからの自分は新しい家にいて新しい生活を始めねばならない、時には自分は土を相手に戦いながら父のことを思って涙ぐむことがあるとしたところもあり、その中にはまた、父もこの家を見ることを楽みにして郷里の土を踏むような日もやがて来るだろう、寺の鐘は父の健康を祈るかのように、山に沈む夕日は何かの深い暗示

を自分に投げ与えるように消えて行くとしてあったのを覚えている。

最近に、また私は太郎からの葉書を受取っていた。それによって私はあの山地の方に出来かけている農家の工事が風呂場を造るほどはかどったことを知った。何となく鑿や槌の音の聞えて来るような気もした。こんなに私にも気分の好い日が続いて行くようであったら、折を見て、あの新しい家を見に行きたいと思う心が動いた。

長いこと私は友達も訪ねない。日がな一日寂寞に閉される思いをして部屋の黄色い壁も慰みの一つに眺め暮すようなことは、私にとって今日に始まったことでもない。母親のない幼い子供等を控えるようになってから、三年もたつ中に、私は既に同じ思いに行き詰ってしまった。しかし、その頃の私はまだ四十二の男の厄年を迎えたばかりだった。重い病も、老年の孤独というものも知らなかった。このまま坐ったぎりに坐ってしまうのかと思うような、そんな恐ろしさはもとより知らなかった。「みんな、そうですよ。子供が大きくなる時分には、吾が身体がきかなくなりますよ。」と私に言ってみせたある婆さんもある。あんな言葉を思い出してみるのも堪えがたかった。

「父さん、どこへ行くの。」

ちょっと私が屋外へ出るにも、そう言って声を掛けるのが次郎の癖だ。植木坂の下あ

たりには、きまりでその辺の門の脇に立話する次郎の旧い遊び友達を見出す。ある若者は青山師範へ。ある若者は海軍兵学校へ。七年の月日は私の子供を変えたばかりでなく、子供の友達をも変えた。

居住者として町を眺めるのもその春かぎりだろうか、そんな心持で私は鼠坂の方へと歩いた。毎年のように椿の花をつける静かな坂道がそこにある。そこにはもう春がやって来ているようにも見える。

私の足はあまり遠くへ向わなかった。病気以来、殊にそうなった。何か特別の用事でもないかぎり、私は樹木の多いこの町の界隈を歩き廻るだけに満足した。そして、散歩の途中でも家のことが気に掛って来るのが私の癖のようになってしまった。「父さん、僕達が留守居するよ。」と次郎なぞが言ってくれる日を迎えても、ただただ私の足は家の周囲を廻りに廻った。あらゆる嵐から自分の子供を護ろうとした七年前と同じように。

「旦那さん。もうお帰りですか。」

と言って、下女のお徳がこの私を玄関のところに迎えた。お徳の白い割烹着も、見慣れるうちにそうおかしくなくなった。

「次郎ちゃんは?」

「お二階で御勉強でしょう。」

それを聞いてから、私は両手に持てるだけ持っていた袋包をどっかとお徳の前に置いた。

「きょうはみんなの三時にと思って、林檎を買って来た。ついでに菓子も買って来た。」

「旦那さんのように、いろいろなものを買って提げていらっしゃる方もない。」

「そういえば、鼠坂の椿が咲いていたよ。今にもう俺の家の庭へも春がやって来るよ。」

そんな話をしておいて、私は自分の部屋へ行った。

私の心は何となく静かでなかった。実は私は次郎の将来を考えた揚句、太郎に勧めたとは別の意味で郷里に帰ることを次郎にも勧めたいと思いついたからで。長いこと養って来た小鳥の巣から順に一羽ずつ放してやってもいいような、そういう日が既に来ているようにも思えた。しかし私も、それを言い出してみるまでは落ちつかなかった。

丁度、三郎は研究所へ、末子は学校へ、二人とも出掛けて行ってまだ帰らなかった時だった。次郎は最早（もう）毎日の研究所通いでもあるまいという風で、しばらく家に籠っていて描き上げた一枚の油絵を手にしながら、それを私に見せに二階から降りて来た。いつでも次郎が私のところへ習作を持って来て見せるのは弟の居ない時で、三郎がまた見せ

に来るのは兄の居ない時だった。

「どうも光っていけない。」

と言いながら、その時次郎は私の四畳半の壁の側にたてかけた画を本棚の前に置き替えて見せた。兄の描いた妹の半身像だ。

「へえ、末ちゃんだね。」

と私も言って、しばらく次郎と二人してその習作に見入っていた。

「あの三ちゃんが見たら、何と言うだろう。」

その考えが苦しく私の胸へ来た。二人の兄弟の子供が決して互いの画を見せ合わないことを私はもうちゃんとよく知っていた。二人はこんな出発点のそもそもから全く別のものを持って生れて来た画家の卵のようにもみえた。

次郎は画作に苦み疲れたような顔付で、癖のように爪を嚙みながら、

「どうも、糞正直にばかりやってもいけないと思って来た。」

「お前のはあんまり物を見つめ過ぎるんだろう。」

「どうだろう、この手はすこし堅過ぎるかね。」

「そんなことを父さんに相談したって困るよ。父さんは、お前、素人じゃないか。」

その日は私はわざと素気ない返事をした。これが平素なら、私は子供と一緒になって、

何とか言ってみるところだ。それほど実は私も画が好きだ。しかし私は自分の畠にもない素人評が実際子供の励ましになるのかどうか、それにすら迷った。ともあれ、次郎の言うことには、頼ろうとするあわれさがあった。

次郎の作った画を前に置いて、私は自分の内に深く突き入った。そこに吾が子を見た。何となく次郎の求めているような素朴さは、私自身の求めているものでもある。最後からでも歩いて行こうとしているような、ゆっくりと遅い次郎の歩みは、私自身の踏もうとしている道でもある。三郎はまた三郎で、画面の上に物の奥行なぞを無視し、明快に明快にと進んで行っている方で、昨日自分の描いたものを今日は旧いとするほどの変り方だが、あの子のように新しいものを求めて熱狂するような心もまた私自身の内に潜んでいないでもない。父の矛盾は覿面に子に来た。兄弟であって、同時に競争者——それは二人の子供にとって避けがたいことのようにみえた。なるべく思い思いの道を取らせたい。その意味からいっても、私は二人の子供を引き離したかった。

「次郎ちゃん、おもしろい話があるんだが、お前はそれを聞いてくれるか。」

そんなことから切り出して、私はそれまで言い出さずにいた田舎行の話を次郎の前に持ち出してみた。

「半農半画家の生活もおもしろいじゃないか。」と私は言った。「午前は自分の画をか

いて、午後から太郎さんの仕事を助けたってもいいじゃないか。田舎で教員しながら画をかくなんて人もあるが、ほんとうに百姓しながらやるという画家は少い。そこまで腰を据えてかかって御覧、一家を成せるかも知れない。まあ、二、三年は旅だと思って出掛けて行ってみてはどうだね。」

日頃田舎の好きな次郎ででもなかったら、私もこんなことを勧めはしなかった。

「出来るだけ父さんも、お前を助けるよ。」とまた私は言った。「そのかわり、太郎さんと二人で働くんだぜ。」

「僕もよく考えてみよう。こうして東京に愚図愚図していたっても仕方がない。」

と次郎は沈思するように答えて、ややしばらく物も言わずに、私の側を離れずにいた。

四月に入って、私は郷里の方に太郎の新しい家を見に行く心支度を始めていた。いよいよ次郎も私の勧めを容れ、都会を去ろうとする決心がついたので、この子を郷里へ送る前に、私は一足先に出掛けて行って来たいと思った。留守中のことは次郎に預けて行きたいと思う心もあった。日頃家にばかり引籠りがちの私が、こんなに気分の好い日を迎えたことは、家のものを悦ばせた。

「ちょっと三人で、じゃんけんして見ておくれ。」

と私は自分の部屋から声を掛けた。気候はまだ春の寒さを繰返していた頃なので、子供等は茶の間の火鉢の周囲に集まっていた。

「オイ、じゃんけんだとよ。」

何か好い事でも期待するように、次郎は弟や妹を催促した。火鉢の周囲には三人の笑声が起った。

「誰だい、負けた人は。」

「僕だ。」と答えるのは三郎だ。「じゃんけんというと、いつでも僕が貧乏鬮だ。」

「さあ、負けた人は、郵便箱を見て来て。」と私が言った。「もう太郎さんから何とか言って来てもいい頃だ。」

「なあんだ、郵便か。」

と三郎は頭を掻き掻き、古い時計の掛った柱から鍵をはずして、路次の石段の上まで見に出掛けた。

郷里の方からの便りがそれほど待たれる時であった。この旅には私は末子を連れて行こうとしていたばかりでなく、青山の親戚が嫂に姪に姪の子供に三人までも同行したいという相談を受けていたので、いろいろ打ち合せをしておく必要もあったからで。待ち受けた太郎からの葉書を受取って見ると、四月の十五日頃に来てくれるのが一番都合が

いい、それより早過ぎても遅過ぎてもいけない、まだ壁の上塗りもすっかり出来ていないし、月の末になるとまた農家はいそがしくなるからとしてあった。

「次郎ちゃん、父さんが行って太郎さんともよく相談して来るよ。それまでお前は東京に待っておいで。」

「太郎さんのところからも賛成だと言って来ている。ほんとに僕がその気なら、一緒にやりたいと言って来ている。」

「そうサ。お前が行けば太郎さんも心強かろうからナ。」

私は次郎とこんな言葉をかわした。

久し振りで郷里を見に行く私は、土産物をあつめに銀座辺を歩き廻って来るだけでも、額から汗の出る思いをした。暮からずっと続けている薬を旅の鞄に納めることも忘れてはならなかった。私は同伴する人達のことを思い、漸く恢復したばかりのような自分の健康のことも気遣われて、途中下諏訪の宿屋あたりで疲れを休めて行こうと考えた。やがて、四月の十三日という日が来た。いざ旅となれば、私も遠い外国を遍歴して来たことのある気軽な自分に帰った。古い鞄も、古い洋服も、まだそのまま役に立った。連れて行く娘の支度も出来た。そこで出掛けた。

この旅には私はいろいろな望みを掛けて行った。長い支度と親子の協力とから出来た

ような新しい農家を見る事もその一つであった。七年の月日の間に数えるほどしか離れられてなかった今の住居から離れ、あの恵那山の見えるような静かな田舎に身を置いて、深い溜息でも吐いて来たいと思う事もその一つであった。私の側には、三十年振りで郷里を見に行くという年老いた嫂もいた。姪が連れていたのはまだ乳離れもしないほどの男の児であったが、直ぐに末子に慣れて、汽車の中で抱かれたり、その膝に乗ったりした。それほど私の娘も子供好きだ。その児は時々末子の側を離れて、母の懐をさぐりに行った。

「叔父さん、ごめんなさいよ。」

と言って、姪は幾人もの子供を生んだことのある乳房を小さなものにふくませながら話した。そんなにこの人は気の置けない道連れだ。

「そういえば、太郎さんの家でも、屋号をつけたよ。」と私は姪に言ってみせた。「みんなで相談して田舎風に「よもぎや」とつけた。それを「蓬屋」と書いたものか、「四方木屋」と書いたものかというんで、いろいろな説が出たよ。」

「そりゃ、「蓬屋」と書くよりも、「四方木屋」と書いた方がおもしろいでしょう。いかにも山家らしくて。」

こんな話も旅らしかった。

甲府まで乗り、富士見まで乗って行くうちに、私達は山の上に残っている激しい冬を感じて来た。下諏訪の宿へ行って日が暮れた時は、私は連れのために真綿を取寄せて着せ、また翌(あく)る日の旅を続けようと思うほど寒かった。——それを嫂(あによめ)にも着せ、姪にも着せ、末子にも着せて。

中央線の落合川駅まで出迎えた太郎は、村の人達と一緒に、この私達を待っていた。木曾路に残った冬も三留野(みどの)あたりまでで、それから西は既に花のさかりであった。水力電気の工事で堰(せ)き留められた木曾川の水が大きな渓の間に見えるようなところで、私はカルサン姿の太郎と一緒になることが出来た。そこまで行くと次郎達の留守居する東京の方の空も遠かった。

「漸(よう)く来た。」

と私はそれを太郎にも末子にも言ってみせた。

年とった嫂だけは山駕籠(やまかご)、(15)その他のものは皆徒歩で、それから一里ばかりある静かな山路を登った。路傍に咲く山躑躅(やまつつじ)でも、菫(すみれ)でも、都会育ちの末子を楽ませた。登れば登るほど青く澄んだ山の空気が私達の身に感じられて来た。旧い街道の跡が一筋眼につくところまで進んで行くと、そこはもう私の郷里の入口だ。途中で私は森さんという人の出迎えに来てくれるのに逢った。森さんは太郎より七、八歳ほども年長な友達で、太郎

が四年の農事見習いから新築の家の工事まで、ほとんど一切の世話をしてくれたのもこの人だ。

郷里に帰るものの習いで、私は村の人達や村の子供達の物見高い眼を避けたかった。今だに古い駅路の名残を見せているような坂の上の方からは、片側に続く家々の前に添うて、細い水の流れが走って来ている。勝手を知った私はある抜け道を取って、丁度その村の裏側へ出た。太郎は私の直ぐ後から、すこしおくれて姪や末子も随いて来た。私は太郎の耕しに行く畠がどっちの方角に当るかを尋ねることすら楽みに思いながら歩いた。私の行く先にあるものは幼い日の記憶を喚び起すようなものばかりだ。暗い竹藪のかげの細道について、左手に小高い石垣の下へ出ると、新しい二階建の家のがっしりとした側面が私の目に映った。新しい壁も光って見えた。思わず私は太郎を顧みて、

「太郎さん、お前の家かい。」

「これが僕の家サ。」

やがて私はその石垣を曲って、太郎自身の筆で屋号を書いた農家風の入口の押戸の前に行って立った。

四方木屋。

太郎には私は自身に作れるだけの田と、畑と、薪材を取りに行くために要るだけの林と、それに家とをあてがった。自作農として出発させたい考えで、余分なものは一切あてがわない方針を執った。

都会の借家住居に慣れた眼で、この太郎の家を見ると、新規に造った炉辺からしてめずらしく、表から裏口へ通り抜けられる農家風の土間もめずらしかった。奥もかなり広くて、青山の親戚を泊めるには十分であったが、大人から子供まで入れて五人もの客が一時にそこへ着いた時は、いかにもまだ新世帯らしい思いをさせた。

「きのうまで左官屋さんが入っていた。庭なぞはまだちっとも手がつけてない。」

と太郎は私に言ってみせた。

何もかも新規だ。まだ柱時計一つ掛っていない炉辺には、太郎の家で雇っているお霜婆さんのほかに、近くに住むお菊婆さんも手伝いに来てくれ、森さんのお母さんまで来て吾が児の世話でもするように働いていてくれた。

私は太郎と二人で部屋部屋を見て廻るような時を見つけようとした。それが容易に見当らなかった。

「この家は気に入った。思ったより好い家だ。よっぽど森さんにはお礼を言ってもいいね。」

僅かにこんな話をしたかと思うと、また太郎はいそがしそうに私の側から離れて行った。そこいらには、まだ乾き切らない壁へよせて、私達の荷物が取り散らしてある。末子は姪の子供を連れながら、部屋部屋をあちこちとめずらしそうに歩き廻っている。嫂(あによめ)も三十年振りでの帰省とあって、旧馴染(ふるなじみ)の人達が出たり入ったりするだけでも、かなりごたごたした。

人を避けて、私は眺望の好い二階へ上ってみた。石を載せた板屋根、ところどころに咲きみだれた花の梢、その向うには春深く霞んだ美濃の平野が遠く見渡される。天気の好い日には近江の伊吹山までかすかに見えるということを私は幼年の頃に自分の父からよく聞かされたものだが、かつてその父の旧い家から望んだ山々を今は自分の子の新しい家から望んだ。

私はその二階へ上って来た森さんとも一緒に、しばらく窓の側に立って、久し振りで自分を迎えてくれるような恵那山にも眺め入った。あそこに深い谷がある、あそこに遠い高原がある、とその窓から指して言うことが出来た。

「お蔭で、好(よ)い家が出来ました。太郎さんに呉(く)れるのは惜しいような気がして来ました。これまでに世話して下さるのも、なかなか容易じゃありません。私もまた、時々本でも読みに帰ります。」

と私は森さんに話したが、礼の心は言葉にも尽せなかった。

翌日になっても、私は太郎と二人ぎりでゆっくり話すような機会を見出さなかった。嫂(あによめ)の墓参に。そのお供に。入れ替り立ち替り訪ねて来る村の人達の応接に。午後に、また私は人を避けて、炉辺(ろばた)つづきの六畳ばかりの部屋に太郎を見つけた。

「父さん、土産はこれっきり?」

「何だい、これっきりとは。」

私は約束の柱時計を太郎のところへ提げて来られなかった。それを太郎が催促したのだ。

「次郎ちゃんが来る時に、時計は持たしてよこす。」と言った後で、漸く私は次郎のことをそこへ持出した。「どうだろう、次郎ちゃんは来たいと言ってるが、お前の迷惑になるようなことはなかろうか。」

「そんなことはない。あの通り二階はあいているし、次郎ちゃんの部屋はあるし、僕はもうそのつもりにして待っているところだ。」

「半日お前の手伝いをさせる、半日画をかかせる――そんな風にしてやらしてみるか。何も試みだ。」

「まあ、最初の一年ぐらいは、僕からいえば反って邪魔になるくらいのものだろうけ

れど――そのうちには次郎ちゃんも慣れるだろう。なかなか百姓もむずかしいからね。」

そういう太郎の手は、指の骨のふしぶしが強くあらわれていて、どんな荒仕事にも耐えられそうに見えた。その手は最早一ぱしの若い百姓の手だった。この子の机の側には、本箱なぞも置いてあって、農民と農村に関する書籍の入れてあるのも私の眼についた。

その日は私は新しい木の香のする風呂桶に身を浸して、僅かに旅の疲れを忘れた。私は山家らしい炉辺で婆さん達の話も聞いてみたかった。で、その晩はあかあかとした焚火のほてりが自分の顔へ来るところへ行って、寛いだ。

「ほんとに、俺のようなものの造(16)るものでも、太郎さんは甘い甘いと言って食べさっせる。そう思うと、俺はオヤゲナイような気がする。」

と私に言ってみせるのは、肥って丈夫そうなお霜婆さんだ。私の郷里では、このお霜婆さんの話すように、女でも「俺」だ。

「どうだなし、こんな好い家が出来たら、お前さまも嬉しからず。」

と今度はお菊婆さんが言い出した。無口なお霜婆さんに比べると、この人はよく話した。

「今度帰ってみて、私も安心しました。」と私は言った。「私はあの太郎さんを旦那衆にするつもりはありません。要るだけの道具はあてがう、あとは自分で働け――そのつ

もりです。」

「ええ、太郎さんもその気だで。」とお菊婆さんは炉の火の方に気をくばりながら言った。「この焚木でもなんでも、みんな自分で山から背負っておいでるぞなし。そりゃ、お前さま、ここの家を建てるだけでも、どのくらいよく働いたか知れずか。」

炉辺での話は尽きなかった。

三日目には私は嫂のために旧い馴染の人々を四方木屋の二階に集めて、森さんのお母さんやお菊婆さんの手料理で、みんなと一緒に久しぶりの酒でも汲みかわしたいと思った。三年前に兄を見送ってからの嫂は、にわかに老けて見える人であった。おそらくこれが嫂にとっての郷里の見納めであろうとも思われたからで。

私達は炉辺にいて順にそこへ集まって来る客を待った。嫂が旧い馴染の人々で、三十年の昔を語り合おうとするような男の老人は最早この村にはいなかった。そういう老人という老人はほとんど死に絶えた。招かれて来る客はお婆さんばかりで、腰を曲めながら入って来る人の後には、すこし耳も遠くなったという人の顔も見えた。隣村からわざわざ嫂や姪や私の娘を見にやって来てくれた人もあったが、私と同年で既に幾人かの孫のあるという未亡人がその日の客の中での年少者であった。

しかし、一同が二階に集まってみると、このお婆さん達の元気の好い話声がまた私を

びっくりさせた。その中でも、一番の高齢者で、一番元気よく見えるのは隣家のお婆さんであった。この人は酒の盃を前に置いて、

「どうか、まあ太郎さんにも好いお嫁さんを見つけてあげたいもんだ。父さんの御心配で、こうして家も出来たし。この次は、お嫁さんだ。その折には私もまた今日のように呼んで頂きたい――私は私だけのお祝いを申上げに来たい。」

八十歳あまりになる人の顔にはまだみずみずしい光沢があった。私はこの隣家のお婆さんの孫にあたる子息や、森さんなぞと一緒に同じ食卓に就いていて、日頃はめったにやらない酒をすこしばかりやった。太郎はまたこの新築した二階の部屋で初めての客をするという顔付で、冷めた徳利を集めたり、それを熱燗に取り替えて来たりして、二階と階下の間を往ったり来たりした。

「太郎さんも、そこへお坐り。」と私は言った。「森さんのお母さんが丹精して下すった御馳走もある――下諏訪の宿屋から父さんの提げて来た若鷺もある――」

「こういう田舎にいますと、酒をやるようになります。」と森さんが、私に言ってみせた。「どうしても、周囲がそうだもんですから。」

「太郎さんもすこしは飲めるようになりましたろうか。」と私は半分串談のように。

「ええ、太郎さんは強い。」それが森さんの返事だった。「いくら飲んでも太郎さんの

酔ったところを見た事がない。」

その時、私は森さんから返った盃を太郎さんの前に置いて、

「今から酒はすこし早過ぎるぜ。しかし、きょうは特別だ。まあ、一杯やれ。」

吾が児（こ）の労苦をねぎらおうとする心から、思わず私は自分で徳利を持ち添えて勧めた。若者、万歳――口にこそそれを出さなかったが、青春を祝する私の心はその盃に溢（あふ）れた。私は自分の年とったことも忘れて、いろいろと皆を款待顔（もてなしがお）な太郎の酒をしばらくそこに眺めていた。

七日の後には私は青山の親戚や末子と共にこの山を降りた。

落合川の駅から元（もと）来た道を汽車で帰ると、下諏訪へ行って日が暮れた。私は太郎の作っている桑畑や麦畑を見ることも叶（かな）わなかったほど、いそがしい日を郷里の方で送り続けて来た。察しのすくない郷里の人達は思うように私を休ませてくれなかった。この帰りには、一旦下諏訪で下車して次の汽車の来るのを待ち、また夜行の旅を続けたが、嫂（あによめ）でも姪でも言葉すくなに乗って行った。末子なぞは汽車の窓のところにハンケチを載せて、ただうとうとと眠りつづけて行った。

東京の朝も見直すような心持で、私は娘と一緒に家に帰りついた。私も激しい疲れの

出るのを覚えて、部屋の畳の上にごろごろしながら寝てばかりいるような自分を留守居するものの側に見つけた。

「旦那さん、あちらはいかがでした。」

とお徳が熱い茶なぞを持って来てくれると、私は太郎が山から背負って来たという木で焚いた炉にもあたり、それで沸かした風呂にも入って来た話なぞをして、そこへ横になった。

「父さん、どうだった。」

「思ったより太郎さんの家は好い家だったよ。しっかりと出来ていたよ。でも、贅沢な感じはすこしもなかった。森さんの寄附してくれた古い小屋なぞも裏の方に造り足してあったよ。」

私は次郎や三郎にもこんな話を聞かせておいて、またそこに横になった。

二日も三日も私は寝てばかりいた。まだ半分あの山の上に身を置くような気もしていた。旅の印象は疲れた頭に残って、容易に私から離れなかった。私の眼には明るい静かな部屋がある。新しい障子の側には火鉢が置いてある。客が来てそこで話し込んでいる。村の校長さんという人も見えていて「太郎さんの百姓姿をまだ御覧になりませんか、なかなか好うござんすよ。」と私に言ってみせたことを思い出した。「おもしろい話もあり

ます。太郎さんがまだ笹刈にも慣れない時分のことです。笹刈といえば、この土地でも骨の折れる仕事ですからね。あの笹刈があるために、他(よそ)からこの土地へお嫁(よめ)に来手(きて)がないと言われるくらい骨の折れる仕事ですからね。太郎さんもみんなと一緒に、威勢よくその笹刈に出掛けて行ったは好かったが、腰をさがしてみると、鎌を忘れた。大笑いしましたよ。それでも村の若い者がみんなで寄って、太郎さんに刈ってあげたそうですがね。どうして、この節の太郎さんは、もうそんなことはありません。」と、その校長さんの言ったことを思い出した。そういえば、あの村の二、三の家の軒先に刈乾(かりかわか)してあった笹の葉はまだ私の眼にある。あれを刈りに行くものは、腰に火縄を提げ、それを蚊遣(かや)りの代りとし、襲い来る無数の藪蚊と戦いながら、高い崖の上に生えているのを下から刈取って来るという。あれは熊笹というやつか。見たばかりでも恐ろしげに、幅広で鋭く尖ったあの笹の葉は忘れ難い。私はまた、水に乏しいあの山の上で、遠い吾家(わが)の先祖の遺(のこ)した古い井戸の水が太郎の家に活き返っていたことを思い出した。新しい木の香のする風呂桶に身を浸した時の楽しさをも思い出した。ほんとうに自分の子の家に帰ったような気のしたのも、そういう時であったことを思い出した。

　しかし、こういう旅疲れも自然とぬけて行った。そして、そこから私が身を起した頃には、過ぐる七年の間続きに続いて来たような寂しい嵐の跡を見直そうとする心を起し

た。こんな心持は、あの太郎の家を見るまでは私に起らなかったことだ。

留守宅には種々(いろいろ)な用事が私を待っていた。その中でも、さしあたり次郎達と相談しなければならない事が二つあった。一つは見つかったという借家の事だ。早速私は次郎と三郎の二人を連れて青山方面まで見に行って来た。今少しで約束するところまで行った。見合せた。帰って来て、そんな家を無理して借りるよりも、まだしも今の住居(すまい)の方が勝(ま)しだということに想い当った。一旦は私の心も今の住居を捨てたものである。しかし、もう一度この屋根の下に辛抱してみようと思う心は既にその時に私の内に萌(きざ)して来た。

今一つは、次郎の事だ。私は太郎から聞いて来た返事を次郎に伝えて、いよいよ郷里の方へ出発するように、その支度に取掛らせることにした。

「次郎ちゃん、番町の先生のところへも暇乞(いとまご)いに行って来るがいいぜ。」

「そうだよ。」

私達はこんな言葉をかわすようになった。「番町の先生」とは、私より年下の友達で、日頃次郎のような未熟なものでも末頼母(すえたのも)しく思って見ていてくれる美術家である。

「今ある展覧会も、出来るだけ見て行くがいいぜ。」

「そうだよ。」

とまた次郎が答えた。

五月に入って、次郎は半分引越しのような騒ぎを始めた。何かごとごといわせて戸棚を片付ける音、画架や額縁を荷造りする音、二階の部屋を歩き廻る音なぞが、毎日のように私の頭の上でした。私も階下の四畳半にいてその音を聞きながら、七年の古巣からこの子を送り出すまでは、心も落ちつかなかった。仕事の上手なお徳は次郎のために、郷里の方へ行ってから着るものなぞを縫った。裁縫の材料、材料で、次から次へと追われている末子が学校での稽古に縫った太郎の袷羽織（あわせばおり）もそこへ出来上った。それを柳（やなぎ）行李（ごうり）(17)につめさせてなどと家のものが語り合うのも、何となく若者の旅立ちの前らしかった。

次郎の田舎行は、よく三郎の話にも上った。三郎は研究所から帰って来るたびに、その話を私にして、

「次郎ちゃんのことは、研究所でもみんな知ってるよ。僕の友達が聞いて、「それだけの決心がついたのは、えらい」——とサ。しかし僕は田舎へ行く気にならないなあ。」

「お前はお前、次郎ちゃんは次郎ちゃんでいい。広い芸術の世界だもの——みんながみんな、そう同じような道を踏まなくてもいい。」

と私は答えた。

子供の変って行くにも驚く。三郎も私に向って、以前のようには感情を隠さなくなっ

た。めまぐるしく動いてて止まないような三郎にも、何となく落ちついたところが見えて来た。子供の変るのは大人の移り気とは違う、子供は常に新しい――そう私に思わせるのもこの三郎だ。

やがて次郎は番町の先生の家へも暇乞いに寄ったと言って、改まった顔付で帰って来た。餞別のしるしに贈られたという二枚の書をも私の前に取出して見せた。それは見事な筆で大きく書いてあって、あの四方木屋の壁にでも掛けて眺め楽しむにふさわしいものだった。

「父さん、番町の先生はそう言ったよ。いろいろな人の例を僕に引いてみせてね、田舎へ引込んでしまうと画がかけなくなるとサ。」

と次郎はやや不安らしく言った後で、更に言葉を継いで、

「それから、こういうものを呉れてよこした。田舎へ行ったら読んで御覧なさいと言って僕に呉れてよこした。何かと思ったら、「扶桑隠逸伝[18]」サ。画の本でも呉れればいいのに、こんな仙人の本サ。」

「仙人の本はよかった。」と私も吹き出した。

「これは父さんでも読むに丁度好い。」

「父さんだって、まだ仙人には早いよ。」

「しかしお餞別と思えばありがたい。きょうは番町でいろいろな話が出たよ。ヴィルドラック(19)という人の持って来たマチスの画の話も出たよ。きょうの話はみんな好かった。それから先生の奥さんも、御飯を一緒に食べて行けと言ってしきりに勧めて下すったが、僕は帰って来た。」

先輩の一言一行も忘れられないかのように、次郎はそれを私に語ってみせた。いよいよ次郎の家を離れて行く日も近付いた。次郎はその日を茶の間の縁先にある黒板の上に記しつけてみて、何となく名残が惜まるるという風であった。やがて、荷造りまでも出来た。この都会から田舎へ帰って行く子を送る前の一日だけが残った。

「どっこいしょ。」

私がそれをやるのに不思議はないが、まだ若いさかりのお徳がそれをやった。お徳も私の家に長く奉公しているうちに、そんなことが自然と口に出るほど、いつの間にか私の癖に染まったとみえる。

このお徳は茶の間と台所の間を往ったり来たりして、次郎の「送別会」の支度を始めた。そういうお徳自身も遠からず暇を取って、代りの女中のあり次第に国許の方へ帰ろうとしていた。

「旦那さん、お肴屋さんがまいりました。旦那さんの分だけ何か取りましょうか。次郎ちゃん達はライス・カレエがいいそうですよ。」

「ライス・カレエの送別会か。どうしてあんなものがそう好きなんだろうなあ。」

「だって、皆さんがそうおっしゃるんですもの。——三ちゃんでも、末子さんでも。」

私はお徳の前に立って、肴屋の持って来た附木(20)にいそがしく目を通した。それには河岸から買って来た魚の名が並べ記してある。長い月日の間、私はこんな主婦の役をも兼ねて来て、好き嫌いの多い子供等のために毎日の総菜を考えることも日課の一つのようになっていた。

「待てよ。俺はどうでもいいが、送別会のお附合に鮎の一尾も貰っておくか。」

と私はお徳に話した。

「末ちゃん、おまいか。」

と私はまた小さな娘にでも注意するように末子に言って、白の前掛をかけさせ、その日の台所を手伝わせることも忘れなかった。

「ほんとに、太郎さんのような温順しい人のお娵さんになるものは仕合せだ。わたしもこれでもっと年でも取ってると——もっとお婆さんだと——台所の手伝いにでも行ってあげるんだけれど。」

それが茶の間に来てのお徳の述懐だ。

茶の間には古い柱時計のほかに、次郎が銀座まで行って買って来た新しいのも壁の上に掛けてあった。太郎への約束の柱時計だ。今度次郎が提げて行こうとするものだ。それが古い時計と並んで一緒に動きはじめていた。

「凄(すご)い時計だ。」

と見に来て言うものがある。そろそろ夕飯の支度が出来る頃には、私達は茶の間に集まって新しい時計の形をいろいろに言ってみたり、それを古い方に比べたりした。私の四人の子供がまだ生れない前からあるのも、その古い方の時計だ。

やがて私達は一緒に食卓に就いた。次郎は三郎とむかい合い、私は末子とむかい合った。

「送別会」とは名ばかりのような粗末な食事でも、こうして三人の兄妹の顔が揃うのはまた何時(いつ)のことかと思わせた。

「いよいよ明日は次郎ちゃんも出掛けるかね。」と私は古い柱時計を見ながら言った。

「母さんが亡くなってから、今年でもう十七年にもなるよ。あの母さんが生きていて、お前達の話す言葉を聞いたら驚くだろうなあ。わざと乱暴な言葉を使う。「時計を買いやがった——動いていやがらあ」——お前達のはその調子だもの。」

「いけねえ、いけねえ。」と次郎は頭をかきながら食った。

「父さんがそんなことを言ったって、みんなが左様だから仕方がない。」と三郎も笑いながら食った。

「そういえば、次郎ちゃんも一年に二度ぐらいずつは東京へ出ておいでよ。なにも田舎に引込みきりと考えなくてもいいよ。二、三年は旅だと思って御覧な。父さんなぞも旅をするたびに自分の道が開けて来た。田舎へ行くと、友達はすくなかろうなあ。殊に画の方の友達が――それだけが父さんの気掛りだ。」

こう私が言うと、今まで子供の友達のようにして暮して来たお徳も長い奉公を思い出し顔に、

「次郎ちゃんが行ってしまうと、急にさびしくなりましょうねえ。人を送るのもいいが、わたしは後がいやです。」

と給仕しながら言った。

「ああ、食った。食った。」

間もなくその声が子供等の間に起った。三郎は口を拭いて、そこにある箪笥を背に足を投げ出した。次郎は床柱の方へ寄って、自分で装置したラジオの受話器を耳にあてがった。細いアンテナの線を通して伝わって来る都会の声も、その音楽も、当分は耳にす

ることの出来ないかのように。

その晩は、お徳も名残を惜むという風で、台所を片付けてから子供等の相手になった。お徳は賑かなことの好きな女で、戯れに子供等から腕押しでも所望されると、いやだとは言わなかった。肥って丈夫そうなお徳と、痩せぎすで力のある次郎とは、おもしろい取組を見せた。さかんな笑声が茶の間で起るのを聞くと、私も自分の部屋にじっとしていられなかった。

「次郎ちゃんと姉やとは互角だ。」

そんなことを言って見ている三郎達の側で、また二人は勝負を争った。健康そのものとも言いたいお徳が肥った膝を乗り出して、腕に力を入れた時は、次郎もそれをどうすることも出来なかった。若々しい血潮は見る見る次郎の顔に上った。堅く組んだ手も震えた。私はまたハラハラしながらそれを見ていた。

「オオ、痛い。御覧なさいな、私の手はこんなに紅くなっちゃったこと。」

とお徳は血でもにじむかとみえるほど紅く熱した腕をさすった。

「三ちゃんも姉やとやって御覧なさいな。」

と末子が側から勧めたが、三郎は応じなかった。

「僕は止す。左ならやってみてもいいけれど。」

そういう三郎は左を得意としていた。腕押に、骨牌(カルタ)に、その晩は笑声が尽きなかった。

翌日は最早(もう)新しい柱時計が私達の家の茶の間に掛っていなかった。次郎はそれを厚い紙箱に入れて、旅に提げて行かれるように荷造りした。

その時になってみると、太郎はあの山地の方で既に田植を始めている。次郎はこれから出掛けようとしている。お徳もやがては国をさして帰ろうとしている。次郎のいない後は、にわかに家も寂しかろうけれど、日頃せせこましく窮屈にのみ暮して来た私達の前途には、いくらかの部屋のゆとりのある日も来そうになった。私は私で、もう一度自分の書斎を二階の四畳半に移し、この次は客としての次郎を吾家に迎えようと思うなら、それも出来ない相談ではないようにみえて来た。どうせ今の住居(すまい)はあの愛宕下の宿屋からの延長である。残る二人の子供に不自由さえなくば、そう想ってみた。五十円や六十円の家賃で、そう思わしい借家のないことも分った。次郎の出発を機会に、漸く私も今の住居に居据りと観念するようになった。

私は独りで、例の地下室のような四畳半の窓へ近く行った。そこいらはもうすっかり青葉の世界だった。私は両方の拳(こぶし)を堅く握りしめ、それをうんと高く延ばし、大きな欠伸(あくび)を一つした。

「大都市は墓地です。人間はそこには生活していないのです。」

これは日頃私の胸を往ったり来たりする、あるすぐれた芸術家の言葉だ。あの子供等のよく遊びに行った島津山の上から、芝麻布方面に連なり続く人家の屋根を望んだ時のかつての自分の心持をも思い合せ、私はそういう自分自身の立つ位置さえもが――あの芸術家の言草(いいぐさ)ではないが、いつの間にか墓地のような気のして来たことを胸に浮べてみた。過ぐる七年のさびしい嵐は、それほど私の生活を行き詰ったものとした。

私が見直そうと思って来たのも、その墓地だ。そして、その墓地から起き上る時が、どうやら、自分のようなものにもやって来たかのように思われた。その時になってみると、「父は父、子は子」でなく、「自分は自分、子供等は子供等」でもなく、ほんとうに「私達」への道が見えはじめた。

夕日が二階の部屋に満ちて来た。階下にある四畳半や茶の間はもう薄暗い。次郎の出発にはまだ間があったが、纏めた荷物は二階から玄関のところへ運んであった。

「さあ、これだ、これが僕の持って行く一番のお土産だ。」

と次郎は言って、すっかり荷ごしらえの出来た時計をあちこちと持ち廻った。

「どれ、わたしにも持たせてみて。」

と末子は兄の側へ寄って言った。

遠い山地も、にわかに私達には近くなった。この新しい柱時計が四方木屋の炉辺(ろばた)に掛

って音のする日を想い見るだけでも、楽しかった。日頃私が矛盾のように自分の行為を考えたことも、今はその矛盾が矛盾でないような時も来た。子のために建てたあの永住の家と、旅にも等しい自分の仮の借家住居(ずまい)の間には、虹のような橋が掛(かか)ったように思われて来た。

「次郎ちゃん、停車場まで送りましょう。末子さんもわたしと一緒にいらっしゃいね。」

とお徳が言い出した。

「僕も送って行くよ。」

と三郎も言った。すると、次郎は首を振って、

「誰も来ちゃいけない。今度は誰にも送ってもらわない。」

それが次郎の望みらしかった。私は末子やお徳を思いとまらせたが、せめて三郎だけをやって、飯田町の停車場まで見送らせることにした。

やがて、そこいらはすっかり暗くなった。まだ宵の口から、家の周囲はひっそりとして来て、坂の下を通る人の跫音(あしおと)もすくない。都会に住むとも思えないほどの静かさだ。気の早い次郎は出発の時を待ちかねて、住み慣れた家の周囲を一廻りして帰って来たくらいだ。

「行ってまいります。」

茶の間の古い時計が九時を打つ頃に、私達はその声を聞いた。植木坂の上には次郎の荷物を積んだ車が先に動いて行った。いつの間にか次郎も家の外の路次を踏む靴の音をさせて、静かに私達から離れて行った。

注解

大木志門

津軽海峡

（1）**駿河丸**　明治十八年（一八八五）創業の日本郵船が保有していた英国製の汽船。当時、青函連絡船は未就航で同社の船が青森と函館をつないでいた。

（2）**浦汐**（ウラジオ）　ウラジオストク（浦塩斯徳）。ロシアの極東南東部の日本海に面した都市。安政五年（一八五八）に清朝からロシアに譲渡された。

（3）**南部訛り**（なまり）　青森県東半部から岩手県北中部の地域（南部地方）の人が話す方言。南部弁。

（4）**四挺艪**（しちょうろ）　船舶の四人漕ぎのこと。

（5）**未申**（ひつじさる）　方位を十二支で呼ぶ際に未と申の中間の方角。南西。

（6）**平舘**（たいらだて）**の燈台**　現・青森県東津軽郡外ヶ浜町の平舘に明治三十二年（一八九九）に設置された灯台。同地は古くから海上交通の要所であった。

（7）**あんこさん**　「兄こ」が訛った語で兄さんの意味。若者、青年を指す。

（8）**『共同海損法』**　船舶の積み荷が何らかの理由で犠牲になるか、余分の支出が生じた場合の損害や費用を荷主が共同して負担する制度を司る法律。

（9）**海里**　距離の国際的単位で一海里は一八五二メートル。

（10）**浦汐艦隊**　ロシア帝国海軍バルト艦隊の一つであるウラジオストク巡洋艦隊。

（11）**単縦**　海戦における陣形「単縦陣」のことで、艦隊の各艦が縦に一列に並ぶ。

（12）**艫**　船の後部。船尾。

（13）**清渉丸**　明治三十七年（一九〇四）六月三十日にウラジオストク艦隊が元山港に進入し、帆船幸運丸と清渉丸を攻撃し沈没させた。

（14）**尻端折**　着物の裾をまくり上げ、帯の後ろに挟んでとめること。

（15）**臥牛山**　函館市の南西部に位置する函館山の異名。

（16）**いたや**　山地に生えるムクロジ科カエデ属の落葉高木イタヤカエデのこと。

（17）**帆前船**　帆をはって風力を利用して航行する洋式の船。

（18）**弁才**　弁才船。江戸時代に廻船として活躍した和船の形式。千石船とも。

（19）**川崎船**　江戸時代から北陸・東北地方でタラ、タイ、ニシンなどの沖合漁業に使われた大型漁船。

（20）**三ぱ**　地引き網漁などに用いられる小型の船である三羽船（三半船とも）のこと。

（21）**胡麻の蝿**　「護摩の灰」とも書き、旅人を装って金品を盗み取る者のこと。

（22）**飛白**　かすれたような模様を規則的に配した布地で仕立てた衣服。

並　木

（1）**腰弁**　「腰弁当」の略で、弁当を腰に下げて出勤する下級官吏や会社員をいう。

（2）**カイゼル**　ドイツ語で皇帝の意味で、左右をはねあげた八字形の口ひげ「カイゼル髭」のこと。

（3）**手引草**　物事の案内、道しるべとなるようなもの。

（4）**万斛**（ばんこく）　「斛（こく）」は尺貫法の単位「石（こく）」に同じで、はかりきれないほど多い分量をいう。

（5）**車夫**　人力車を引く人。

（6）**街鉄**（がいてつ）　明治三十六年（一九〇三）設立の「東京市街鉄道株式会社」の略称。のち東京市電、さらに東京都電となる。数寄屋橋・神田橋間に続き日比谷・半蔵門間が開業した。

（7）**市区改正**　明治から大正にまたがる東京の都市計画で、道路や上下水道の整備が行われた。

（8）**角筈**（つのはず）　かつて東京都新宿区にあった地名で、現在の新宿駅の周辺。文筆家や芸術家が多く住んだ。

（9）**奏楽堂**　明治三十八年（一九〇五）竣工の日比谷公園音楽堂のことで、当時は主に軍楽が演奏された。

（10）**海老茶**（えびちゃ）　明治三十年代の女子学生が男袴を改良した海老茶色の袴を穿いたことから、この名がある。

(11) **束髪連**(そくはつれん) 束髪は明治時代に洋髪の影響を受けて生まれた簡便な結髪で、ここではその普及運動に参加したり束髪を実践したりした先進的な女性たちを指す。

(12) **落袋**(かくし) 衣服に縫いつけた小さな袋。衣服の内側に作った物入れ、ポケット。

(13) **黒絽**(くろろ) 絽は夏着の単(ひとえ)、袴地、羽織などに用いる搦(から)み織物の一種で、黒い色の絽。

(14) **ボッカシオ** イタリアの作家・人文学者であるジョヴァンニ・ボッカチオ(Giovanni Boccaccio, 1313–1375)のこと。ルネサンス期の代表的作者で、『デカメロン』(一三四八年)は近代散文小説の嚆矢とされる。

(15) **チョン髷党**(まげとう) 維新期に保守派を「ちょんまげ党」と揶揄したことから、自身が旧時代人であることを指した言葉。

(16) **『ヴァジン、ソイル』** ロシアの小説家であるイワン・ツルゲーネフ(Ivan Sergeevich Turgenev, 1818–1883)の最後の長篇小説『処女地』(一八七七年)の英訳題。

死

(1) **虎列剌**(コレラ) 感染症の一つで、小腸で増殖したコレラ菌が作る毒素が急性腸炎を引き起こす。

(2) **本郷森川町** 旧町名で現在の文京区本郷六丁目付近。藤村は明治二十九年(一八九六)八月下旬、入獄した長兄秀雄の一家を同町一番地に転居させ、自身は東北学院へ赴任するため仙台へと移った。

（3）**避病院**　法定伝染病の患者を隔離して収容した病院の通称。

（4）**釣台**　板の両端をつり上げて前後からかつぎ、人や物をのせて運ぶ台。現在の担架の用途。

（5）**柳島の妙見堂**　現・墨田区業平の法性寺（一四九二年開山）境内にある堂で妙見大菩薩が祀られる。

（6）**類似**　疑似コレラのこと。疑似症は、確定できないが伝染病の感染によると疑われる症状が認められた場合にいい、明治三十年（一八九七）の伝染病予防法でコレラとペストに適用された。

（7）**気死**　憤死あるいは気絶することだが、この場合は精神的なショックによる死か。

芽生

（1）**小諸**　長野県北佐久郡小諸町（現・小諸市）。もと牧野氏の城下町で北国街道の宿場町として発達。藤村は木村熊二の誘いで同地の小諸義塾に教師として赴任した。

（2）**岩村田**　長野県北佐久郡岩村田町（現・佐久市）。宿場町、城下町として栄え、佐久平駅が開業するまで佐久の中心地の一つであった。

（3）**乗合馬車の立場**　乗合馬車は複数人が同乗する馬車のことで、立場はその発着所。

（4）**総領**　家の相続人、跡取りをいうことが多いが、ここでは最初に生まれた子のこと。

（5）**南部地方**　長野県南部の上伊那地域、木曾地域、南信州飯伊地域を指す。

（6）**チョチチョチ**　「ちょちちょちあわわ」で始まる全国的に歌い継がれてきたわらべうた。

（7）**黄八丈**　伊豆八丈島で作られ、黄色の地に茶、とび色の縞柄を持つ絹織物。
（8）**道普請**　道路を新設したり修繕したりすること。道路工事。
（9）**唐紙**　唐紙障子の略で、唐紙を貼ったふすま障子のこと。
（10）**新開地**　開発により新たに開けた市街地。
（11）**鷲印のミルク罐**　輸入練乳のブランドで「鷲印ミルク」「ワシミルク」として知られた。
（12）**ノノサン**　方言で仏様や仏壇をいう。
（13）**懐古園**　牧野氏の居城であった小諸城跡地を、明治十三年（一八八〇）に開放してできた公園。
（14）**富士講**　富士山を信仰する人々が組織した講社。江戸時代に流行した。
（15）**切下髪**　髪を首のつけ根あたりで切りそろえ、束ねて後ろに垂らす髪型。
（16）**熊の胆**　熊の胆嚢を干したもので健胃薬・気つけ薬などに用いる。熊胆。
（17）**ミルク、フッド**　ミルクフード。牛乳を粉末にした乳児用の食品で湯に溶かして飲ませる。
（18）**ソップ**　スープのこと。
（19）**万世橋のところに立つ凱旋門**　万世橋は東京・神田川に架かる橋の一つで明治三十六年（一九〇三）に架け直され、日露戦争勝利を祝して東郷大将を迎えるための凱旋門が建てられた。
（20）**メレヂコウスキイ**　ロシアの詩人・小説家・批評家であるディミトリー・メレシュコフスキー（Dmitrii Sergeevich Merezhkovskii, 1866–1941）。ロシア象徴派の草創期を代表する。
（21）**磯部の三景楼**　明治期に磯部温泉（群馬県安中市）にあった温泉旅館。

人形

（1）**水浅黄色**　水浅葱色とも。水色がかった浅葱色で、緑味の淡い青色。
（2）**襦袢**　和装用の下着で、ポルトガル語の「ジバン」に語源を持つ。
（3）**芝居の引幕**　舞台と客席を区切る、横に引いて左右に開閉する幕。
（4）**船宿**　客の遊興または魚釣りなどのために貸船を仕立てる店。遊船宿。
（5）**浜町河岸**　隅田川西岸の日本橋浜町は海浜を埋め立てたことでこの名があり、明治時代に夕涼みや水練の場として栄え、花柳界も形成された。

平和の日

（1）**木曾街道**　中山道の一部で現在の長野県塩尻から岐阜県中津川までの街道を指す。木曾路。
（2）**セル地**　主に梳毛糸を用いた平織り、または綾織りの和服用毛織物。
（3）**鴨緑江**　現在の北朝鮮と中国の境を流れる河川で、日露戦争で陸上戦の端緒となった（鴨緑江会戦）。
（4）**第一軍**　日本陸軍第一軍。なお藤村の友人である田山花袋が日露戦で従軍したのは第二軍であった。

（5）**御嶽講中**(おんたけこうじゅう)　木曾御嶽山に集団で登拝する山岳信仰で、江戸後期から明治にかけて流行した。

（6）**後家**(ごけ)**さん**　夫に死別した女性。

（7）**パチン留**　閉めるとぱちんと音がする小さな留め金具。

（8）**お六櫛**(ろくぐし)　木曾宿の一つ藪原宿名産のすき櫛。江戸元禄期にお六という女性が作り始めたとされる。

（9）**書割**(かきわり)　芝居の大道具で木枠に紙や布を張り風景や建物を描いて舞台背景としたもの。

（10）**毛繻子**(けじゅす)　綿と毛のまじった織物の一種。

（11）**蹴込**(けこみ)　人力車で客が足を載せる部分。

柳橋スケッチ

（1）**御坊**(おんぼう)　僧侶を敬っていう語。ごぼう。

（2）**"The whole of winter enters… iced and red."**　フランスの詩人であるシャルル・ボードレール(Charles-Pierre Baudelaire, 1821–1867)の詩「秋の歌」(『悪の華』収録)の一節。「冬ことごとく身の裡に今還り来む。／忿怒(いかり)、憎悪(にくしみ)、戦慄(おののき)、恐怖(おそれ)、厳しき労苦／北極の地獄に照る日さながらに、／わが心赤く氷りし一塊の土くれならむ。」(岩波文庫『悪の華』鈴木信太郎訳)。

（3）**オスカア・ワイルドの『獄中記』**　イギリスの作家であるオスカー・ワイルド(Oscar Wilde, 1854–1900)の手記で没後の一九〇五年刊行。同性愛事件で投獄された体験を描く。英文学者の本

間久雄（一八八六―一九八一）が明治四十四年（一九一一）十月『早稲田文学』に抄訳を発表、翌年新潮社より刊行。

（4）**『快楽主義者マリウス』**　イギリス・ヴィクトリア朝時代の批評家・小説家であるウォールター・ペイター（Walter Horatio Pater, 1839–1894）の『享楽主義者マリウス』（一八八五年）のこと。

（5）**同盟罷工**　被雇用者が労働を行わないことで抗議を表明すること。ストライキ。

（6）**国民新聞**　明治二十三年（一八九〇）に徳富蘇峰が創刊した日刊新聞。

（7）**『高祖遺文録（こうそいぶんろく）』**　江戸時代後期から明治時代にかけて小川泰堂（一八一四―一八七八）が編纂訂正した日蓮の遺文集。明治九年（一八七六）刊行。

（8）**先代の菊五郎**　尾上菊五郎（五世、一八四四―一九〇三）。いわゆる「團菊左時代」を築いた明治の名優。

（9）**『柳橋新誌（りゅうきょうしんし）』**　江戸生まれの漢詩人・随筆家・ジャーナリストである成島柳北（一八三七―一八八四）の随筆（明治七年刊）。幕末の柳橋の花街と明治維新後の柳橋を描いた。

（10）**橋以レ柳為レ名…不レ知二幾千艘一**　『柳橋新誌』初編の冒頭で、柳橋に柳の木がないのにその名があるのは、古い地誌によればその由来は柳原の末（はし）という意味であり、水運の要所であるこの地は多くの舟が行き交い、遊び客も集まったことに由来するという文意。本文に〔　〕に入れて訓読文を補った。『新日本古典文学大系』第百巻「柳橋新誌」（日野龍夫校注、岩波書店、一九八九年）の本文を参照した。

（11）**余昔与二竹西坡一…金城之歎一**　『柳橋新誌』第二編の一節で、かつて友人の竹西坡（竹内玄洞）

と元柳橋で登楼し壁に詩を書いたが、七、八年でその友も病にかかり流れてゆき、芸妓たちも凋落し、俗世にいる自分は元柳橋を通って老柳を見上げやるせない気持ちになるという文意。前注と同様に、本文に〔　〕に入れて訓読文を補った。

(12) **アクチイブ**　アクティブ(active)。活動的である。

(13) **南京屋敷**(なんきんやしき)　清国人ら外国人の居留地のことで横浜では現在の中華街あたりにあった。

沈　黙

(1) **トラピスト**　カトリックの一つである厳律シトー会の俗称。日本には明治二十九年(一八九六)に伝えられ、各地に修道院が作られた。

(2) **苦髪楽爪**(くがみらくづめ)　苦労をしているときは髪が早く伸び、楽をしているときは爪が早く伸びるの意。

(3) **甲武線**　甲武鉄道。明治二十二年(一八八九)に新宿・立川間に開通した私鉄で、明治三十九年(一九〇六)の鉄道国有法により国に買収され中央線となった。

(4) **『ファウスト』**　ドイツの詩人・小説家・劇作家であるヨハン・ウォルフガング・フォン・ゲーテ(Johann Wolfgang von Goethe, 1749–1832)作の戯曲。

(5) **深林の逍遥**　藤村『若菜集』(明治三十年)に収録された新体詩の題名。

(6) **ロセッチ**　イギリスのラファエル前派の画家・詩人であるダンテ・ゲイブリエル・ロセッティ(Dante Gabriel Rossetti, 1828–1882)のこと。

（7）**仁和賀**（にわか）　旧暦の八月一日、吉原遊郭で稲荷神社の祭礼が行われ、芸者や幇間が屋台を曳き即興芝居や滑稽話を演じた。

（8）**踊り屋台**　祭礼などで街を曳き回しながらその上で踊りをおどる屋台。

（9）**いけす舟**　魚を生きたまま保存するための木箱や船の形をした水槽。生簀船、生けぶね。

（10）**ヴァザリ**　イタリアのマニエリスム期の画家・建築家であるジョルジョ・ヴァザーリ（Giorgio Vasari, 1511–1574）のこと。ミケランジェロの弟子。

（11）**シュウマンの『音楽と音楽者』**　ドイツの作曲家であるロベルト・シューマン（Robert Alexander Schumann, 1810–1856）の評論集『音楽と音楽家』（一八五三年）のこと。

（12）**バハ**　ドイツの作曲家・オルガン奏者であるヨハン・セバスティアン・バッハ（Johann Sebastian Bach, 1685–1750）のこと。

（13）**種菓子屋**　ここでの種菓子は豆菓子のことで、藤村の家主はその商いをする「ますや」の夫婦であった。

（14）**常磐津林中**（ときわづりんちゅう）　常磐津節の太夫で本名・山蔭忠助（一八四二―一九〇六）。明治期に常磐津節を隆盛に導いた。

（15）**英一蝶**（はなぶさいっちょう）　江戸中期の画家で英派の祖（一六五二―一七二四）。京都生まれで狩野派から風俗画へと転じた。

（16）**一中節**（いっちゅうぶし）　浄瑠璃節の一つで、十七世紀末に京都の都太夫一中がはじめたとされる。

（17）**見附**（みつき）　物を外から見た様子。外観。見かけ。

(18) **下屋敷** 別邸。江戸時代に大名や豪商が常住する上屋敷に対していった。

ある女の生涯

(1) **須原駅** 長野県木曾郡大桑村大字須原にある中央本線の駅。明治四十二年(一九〇九)開業。

(2) **御新造さま** 他人の妻女、新妻や若女房を呼ぶのに用いた。

(3) **一丁** 距離の単位で「町」に同じ。一丁は約一〇九メートル。

(4) **御霊さま** 神霊や祖霊を尊んでいう、また仏式の「ほとけさま」を神式で呼ぶ語。

(5) **酌婦** 酒場・料理屋や宴会などの席で酌をする女。また、それをよそおった売春婦。

(6) **自在鍵** マダケの竿に鉄の軸をはめ客間の囲炉裏の上に吊し、鉄瓶をかけて使う。

(7) **カルサン** 袴の一種で上を緩めに仕立て、裾口に細い横布をつける。江戸時代には町人の労働着となり、農山村や寒冷地では野良着として用いた。

(8) **辻車** 道ばたで客を待つ人力車のこと。

(9) **煙草盆** 喫煙具の火入れ、灰吹き、煙草入れなど一式を納めるための道具。

(10) **坊主枕** 布を筒形に縫い、そば殻や茶殻を入れて両端をくくった枕(括り枕)。

(11) **伏姫の物語** 江戸後期の読本作者である曲亭馬琴(一七六七―一八四八)作の『南総里見八犬伝』のこと。作中の伏姫は里見家の姫で、守り犬の八房の気を受けて八犬士をもうける。

(12) **「きり〳〵す…独りかも寝む」** 「新古今和歌集」に収録されている後京極摂政前太政大臣の歌。

子に送る手紙

（1）**十番**　麻布界隈の繁華街（現・麻布十番）。江戸期の十番馬場の跡地であった。

（2）**神坂村**（みさかむら）　藤村の出生地である馬籠村と湯舟沢村が明治七年（一八七四）に合併し神坂村となった。

（3）**戒厳令**　戒厳とは戦争などの非常時に立法・司法・行政に関する権限を軍隊に移す処置。地震の翌九月二日午後に東京市と府下五郡に戒厳令が布告され，三日には神奈川県下にも拡大された。

（4）**二科会**　大正三年（一九一四）に石井柏亭・津田青楓らが創設した美術団体。

（5）**家婢**　家で用いた下働きの女性。

（6）**東京天文台**　国立天文台の前身。明治十一年（一八七八）に東京大学理学部観象台として発足。同二十一年、麻布区（現・港区）飯倉に移転して東京天文台と改称された。

（7）**謄写版**（とうしゃばん）　印刷法の一つで蠟引き原紙に鉄筆やタイプの圧力により多くの細かい穴をあけ、その穴から出るインクを紙に転写する。ガリ版。孔版。

（8）**尻からげ**　着物の後ろの裾をまくり上げてその端を帯に挟むこと。前出の「尻端折（しりばしょり）」に同じ。

（9）**濃尾地方の震災**　明治二十四年（一八九一）十月二十八日、岐阜県・愛知県を中心に起きた大地震。死者は七千名、全半壊家屋は二十二万戸を超えた。

(10) **百日咳**(ひゃくにちぜき) 百日咳菌が飛沫感染して起こる急性感染症。激しい痙攣性の咳発作が現れる。

(11) **六郷川** 多摩川の下流部の呼称で、現在の東京都大田区と川崎市川崎区との間に架かる六郷橋付近から河口までをいう。

(12) **本所の被服廠**(ひふくしょう) 旧日本陸軍で被服品に関する業務を執り行った陸軍被服本廠のことで、大正八年(一九一九)に本所区から王子区赤羽台に移転。大震災では跡地で避難民を火災が襲い多数が死亡した。

(13) **信濃毎日** 長野県の代表的な地方紙「信濃毎日新聞」。明治六年(一八七三)「長野新報」として創刊され、明治十四年(一八八一)に同題となる。歴代の主筆に山路愛山、桐生悠々らがいた。

(14) **赤痢**(せきり) 赤痢菌によって起こる急性消化器系伝染病。血液の混じった下痢が続き発熱がある。

(15) **釣瓶縄**(つるべなわ) 井戸の釣瓶に結びつけてある縄。いどづな。いどなわ。

(16) **檜木笠**(ひのきがさ) ひがさ(檜笠)に同じで、檜を薄くはいで作った網代笠。

(17) **在郷軍人** 平時は郷里で生業に従事しているが、戦時には召集される予備役・後備役などの軍人。

(18) **チブス** チフス菌による伝染病。高熱、発疹、脹腫の症状を示す。一般に腸チフスをいう。

(19) **天然痘** 一九七九年に根絶が宣言された法定伝染病の一つ。高熱とともに赤い発疹が出る。

(20) **九文**(もん) 「文」は足袋底の長さの単位で一文は約二・四センチ。九文は約二一・六センチ。

(21) **四つ身** 身丈の四倍の長さで袖以外の身頃(みごろ)を裁つことで、主に子供の衣服に用いる。

(22) **本裁ち**(ほんだ) 並幅一反の布で、大人用の着物を仕立てること。また、その裁ち方。

(23) **養レ子風塵間**　杜甫の詩「双燕」より、子を養う風塵の間。せわしなく混乱した中で子供を育ててきたという意味。

(24) **大川端**　東京・隅田川の下流、特に吾妻橋から新大橋付近までの右岸一帯をいう。

(25) **河蒸汽**（かわじょうき）　川を就航する喫水の浅い蒸気船。川蒸気船。

嵐

(1) **一寸四分**（すんぶ）　尺貫法の単位で「寸」は約三センチメートル、「分」は寸の十分の一にあたる。

(2) **二町**（ちょう）　「町」は尺貫法での距離を指し、二町は約二一八メートル。

(3) **鳥打帽**（とりうちぼう）　前庇のついた丸く平たい軽便な帽子。ハンチング。

(4) **精霊棚**（しょうりょうだな）　盂蘭盆に、先祖の精霊を迎えるために設置する棚。

(5) **市内電車従業員の罷業**　大正九年（一九二〇）十一月から十二月にかけ東京市電のストライキがおこり、賃上げを要求して労使が争った。

(6) **膏薬張り**（こうやく）　障子や襖の破損した部分に小さい紙を膏薬のように貼り修繕すること。

(7) **兵児帯**（へこおび）　男性・子供の締めるしごき帯。身長に合わせ着物をはしょり上げるのに用いる。

(8) **築地小劇場**　大正十三年（一九二四）、土方与志、小山内薫の主宰する劇団「築地小劇場」の公演のために建設された同名の劇場で、いまの東京都中央区築地二丁目にあった。

(9) **「そら豆の煮えるまで」**　アメリカ人のスチュアート・ウォーカー(Stuart Walker, 1888–1941)

作の児童文学で児童劇として上演された。

(10) **晴雨計** 気圧計のこと。

(11) **七貫目**(かんめ) 「貫」は尺貫法の単位で一貫は三・七五キログラム。七貫目は約二六キログラム。

(12) **赤襟の姉さん** 赤襟はまだ一人前でない芸者・半玉のことで、ここでは紫刺繡の襟にかけて揶揄している。

(13) **ビッシェール** フランスの画家であるロジェ・ビシェール(Roger Bissière, 1888-1964)のことで、日本の二科会にも出展した。

(14) **テラ・ロオザ** 濃赤色。テラ・ロサ。

(15) **山駕籠**(やまかご) 山道などで用いた粗末な駕籠で、竹で底を円形に編み、丸棒や丸竹を通してかつぐ。

(16) **オヤゲナイ** 信州の方言で、気の毒に、かわいそうに。

(17) **柳行李**(やなぎごうり) 行李は旅行で荷物を運ぶのに用いた箱形の物入れで、柳を麻糸で編んで作ったのが柳行李。

(18) **「扶桑隠逸伝」** 江戸前期の日蓮宗の僧侶である石井元政(一六二三―一六六八)が著した隠者伝。漢文体。

(19) **ヴィルドラック** フランスの詩人・劇作家であるシャルル・ヴィルドラック(Charles Vildrac, 1882-1971)のことで、大正十五年(一九二六)に来日した。

(20) **附木**(つけぎ) 魚・野菜などの品名や値段を書きつけてある薄い木片。

解　説――「社会（よのなか）」と格闘した作家

大木志門

島崎藤村は長篇小説に定評のある作家である。著名な近代作家は長篇を代表作として記憶されることが多いが、特に藤村はその傾向が強く、「破戒」「春」「家」「新生」「夜明け前」といずれも長篇である。それだけでなく、藤村が生涯に刊行した短篇集は全五冊で、既刊の『島崎藤村全短編集』（郷土出版社、二〇〇二年）収録作はあわせて六十八篇、これにいくつかの未収録作や習作を足したとしても長い文壇キャリアに比較して非常に少ないのだ。たとえば、一歳年長で同じ自然主義文学の作家である田山花袋（たやまかたい）や徳田秋聲（とくだしゅうせい）の短篇数は優に一桁上である。特に大正以降はぐっと数が減り、これは藤村が月々の文芸誌に短篇を発表することで作家生活を維持する文壇システムから距離を取れていたことを意味するが、だからといって藤村の短篇が読まれないことは大きな損失である。む

しろ、長篇連載の合間に大切に書かれたそれらは、珠玉の輝きを放っていると言ってよい。

明治五年(一八七二)に筑摩県馬籠村(後・長野県神坂村、同・山口村、現・岐阜県中津川市馬籠)で生まれ、二〇二二年に生誕百五十年を迎えた島崎藤村(本名・春樹)は、明治十四年(一八八一)に上京し、明治学院普通科卒業後に『女学雑誌』への寄稿を始めた。やがて盟友・北村透谷を知り、明治二十六年(一八九三)に透谷、星野天知らと雑誌『文学界』を創刊する。その後、明治女学校、仙台の東北学院で教鞭をとりつつ新体詩人として活躍し、とりわけ「初恋」を含む『若菜集』(春陽堂、明治三十年)は多くの若者に愛好された。明治三十二年(一八九九)には函館出身の秦冬子と結婚、長野県の小諸義塾に赴任後に散文への転向をこころざし、明治三十九年(一九〇六)、「新平民」に題材を採った『破戒』を自費出版、自然主義の作家として知られるようになる。

この社会意識に満ちた『破戒』や、郷里の実父をモデルに明治維新を描いた晩年の「夜明け前」(昭和四―十年)を近代文学史上の傑作として挙げる者は多い。しかし十川信介による評伝『島崎藤村　「一筋の街道」を進む』(ミネルヴァ書房、二〇一二年)の冒頭が「島崎藤村は好悪の評価がはっきり分かれる作家である」という一文から始まるように、藤村は強い尊敬の対象であると同時に敬遠されがちな作家でもある。芥川龍之介がその

主人公を「老獪な偽善者」(「或阿呆の一生」)と称した「新生」(大正八年)の事件の印象もあるかもしれないが、むしろ宇野浩二が「嵐」(本書収録)を評価しながら「小学読本的に襟を正させるような人格者」(「創作採点月評」『不同調』大正十五年十月)と書いたように、本人にもその作品にも謹厳でややとっつきにくい印象があるのだ。

よって、この短篇集では二十一世紀の読者に向けて、第一には藤村文学の「面白さ」を伝えることを目指した。「芽生」「ある女の生涯」「嵐」のような代表作を軸にしつつ、これまでの文庫や選集にほとんど採られなかったが、普遍性や現代性があると考えられる作品を積極的に選んでみた。藤村が頭角を現した日露戦後の文壇は、近代文体の確立期である。その中でも藤村の文章は平明でありながら奥行きと詩情をたたえていて、今でも十分にみずみずしい。百年以上前の文章を少しの苦もなく読み進めることができることにまずは素直に驚かされる。小説修行のため移りゆく雲の姿を日記に書き留めたという藤村の描写力はたしかであり、長篇では思わせぶりで肝心なことを書かないなどと評されることもあるが、短篇では省筆がもたらす余韻として味わい深く迫ってくるのだ。

個々の作品で扱われる題材は巧みに時代の諸相を掬(すく)い取っており、同時にそこに表されたメッセージは古びていない。『破戒』に「酷烈(はげ)しい、犯し難い社会(よのなか)の威力(ちから)は、次第に、丑松の身に迫って来るように思われた」という一文があるが、藤村は生涯にわたっ

て「社会(よのなか)」と様々に対峙した作家であった。実際、彼は文学者では珍しいほどの行動派であり、文人実業家の神津猛に借金をして『破戒』を自費出版し、またそれら緑蔭叢書の版権を新潮社に売却して洋行、さらに帰国後に全集印税で雑誌『処女地』を創刊して自ら編集を行い、「嵐」で描かれるように郷里に土地を購入し家を建て子供を帰農させるなど、物静かな風貌に似合わぬ実務家ぶりなのである。良い悪いはともかく妻の死によって生じた「新生事件」もまた、「社会」との激しい軋轢(あつれき)の最前線であったろう。そのように自身の希望を叶えるため、あるいは問題を解決するために社会と折衝し、時に挫折を経験しながら奮闘し続けた藤村の姿は、その短篇を通すことで、くっきりと像を結ぶのだ。

本作品集は藤村の遺した五冊の短篇集全てから全十一篇を選び、時代順に並べた。まず「津軽海峡」(『新小説』明治三十七年十二月)は第一短篇集『緑葉集』(春陽堂、明治四十年一月)収録で、本書の書名には後述する夭逝した愛児みどりの名が込められている。発禁になった小説第一作の「旧主人」は収録されなかったが、「藁草履」「水彩画家」など収録作の多くが「千曲河畔の物語」(同書序文)として家庭や性の問題を扱っており、そのモチーフは自伝小説「家」(明治四十三年)へと引き継がれていく。

その中でやや異質なのが「津軽海峡」である。明治三十六年(一九〇三)五月二十二日に第一高等学校の生徒、藤村操がいわゆる「巌頭之感」を残して華厳の滝で投身自殺した。夏目漱石が英語を教えたこともあった青年の死は、複数の模倣自殺を生む社会現象となり島崎藤村も大きな衝撃を受けた。本作の主人公夫妻は、この藤村操の父母を思わせるように造形されており、煩悶する青年という同時代事象をいち早く取り込んだ小説である。ただし、それを青年の側ではなく子を思う親の側から書いたところに独創があり、物語は息子を失った哀しみを癒す旅に出た夫婦が船中で息子とよく似た書生に出逢うが、突如現れたロシア艦隊によって自らも死の危機に直面することになる。

実は本作には作者自身の体験が背後にあり、妻冬子の父である網問屋の秦慶治に『破戒』出版の援助を求めて日露戦時の明治三十七年(一九〇四)七月に函館に渡った旅が活かされている。実際に藤村が津軽海峡を越えたのはロシア海軍が日本の民間船襲撃を繰り返していた時期であり、その緊張感が作品にはみなぎっている。そして、続いて船内で起こる置き引き騒動との間で、緩急のあるアクションが発動している。このように「津軽海峡」は、体験を他者の姿に託して社会的事象を接木(つぎき)した実験的な作品だったのだ。この方法は身近なモデルを使った初期の短篇「旧主人」や「水彩画家」でも試みられるが、それが文壇で一つの騒動を巻き起こしたのが「並木」であった。

その「並木」および「死」「芽生」は第二短篇集『藤村集』（博文館、明治四十二年）から収録した。当時の藤村は文壇で充実期を迎えつつあり、後二者は「春」（明治四十一年）の完結から「家」（明治四十三年）の準備を始める間の発表である。

「並木」（『文藝倶楽部』臨時増刊、明治四十年六月）はモデル小説であり、作中の相川は馬場孤蝶、原は戸川秋骨、永田は平田禿木、乙骨は上田敏、高瀬は藤村自身、青木は森田草平、布施は生田長江にあたる。また相川が古書店で発見する「彼自身の著書」は孤蝶『連翹』（久友社、明治三十八年）のこと、「ツルゲネエフの情緒あって……」とは草平が『明星』（明治三十八年六月）に書いた『連翹』評の一節、さらに「人は何事にても……吾事業なるか」は孤蝶が『文学界』に連載した「流氷日記」の一節である。ただし全てが事実通りではなく、たとえば秋骨がいたのは金沢ではなく山口であるが、これ以外にも様々に凝らされた虚構の部分にモデルたちが反応したのである。

孤蝶は「島崎氏の『並木』」（『趣味』明治四十年九月）という抗議文を書いて作品と実際の自分との違いを主張し、秋骨は「並木の副主人公原某」名で作中の高瀬（藤村）を批評し返す小説「金魚」（『中央公論』明治四十年九月）を発表した。さらに、これに触発された丸山晩霞も「島崎藤村著『水彩画家』の主人公に就て」（『中央公論』明治四十年十月）を発

表し自身がモデルと目され得る「水彩画家」に抗議をしたことで、文壇に所謂「モデル問題」が勃発した。藤村「並木」の狙いは、両者を人生の敗者として描くことにはなく、自身の哀感を彼等に託して表現したかったのであった。「水彩画家」の事情もこれとほぼ同じであり、そこで描かれる夫と妻それぞれの不義は、のちの「家」では藤村と冬子夫妻の家庭の事件として語り直されている。

藤村にとって、特に孤蝶の文章は「人をして悶死せしむる底のもの」（神津猛宛書簡、明治四十年九月十日付）であり、その批判を容れて「並木」は『藤村集』収録に際し大幅に改稿された。この改稿版を評価する立場もあるようだが、主題がより明快でモデルたちの憤りも理解しやすい初出版を本書では底本とした。なお、本作を読むと当時が現在のサラリーマン社会の入り口であったことがよくわかる。「立身出世」を是とした時代の中で大志を遂げぬまま老い、新世代に替わられてゆく悲哀、そして街角で切り揃えられた並木になぞらえられる人間の姿は、現代の読者にも共感が得られることであろう。

「死」（『読売新聞』日曜付録、明治四十二年六月十三日）は、藤村が東北学院の教師として仙台に在住していた明治二十九年（一八九六）十月二十五日に母ぬいがコレラで死去し、急ぎ帰京した体験を元にした作品である。語り手「私」は姉園子が嫁いだ高瀬家の長男慎夫で、「仙台の方に居る重叔父」が藤村にあたる。前年の明治二十八年から国内でコレ

ラが流行し、作品発表の明治四十二年（一九〇九）にはチフスが流行していた。のち大正半ばには有名なスペイン風邪の大流行があり、近代とは感染症との闘いの歴史でもあった。隔離後あっけなく絶命する祖母の姿もそうだが、ひときわ感染を警戒していたはずの近所の乳母の女性が発症する様子には、死が誰の頭上にも訪れ得た恐怖が活写されている。まさしく自然主義リアリズムと言うべき、身近な存在の死をも冷徹に描くこの姿勢は、続く「芽生」により顕著である。

「芽生」（『中央公論』明治四十二年八月）は、小諸義塾を退職し明治三十八年（一九〇五）四月に家族とともに上京した藤村が、『破戒』を完成させる前後までの生活を描いている。作中の牧野君は信州志賀村の大地主で実業家の神津猛、角筈（つのはず）に住む水彩画家は三宅克己（みやけこっき）、戦地から帰ってきた友人は田山花袋、麴町の方に居る友人は蒲原有明（かんばらありあけ）である。藤村は小諸義塾の教え子を通じて神津と知り合い、前述のように『破戒』刊行に際し多額の援助を受けたが、この資金を切り詰めての生活は家族たちの健康を次第に蝕（むしば）んだ。同年五月六日に満一歳の三女縫子（作中のお繁）が急性脳膜炎で死去、十月二十日に長男楠雄が誕生するも、『破戒』完成直後の明治三十九年（一九〇六）四月七日に満四歳の次女孝子（お菊）が急性腸カタルで死去、同六月二日には満六歳の長女みどり（お房）までもが結核性脳膜炎で死去した。志賀直哉は「『破戒』がそれに価する作物か」（「邦子」）と痛烈に批判し

たが、子供たちを次々と喪い、妻を栄養不足で鳥目（夜盲症）にしながら「何を犠牲にしても、私は行けるところまで行ってみようと考え」必死に創作に打ち込む主人公の姿、そして娘たちの死にゆく様を克明に描く藤村の筆致には鬼気迫るものがある。その内容はのち長篇「家」に組み込まれたが、一人称の語りで主観が強く出た本作は『藤村集』中でも屈指の力作であるため、ここに収録した。

続く「人形」「平和の日」の二篇は、第三短篇集『食後』（博文館、明治四十五年）からの収録である。『食後』はモデル事件を経て、家庭の内部に焦点を絞った自伝的な「家」と対照的に、その外部の様々な他者たちの人生が点描されていることに特徴がある。広告文に「食後に卓を囲み果実を置き互いに語ろうとする如き心地で編んだ」とあるように、コンパクトで良い意味で力の抜けた好短篇が多く収められている。

「人形」（『読売新聞』明治四十四年七月九日）は親戚の人形師の家に寓居する「私」を視点人物にしながら、人間の子供のように少年の人形を愛して暮らす女性を描く掌篇である。やがて独立して下町に移った「私」は女性と対面し、自身も年輪を重ね辛酸をなめたことで彼女の人生を理解できるようになる。ただし、その中身をくどくどと書き連ねるのではなく、「彼の内儀さんが、奈何に僅の幻に生きつつあるか、それを私は想ってみた」

と短い文章で暗示的に表現されるだけである。まさに省筆の美が際立つ作品と言えよう。なお、三児を失った藤村は明治三十九年に郊外の西大久保の家から下町の浅草新片町(現・台東区柳橋)に転居しており、そのような下町情緒も本作には表れている。

「平和の日」(『太陽』明治四十四年八月)は日露戦争翌年の郷里・木曾を舞台に、通訳官として従軍した真木が、戦死した友人の妻へその様子を伝えに赴くある一日を描く。真木は友人の妻に淡い恋心を抱き空想を膨らませていたが、一人の無帽の男と同道したことで予期せぬサスペンスを味わうことになる。彼の中で恐怖が高まってゆく過程が読みどころだが、それが今で言う戦争後遺症のPTSD(心的外傷後ストレス障害)のように描かれており、この題材を藤村はどこで入手したのであろうか。日露戦争は日清戦争とは比べものにならぬ多くの死者と傷病兵を生み出し、その対応として明治三十九年(一九〇六)には廃兵院法が公布されていた。藤村は友人の国木田独歩や田山花袋のように従軍こそしなかったが、『緑葉集』の序に「友人達が観戦の企てを聞き、自分も亦に筆を携へて従軍したいと考へた」とあり、その意思があったことは知られている。果たして「人生の従軍記者」(同前)として藤村が描いた戦争の姿は、夫の死後も平然とした様子の女性に対して、戦争の前には二度と戻ることができない男の哀しみであったのだ。

以上の二篇は、いずれも知られざるストーリーテラーとしての藤村の一面が味わえる

作品であろう。この間の藤村は花袋や柳田国男らの龍土会や西園寺公望（きんもち）の「雨声会」に参加し、着実に文壇での地歩を固めてゆく一方で、私生活では妻の冬子までを明治四十三年（一九一〇）に四女柳子の出生と引き換えに喪い、やがて手伝いに来る姪の島崎こま子（次兄広助の娘）との恋愛事件が始まろうとしていた。

「柳橋スケッチ」と「沈黙」は第四短篇集『微風』（新潮社、大正二年四月）からの収録で、同書は明治四十二年（一九〇九）から大正二年（一九一三）にかけて発表した作品を収めている。両作に強く漂うのは過去を振り返る視点である。「春」でも北村透谷らと過ごした『文学界』の青春を、「家」「芽生」では辛苦をともにした妻子との生活を回想していたが、ここでの過去への眼差しはさらに徹底している。

「柳橋スケッチ」は明治四十二年から四十五年（一九一二）の間に『中央公論』『早稲田文学』『新潮』に掲載した短文をまとめた小説と随想の中間的な作品である。明治四十四年（一九一一）には過去に写生した小諸の風景を補筆した「千曲川のスケッチ」が『中学世界』に連載されており、現在の住居近くの風物や旅の記憶から構成される「柳橋スケッチ」は、いわば双生児的な関係にある。島崎家の新片町の家は神田川河口の柳橋花柳界の一角にあり、江戸時代の柳橋は吉原へ通う船の発着所として栄えた場所であった。

本作ではこの柳橋の盛衰を記した成島柳北『柳橋新誌』(明治七年)をはじめ、ワイルド、ボードレールらが引用されながら、自身の記憶と神田川沿いの風景が記述されてゆく。藤村の文人としての側面が堪能できる作品であるが、同時に戻らない時間への哀惜が滲んでおり、第一章で死んだ妻子の遺骨を見つめた私は、第五章では富津の漁村へ出かけ、そこで出会った盲目の老婆に思いを移してゆく。各章がゆるやかに連関しながら「意識の流れ」風に語られてゆく、悲しくも美しい作品である。

「沈黙」(『中央公論』大正二年二月)は、斎藤緑雨(一八六七—一九〇四)をモデルにした故人の「勝田君」に語りかける形式で、緑雨と『文学界』グループの交友や樋口一葉の死とその後の樋口家の様子を描き、明治文壇の側面史としても興味深い。作中の鈴木君は馬場孤蝶、寺島さんは幸田露伴、小竹君は北村透谷、佐藤君は戸川秋骨、明石君は平田禿木、お茂さんは樋口一葉、お菊さんは妹の樋口邦、秋葉の大将は大橋乙羽にあたる。鷗外、露伴との匿名合評「三人冗語」を雑誌『めさまし草』で連載し、皮肉屋で辛辣な批評家として知られながら三十代半ばで没した緑雨は明治の傑物であり、一葉とも親交が深かった。一葉没後には樋口家の世話をしており、作中にあるように邦との結婚話もあったようだが、これを固辞して明治三十三年(一九〇〇)秋に療養で鵠沼東屋に行き金沢タケを知り晩年をともにした。そして死去する直前に孤蝶を呼んで一葉の日記と遺稿を

返却し、自身の死亡広告「僕本月本日を以て目出度死去仕候間此段広告仕候也緑雨斎藤賢」を託したのであった。藤村は「世と戦い、当時の文学者と戦い、迫り来る貧しさと苦痛とも戦い、しかも冷然として死んだ」緑雨を描くことで、この無言の死者と対話をしつつ、そこに同じく世と闘う自身の姿を重ね、彼を鎮魂しているのである。

この二作が書かれた当時の藤村は「新生事件」の渦中で、実人生は「微風」どころではなく暴風雨の中にあった。「柳橋スケッチ」にはワイルドの『獄中記』を読む「私」の姿が描かれているが、藤村は高まる罪意識の中で再起を企図していた。そしてこの悪因縁を断ち切るため、大正二年(一九一三)三月に『微風』と第二感想集『後の西方町より』(同年四月)の刊行を新潮社に託し、さらに緑蔭叢書の版権を同社に二千円で譲渡して費用をつくり、フランスに旅立つ。妊娠した姪こま子を残しての渡仏であった。

「ある女の生涯」「子に送る手紙」「嵐」は第五短篇集『嵐』(新潮社、昭和二年一月)から収録した。大正五年(一九一六)の帰国後に再燃したこま子との関係を告白した『新生』第二部(大正八年十二月)刊行後に発表された作品を集めた、最後の短篇集である。この間の藤村は、紀行文『エトランゼエ』(大正十一年)、随想『飯倉だより』(同年)、『春を待ちつつ』(大正十四年)、童話集『をさなものがたり』(大正十三年)などを続々と発表したが、

純粋な小説は僅かこの集収録のものだけである。その後は「藤村の全生涯、または全作品が流れ込んでいる」（十川信介『島崎藤村』）「夜明け前」の長期連載へと入ってゆくのだが、熟した果実が落ちるのを待つように発表されたこれら短篇は粒揃いである。

「ある女の生涯」（『新潮』大正十年七月）は大正九年三月十三日に根岸病院で死去した姉高瀬園子をモデルに、その晩年を描いている。作中の小山げんが園子、その夫は高瀬薫、娘お新は高瀬田鶴、死別した息子は前述の高瀬慎夫、弟の宗太は島崎秀雄、直治は広助、熊吉は藤村、蜂谷は縁故のある内科医の清水半治郎である。学問と篤い信仰を有しながら座敷牢で没した「夜明け前」の青山半蔵のモデルとなった父正樹に最も似た気性を持つこの姉を、藤村は愛情を持って眺めており、「家」、「夜明け前」、「涙」（『解放』大正九年六月）にも登場させている。園子は夫の薫が出奔してから精神を病んで入退院を繰り返し、夫の死後に病状を悪化させ、最期は精神病院で没したのである。

狂気に侵された人間の内面を描写する本作の試みは、芥川龍之介の遺作「歯車」（昭和二年）に先行しており、「金色に光った小さな魚の形が幾つとなく空なところに見え」る発作の様子や、彼女の内部で二人の人格が話し合う場面などかなりの臨場感がある。自身では狂気を認めようとしないおげんの姿を通して、正常と異常の境界や、彼女の幻覚に示唆される性の抑圧、その背後にある家制度の問題などが次々と読者の眼前に浮かび

上がってくる。パリで墓参したモーパッサン『女の一生』を読み、姪との恋愛事件を経て「婦人の眼ざめを期待」(「創刊の辞」)し女性たちのための雑誌『処女地』を翌大正十一年(一九二二)に創刊する藤村は、真摯に女性の人生を考えようとしていたのである。

「子に送る手紙」は第一章が『朝日新聞』(大正十二年十月八―二十二日、全十回)、第二章が『新潮』(大正十三年一月)に掲載され、これに第三章を併せて、短い小説や文章を集めた『藤村パンフレット』第二輯(大正十三年六月)に収録された後、『嵐』に再録された。連載開始時の総題は「飯倉だより」で、これは大正七年より麻布区飯倉片町(現・港区麻布台)に暮らした藤村が用いた随筆の題名である。よって本作は当初の発表形態としては随筆であり、同時に新聞の第一面で震災の様子を伝えるルポルタージュ的な役割を担ったと考えられる。「柳橋スケッチ」と同様ジャンル横断的な作品と言えよう。

書簡体で「お前」(馬籠で帰農していた長男の楠雄)に呼びかける形式は、当時の藤村が意欲的に取り組んでいた童話(作中でも言及される『をさなものがたり』)との関係を指摘されるが、そこに描かれるのは震災後の緊迫した現実の記録である。藤村は自宅こそ無事だったが迫り来る火災や余震を恐れ、子供たちとともにしばらく避難生活を送った。戒厳令下の東京では報道規制がかかり、自警団による朝鮮人の虐殺事件、憲兵隊が無政府主義者の大杉栄と伊藤野枝夫妻および甥の橘宗一を殺害した事件(甘粕事件)、亀戸署で軍

隊が警察の協力を受けて複数の労働者を殺害した事件(亀戸事件)など非常時に乗じた無法が世の中を支配した。作中には「二千人もの敵が襲って来るという風聞」や朝鮮人らしい「百人ばかりの一行」が警官隊に護送されて帰国を急ぐ様子、「怪しい敵の徘徊するものとあやまられて」殺された「同胞の青年」のことなどがはっきりと記されている。洋行したパリで第一次世界大戦が勃発し、その中で反独感情の高まりや疑心暗鬼に陥りスパイ捜しをする市民の姿を目の当たりにした藤村が描こうとしたのは、何よりそのような「自分等のうちから飛出す幽霊」の脅威であったのだ。避難生活の困難や庶民のあたたかな助け合いの姿も仔細に記述されており、関東大震災を描いた記録文学の傑作として永く読み継がれるべき作品である。

「嵐」(『改造』大正十五年九月)は、大正七年(一九一八)十月に飯倉片町の借家に転居してから大正十五年(一九二六)五月までの藤村の生活を描いている。作品発表当時の文壇は「私小説論争」のただ中であり、徳田秋聲「元の枝へ」と同誌同号発表の本作は老大家の作品として「昨今云う処の心境小説の局地」(南部修太郎「九月の創作」『読売新聞』大正十五年九月五日)として非常に高い評価を得たものである。

語り手となるのは、同居していた太郎(楠雄)、次郎(鶏二)に加えてよそに預けていた三郎(翁助)と末子(柳子)を引き取り、男手一つで子を育てる父親「私」である。「私」は

手狭になった家の転居を考えていたが、最終的に太郎と次郎が郷里に移り「子のために建てたあの永住の家と、旅にも等しい自分の仮の借家住居(ずまい)の間には、虹のような橋が掛(かか)ったように思われ」てこの地にとどまることを決める。これは大正十一年(一九二二)八月に長男の楠雄を郷里馬籠に帰農させ、父祖の地を買い戻して「緑屋」(作中の「四方木屋」)と名付けた家を建てた体験が元になっている。次郎と三郎が通う洋画研究所は小石川春日町にあった川端画学校(川端玉章設立)、番町の先生は有島生馬(ありしまいくま)のことである。

作中の「私」は「家の内も、外も、嵐だ」と独白するが、実際に描かれるのは家の中の「嵐」のみであり、こま子とのその後や、彼女との別離後に雑誌『処女地』で知り合い結婚することになる加藤静子のことなどは全く登場しない。また藤村も協力した花袋・秋聲の生誕五十年祝賀会(大正九年)や自身の生誕五十年祝賀会(同十年)など文壇の出来事も描かれない。当時の読者は藤村の家の「外」の「嵐」をある程度認識した上で読んだことであろうが、あえて「家の内」に視点を絞ったことで純然たる家族のドラマが成立している。「墓地」に見立てられる震災後の荒廃した東京と再生の場所としての郷里馬籠、その都市にとどまる旧世代の父と農村で新しい道を踏み出そうとする息子たちの対比によって、世代交替とそれぞれの成長が浮き立つのである。なお、「私」が二人の息子の性格に自身の中にある情熱と慎重さの「矛盾」を見出すように、まさにこの両

面は藤村の人と文学の性格を表しているであろう。作中では「その矛盾が矛盾でないような時」を感じる瞬間が描かれるが、むしろ彼は生涯自身の中の矛盾を自覚しつつ、またそれを体現しながら生きた作家であったと思われる。

本作のモデルとなった長男の楠雄(一九〇五―一九八二)は明治学院中等部中退後に農業に従事し、父の没後は財団法人藤村記念郷初代理事長、藤村記念館顧問などをつとめ、その顕彰に尽力した。次男の鶏二(一九〇七―一九四四)は川端画学校から半画半農生活に入り昭和四年(一九二九)にフランスに留学、帰国後は二科会を中心に出品し将来を嘱望されたが、残念ながら昭和十九年(一九四四)に従軍先のボルネオ島にて飛行機事故により死去した。作中で「早川賢」(大杉栄)から「木下繁」(青木繁)へと次々に関心を移してゆく三男の翁助(一九〇八―一九九二)は、兄とともに画学校に通い、やがてプロレタリア美術運動に傾倒、昭和四年(一九二九)に勝本清一郎とベルリン留学、帰国後は陸軍報道部員として中国戦線に従軍し、戦後は父の残した資料整理の役割も担った。この後に発表された短篇「分配」(『中央公論』昭和二年八月)には、藤村が円本全集の印税を四人の子供たちに均等に相続する様子が描かれており、この生真面目さはいかにも藤村と感心させられる。親としての責任を果たしつつ、家族が互いに自立した個人であることを彼は望んだのである。

以上のように「子に送る手紙」と「嵐」で社会と生活の危機と新生を描き切り、続いて「夜明け前」を七年がかりで完成させた藤村だが、その後の日本は泥沼の戦争に突入してゆく。しかしその間にも近代作家資料の保管施設建設を提言し、日本ペンクラブの会長に就任し二度目の洋行をするなど、藤村は文壇の長老として社会に向き合い続けた。そして海外で得た知見を元に最後の長篇「東方の門」を書きかけ、昭和十八年(一九四三)八月二十二日に晩年を過ごした大磯の家で「涼しい風だね」という最後の言葉を残して力尽きたのであった。

本書に収録された作品からだけでも、藤村がリアリズムに基盤を置きつつ各時代で少しずつ作風を変え、時に実験を試みながら多様なテーマに挑戦した作家であったことがわかるであろう。几帳面な藤村は、先に引いたように「嵐」では郷里の子供の家と東京の家の間に「虹のような橋が掛(かか)った」とか、あるいは「芽生」では娘たちの死について「芽生は枯れた、親木も一緒に枯れかかって来た……」などそれを象徴的な表現で的確に示してくれる。しかし藤村短篇の魅力は、それらわかりやすい言葉よりも、むしろ積み重ねられる出来事の記述、それは明示的に書かれていることだけでなく、はっきりと書かれてはいないが行間から立ちのぼる「世界」の描写の力にこそある。たとえば「芽

生」で死の床にある娘の傍でまんじりともせずに朝を待つ「私」の眼前に「やがて青白い光が朝の空に映り始め」、続いて窓の外の「テニスの網」や建物の「石階の鉄の欄までも分って来た」という光景、あるいは「ある女の生涯」で内なる狂気を抑えるために必死に「微吟」をするおげんが「時には耳を澄まして自分の嘯くような声に聞き入って、秋の夜の更けることとも忘れた」という何気ない描写などに、私たちは「世界」のたしかな気配を感じ取り、胸を震わせるのである。

言うなれば、藤村の短篇は近代社会において個人および社会が経験した様々な「危機」を描き出したのではないだろうか。夫婦、家族、隣人、他人など人間どうしのぬきさしならない関係や、社会の様々な側面や出来事が誰にでも実感を持てる形でそこには表現されている。個々の問題への認識は時代の制約や本人の性格もあり、必ずしも全てが十分に深められたとは言えないかもしれない。あるいは藤村が相対したのは所詮彼が見た身の回りの「社会」に過ぎず、社会そのものではないという批判も可能であろう。しかし彼がそれらを真摯に考えようとした存在であったことだけは間違いない。よって、彼の作品は各々の時代を映しだす鏡であるとともに、各時代で生じる人生的、社会的な危機に対処しようとした個人の偉大な記録でもあるのだ。その背景にある貧困や性差や家制度の問題などは、人間の性質が一朝一夕では変わらないがゆえに今後も容易には解

決しないであろう。さらには地震や感染症や国家間の戦争など社会を根本から揺るがす天災・人災について、それらが全く過去のものではないことを痛感させられたのが二十一世紀の世界であったはずだ。だが、そのような危機の時代においてこそ、日本の近代とともに歩み、強い理想を持って普遍的な問題と格闘し続けた、数少ない文学者らしい文学者である島崎藤村の作品が、再び耀(かがや)きを取り戻すはずである。

島崎藤村略年譜

一八七二(明治五)年
3月25日(旧暦2月17日)　筑摩県馬籠村(現・岐阜県中津川市馬籠)に、父正樹と母ぬい(縫)の四男三女の末子として生まれる。本名・春樹。正樹は、木曾街道馬籠宿の名主・戸長で、平田派の国学・神道を研究・信仰していた。

一八八一(明治十四)年　9歳
修学のため、長兄に連れられ、上京。泰明小学校に入る。

一八八六(明治十九)年　14歳
9月　共立学校(のちの開成中学)に転入する。　11月　父正樹が死去。

一八八七(明治二十)年　15歳
9月　明治学院普通学部本科一年に入学。同窓生に、戸川秋骨、馬場孤蝶。

一八八八(明治二十一)年　16歳
6月　木村熊二牧師から洗礼を受ける。

一八九一(明治二十四)**年**　19歳
6月　明治学院卒業。

一八九二(明治二十五)**年**　20歳
9月　明治女学校教師となる。北村透谷、平田禿木、星野天知を知る。

一八九三(明治二十六)**年**　21歳
1月　教え子佐藤輔子への愛に苦しみ退職。教会も離脱。10月『文学界』同人に参加。

一八九四(明治二十七)**年**　22歳
4月　明治女学校に復職。5月　北村透谷が自殺。10月『透谷集』を編集。

一八九五(明治二十八)**年**　23歳
8月　嫁いでいた佐藤輔子が札幌で死去。12月　明治女学校を辞職。

一八九六(明治二十九)**年**　24歳
9月　東北学院教師として、仙台に赴任。10月　母ぬいがコレラで死去。この年、田山花袋を知る。

一八九七(明治三十)**年**　25歳
7月　東北学院を辞職。8月『若菜集』刊行。秋より湯島新花町で長兄秀雄一家と同居。

一八九九(明治三十二)**年**　27歳

4月　小諸義塾教師として、小諸町に赴任。明治女学校の教え子秦フユ（冬子）と結婚。

一九〇〇（明治三十三）年　28歳

5月　長女みどり誕生。夏頃より『千曲川のスケッチ』にまとまる写生文を書き始める。

一九〇二（明治三十五）年　30歳

3月　次女孝子誕生。11月　小説「旧主人」（発禁）、「藁草履」を発表。

一九〇四（明治三十七）年　32歳

4月　三女縫子誕生。7月　函館のフユの実家に『破戒』出版の資金援助を依頼に行く。

一九〇五（明治三十八）年　33歳

4月　小諸義塾を退職、上京。西大久保に住む。5月　三女死去。10月　長男楠雄誕生。

一九〇六（明治三十九）年　34歳

3月　『破戒』を自費出版。4月　次女死去。6月　長女死去。10月　浅草新片町に移る。

一九〇七（明治四十）年　35歳

1月　第一短篇集『緑葉集』刊行。9月　次男鶏二誕生。同月モデル問題が起きる。

一九〇八(明治四十一)年　36歳
4月　「春」を『朝日新聞』に連載開始。12月　三男翁助誕生。

一九〇九(明治四十二)年　37歳
12月　第二短篇集『藤村集』刊行。

一九一〇(明治四十三)年　38歳
1月　「家」を『読売新聞』に連載開始。8月　四女柳子誕生、妻フユが死去。次兄広助の次女こま子が手伝いに来る。

一九一一(明治四十四)年　39歳

一九一二(明治四十五・大正元)年　40歳
6月　「千曲川のスケッチ」を『中学世界』に連載開始。

一九一三(大正二)年　41歳
4月　第三短篇集『食後』刊行。

一九一四(大正三)年　42歳
4月　第四短篇集『微風』刊行。同月フランス旅行に出発。
7月　第一次世界大戦勃発。8月　戦火を避けて、パリから中仏・リモージュに移動する。

一九一六(大正五)年　44歳

7月　帰国。

一九一八（大正七）年　46歳

5月　「新生」第一部を『朝日新聞』に連載開始。　10月　麻布飯倉片町に転居。

一九一九（大正八）年　47歳

1月　『桜の実の熟する時』『新生』第一部刊行。　12月　『新生』第二部刊行。

一九二〇（大正九）年　48歳

3月　長姉高瀬その（園子）が根岸病院で死去。

一九二一（大正十）年　49歳

2月　生誕五十年祝賀会（数え歳で五十歳）。

一九二二（大正十一）年　50歳

1月　『藤村全集』（全十二巻）刊行開始。　4月　雑誌『処女地』を創刊。　8月　長男楠雄を馬籠に帰農させる。

一九二三（大正十二）年　51歳

1月　脳溢血で病臥。　9月　関東大震災。　10月　「飯倉だより（子に送る手紙）」発表。

一九二七（昭和二）年　55歳

1月　第五短篇集『嵐』刊行。　7月　小諸懐古園に藤村詩碑建立。

一九二八(昭和三)**年**　56歳
10月　次兄広助病没。　11月　加藤静子と再婚。
一九二九(昭和四)**年**　57歳
4月　「夜明け前」を『中央公論』に掲載を始める。
一九三五(昭和十)**年**　63歳
10月　「夜明け前」第二部完結。　11月　定本版『夜明け前』刊行。同月結成された日本ペンクラブの会長に就任。
一九三六(昭和十一)**年**　64歳
1月　『夜明け前』で朝日文化賞受賞。　7月　アルゼンチンでの国際ペンクラブ出席のため、出国。
一九三七(昭和十二)**年**　65歳
1月　アメリカ、フランスを経て、帰国。麹町下六番町の新居に入る。
一九四〇(昭和十五)**年**　68歳
2月　『巡礼』刊行。　12月　帝国芸術院会員となる。
一九四一(昭和十六)**年**　69歳
2月　神奈川県大磯に家を借りる(のち購入)。　4月　来日した周作人と面会。
一九四三(昭和十八)**年**　71歳

1月　「東方の門」を『中央公論』に連載を始める。　8月22日　大磯にて「東方の門」執筆中に、脳溢血のため死去。

作成に当たり、「島崎藤村略年譜」(十川信介『島崎藤村』ミネルヴァ書房、二〇一二年八月)、「略年譜」(三好行雄、新潮日本文学アルバム『島崎藤村』一九八四年八月)、「年譜」(伊東一夫編『島崎藤村事典　新訂版』明治書院、一九八二年四月)、「年譜」(瀬沼茂樹『日本の文学　島崎藤村(一)』新潮社、一九六四年六月)を参照した。

(岩波文庫編集部)

［編集附記］

一　本書に収録した作品は、『島崎藤村全集』（筑摩書房）第二―五、七巻（一九八一年一、二、四、五、七月刊）を底本とした。

一　原則として漢字は新字体に、仮名づかいは現代仮名づかいに改めた。

一　漢字語のうち、使用頻度の高い語を一定の枠内で平仮名に改めた。平仮名を漢字に変えることは行わなかった。

一　漢字語に、適宜、振り仮名を付した。

一　本文中に、今日からすると不適切な表現があるが、原文の歴史性を考慮してそのままとした。

（岩波文庫編集部）

島崎藤村短篇集（しまざきとうそんたんぺんしゅう）

2022年7月15日　第1刷発行

編　者　大木志門（おおきしもん）

発行者　坂本政謙

発行所　株式会社　岩波書店
〒101-8002 東京都千代田区一ツ橋2-5-5

案内 03-5210-4000　営業部 03-5210-4111
文庫編集部 03-5210-4051
https://www.iwanami.co.jp/

印刷・理想社　カバー・精興社　製本・中永製本

ISBN 978-4-00-310249-7　　Printed in Japan

読書子に寄す

——岩波文庫発刊に際して——

岩波茂雄

真理は万人によって求められることを自ら欲し、芸術は万人によって愛されることを自ら望む。かつては民を愚昧ならしめるために学芸が最も狭き堂宇に閉鎖されたことがあった。今や知識と美とを特権階級の独占より奪い返すことはつねに進取的なる民衆の切実なる要求である。岩波文庫はこの要求に応じそれに励まされて生まれた。それは生命ある不朽の書を少数者の書斎と研究室とより解放して街頭にくまなく立たしめ民衆に伍せしめるであろう。近時大量生産予約出版の流行を見る。その広告宣伝の狂態はしばらくおくも、後代にのこすと誇称する全集がその編集に万全の用意をなしたるか。千古の典籍の翻訳企図に敬虔の態度を欠かざりしか。さらに分売を許さず読者を繋縛して数十冊を強うるがごとき、はたしてその揚言する学芸解放のゆえんなりや。吾人は天下の名士の声に和してこれを推挙するに躊躇するものである。このときにあたって、岩波書店は自己の責務のいよいよ重大なるを思い、従来の方針の徹底を期するため、すでに十数年以前より志して来た計画を慎重審議この際断然実行することにした。吾人は範をかのレクラム文庫にとり、古今東西にわたって文芸・哲学・社会科学・自然科学等種類のいかんを問わず、いやしくも万人の必読すべき真に古典的価値ある書をきわめて簡易なる形式において逐次刊行し、あらゆる人間に須要なる生活向上の資料、生活批判の原理を提供せんと欲する。この文庫は予約出版の方法を排したるがゆえに、読者は自己の欲する時に自己の欲する書物を各個に自由に選択することができる。携帯に便にして価格の低きを最主とするがゆえに、外観を顧みざるも内容に至っては厳選最も力を尽くし、従来の岩波出版物の特色をますます発揮せしめようとする。この計画たるや世間の一時の投機的なるものと異なり、永遠の事業として吾人は微力を傾倒し、あらゆる犠牲を忍んで今後永久に継続発展せしめ、もって文庫の使命を遺憾なく果たさしめることを期する。芸術を愛し知識を求むる士の自ら進んでこの挙に参加し、希望と忠言とを寄せられることは吾人の熱望するところである。その性質上経済的には最も困難多きこの事業にあえて当たらんとする吾人の志を諒として、その達成のため世の読書子とのうるわしき共同を期待する。

昭和二年七月

《日本文学（現代）》〔緑〕

書名	著者・編者
怪談 牡丹燈籠	三遊亭円朝
真景累ヶ淵	三遊亭円朝
小説神髄	坪内逍遥
当世書生気質	坪内逍遥
ウィタ・セクスアリス	森鷗外
青年	森鷗外
阿部一族 他二篇	森鷗外
山椒大夫・高瀬舟 他四篇	森鷗外
渋江抽斎	森鷗外
舞姫・うたかたの記 他三篇	森鷗外
鷗外随筆集	千葉俊二編
森鷗外 椋鳥通信 全三冊	池内紀編注
浮雲	二葉亭四迷 十川信介校注
野菊の墓 他四篇	伊藤左千夫
吾輩は猫である	夏目漱石
坊っちゃん	夏目漱石

書名	著者・編者
草枕	夏目漱石
虞美人草	夏目漱石
三四郎	夏目漱石
それから	夏目漱石
門	夏目漱石
彼岸過迄	夏目漱石
漱石文芸論集	磯田光一編
行人	夏目漱石
こころ	夏目漱石
硝子戸の中	夏目漱石
道草	夏目漱石
明暗	夏目漱石
思い出す事など 他七篇	夏目漱石
文学評論 全二冊	夏目漱石
夢十夜 他二篇	夏目漱石
漱石文明論集	三好行雄編
倫敦塔・幻影の盾 他五篇	夏目漱石

書名	著者・編者
漱石日記	平岡敏夫編
漱石書簡集	三好行雄編
漱石俳句集	坪内稔典編
漱石・子規往復書簡集	和田茂樹編
文学論 全二冊	夏目漱石
坑夫	夏目漱石
漱石紀行文集	藤井淑禎編
二百十日・野分	夏目漱石
五重塔	幸田露伴
努力論	幸田露伴
渋沢栄一伝	幸田露伴
子規句集	高浜虚子選
病牀六尺	正岡子規
子規歌集	土屋文明編
墨汁一滴	正岡子規
仰臥漫録	正岡子規
歌よみに与ふる書	正岡子規

書名	著者・編者
獺祭書屋俳話・芭蕉雑談	正岡子規
子規紀行文集	復本一郎編
金色夜叉 全二冊	尾崎紅葉
二人比丘尼色懺悔	尾崎紅葉
不如帰	徳冨蘆花
謀叛論 他六篇 日記	徳冨健次郎 中野好夫編
武蔵野	国木田独歩
愛弟通信	国木田独歩
運命	国木田独歩
蒲団・一兵卒	田山花袋
田舎教師	田山花袋
一兵卒の銃殺	田山花袋
縮図	徳田秋声
あらくれ・新世帯	徳田秋声
藤村詩抄	島崎藤村自選
破戒	島崎藤村
春	島崎藤村

書名	著者・編者
千曲川のスケッチ	島崎藤村
桜の実の熟する時	島崎藤村
新生 全二冊	島崎藤村
夜明け前 全四冊	島崎藤村
藤村文明論集	十川信介編
生ひ立ちの記 他一篇	島崎藤村
にごりえ・たけくらべ	樋口一葉
大つごもり・十三夜 他五篇	樋口一葉
修禅寺物語 正雪の二代目 他四篇	岡本綺堂
高野聖・眉かくしの霊	泉鏡花
歌行燈	泉鏡花
夜叉ケ池・天守物語	泉鏡花
草迷宮	泉鏡花
春昼・春昼後刻	泉鏡花
鏡花短篇集	川村二郎編
日本橋	泉鏡花
外科室・海城発電 他五篇	泉鏡花

書名	著者・編者
湯島詣 他一篇	泉鏡花
鏡花随筆集	吉田昌志編
化鳥・三尺角 他六篇	泉鏡花
鏡花紀行文集	田中励儀編
俳句はかく解しかく味う	高浜虚子
回想 子規・漱石	高浜虚子
有明詩抄	蒲原有明
上田敏全訳詩集	山内義雄 矢野峰人編
宣言	有島武郎
一房の葡萄 他四篇	有島武郎
寺田寅彦随筆集 全五冊	小宮豊隆編
柿の種	寺田寅彦
与謝野晶子歌集	与謝野晶子自選
与謝野晶子評論集	鹿野政直 香内信子編
私の生い立ち	与謝野晶子
入江のほとり 他一篇	正宗白鳥
つゆのあとさき	永井荷風

書名	著者・編者
濹東綺譚	永井荷風
荷風随筆集 全二冊	野口冨士男編
摘録 断腸亭日乗 全二冊	永井荷風　磯田光一編
すみだ川・新橋夜話 他一篇	永井荷風
あめりか物語	永井荷風
下谷叢話	永井荷風
ふらんす物語	永井荷風
浮沈・踊子 他三篇	永井荷風
花火・来訪者 他十一篇	永井荷風
問はずがたり・吾妻橋 他十六篇	永井荷風
斎藤茂吉歌集	山口茂吉　柴生田稔　佐藤佐太郎編
千鳥 他四篇	鈴木三重吉
鈴木三重吉童話集	勝尾金弥編
小僧の神様 他十篇	志賀直哉
万暦赤絵 他二十二篇	志賀直哉
暗夜行路 全二冊	志賀直哉
志賀直哉随筆集	高橋英夫編

書名	著者・編者
高村光太郎詩集	高村光太郎
北原白秋歌集	高野公彦編
北原白秋詩集 全二冊	安藤元雄編
フレップ・トリップ	北原白秋
野上弥生子随筆集	竹西寛子編
野上弥生子短篇集	加賀乙彦編
お目出たき人・世間知らず	武者小路実篤
友情	武者小路実篤
釈迦	武者小路実篤
銀の匙	中勘助
鳥の物語	中勘助
若山牧水歌集	伊藤一彦編
新編 みなかみ紀行	若山牧水　池内紀編
新編 啄木歌集	久保田正文編
吉野葛・蘆刈	谷崎潤一郎
卍（まんじ）	谷崎潤一郎
幼少時代	谷崎潤一郎

書名	著者・編者
谷崎潤一郎随筆集	篠田一士編
多情仏心 全二冊	里見弴
道元禅師の話	里見弴
今年竹 全二冊	里見弴
萩原朔太郎詩集	三好達治選
郷愁の詩人 与謝蕪村	萩原朔太郎
猫町 他十七篇	萩原朔太郎　清岡卓行編
恩讐の彼方に・忠直卿行状記 他八篇	菊池寛
父帰る・藤十郎の恋 菊池寛戯曲集	石割透編
河明り 老妓抄 他一篇	岡本かの子
春泥・花冷え	久保田万太郎
大寺学校 ゆく年	久保田万太郎
久保田万太郎俳句集	恩田侑布子編
室生犀星詩集	室生犀星自選
犀星王朝小品集	室生犀星
随筆 女ひと	室生犀星
出家とその弟子	倉田百三

書名	著者・編者
羅生門・鼻・芋粥・偸盗	芥川竜之介
地獄変・邪宗門・好色・藪の中 他七篇	芥川竜之介
河童 他二篇	芥川竜之介
歯車 他二篇	芥川竜之介
蜘蛛の糸・杜子春・トロッコ 他十七篇	芥川竜之介
侏儒の言葉・文芸的な、余りに文芸的な	芥川竜之介
芥川竜之介俳句集	加藤郁乎編
芥川竜之介随筆集	石割透編
蜜柑・尾生の信 他十八篇	芥川竜之介
年末の一日・浅草公園 他十七篇	芥川竜之介
芥川竜之介紀行文集	山田俊治編
美しき町・西班牙犬の家 他六篇	佐藤春夫 池内紀編
海に生くる人々	葉山嘉樹
葉山嘉樹短篇集	道簱泰三編
日輪・春は馬車に乗って 他八篇	横光利一
宮沢賢治詩集	谷川徹三編
童話集 風の又三郎 他十八篇	宮沢賢治 谷川徹三編
童話集 銀河鉄道の夜 他十四篇	宮沢賢治 谷川徹三編
山椒魚・遙拝隊長 他七篇	井伏鱒二
井伏鱒二全詩集	井伏鱒二
太陽のない街	徳永直
黒島伝治作品集	紅野謙介編
伊豆の踊子・温泉宿 他四篇	川端康成
雪国	川端康成
山の音	川端康成
川端康成随筆集	川西政明編
三好達治詩集	桑原武夫 大槻鉄男選
詩を読む人のために	三好達治
中野重治詩集	中野重治
夏目漱石 全二冊	小宮豊隆
社会百面相 全二冊	内田魯庵
新編 思い出す人々	内田魯庵 紅野敏郎編
檸檬（レモン）・冬の日 他九篇	梶井基次郎
蟹工船 一九二八・三・一五	小林多喜二
富嶽百景・走れメロス 他八篇	太宰治
斜陽 他一篇	太宰治
人間失格・グッド・バイ 他一篇	太宰治
お伽草紙・新釈諸国噺	太宰治
真空地帯	野間宏
日本唱歌集	堀内敬三 井上武士編
日本童謡集	与田凖一編
森鷗外	石川淳
至福千年	石川淳
近代日本人の発想の諸形式 他四篇	伊藤整
小説の認識	伊藤整
中原中也詩集	大岡昇平編
ランボオ詩集	中原中也訳
小熊秀雄詩集	岩田宏編
夕鶴・彦市ばなし 他二篇 —木下順二戯曲選Ⅱ—	木下順二
元禄忠臣蔵 全二冊	真山青果
随筆滝沢馬琴	真山青果

旧聞日本橋　長谷川時雨
新編 近代美人伝 全二冊　長谷川時雨／杉本苑子編
みそっかす　幸田文
古句を観る　柴田宵曲
俳諧随筆 蕉門の人々　柴田宵曲
新編 俳諧博物誌　柴田宵曲／小出昌洋編
随筆集 団扇の画　柴田宵曲／小出昌洋編
子規居士の周囲　柴田宵曲
小説集 夏の花　原民喜
原民喜全詩集
いちご姫・蝴蝶 他二篇　山田美妙／十川信介校訂
貝殻追放抄　水上滝太郎
銀座復興 他三篇　水上滝太郎
魔風恋風 全二冊　小杉天外
柳橋新誌　成島柳北／塩田良平校訂
幕末維新パリ見聞記 成島柳北「航西日乗」・栗本鋤雲「暁窓追録」　井田進也校注
立原道造詩集　杉浦明平編

野火／ハムレット日記　大岡昇平
中谷宇吉郎随筆集　樋口敬二編
雪　中谷宇吉郎
冥途・旅順入城式　内田百閒
東京日記 他六篇　内田百閒
西脇順三郎詩集　那珂太郎編
金子光晴詩集　清岡卓行編
大手拓次詩集　原子朗編
評論集 滅亡について 他三十篇　武田泰淳／川西政明編
山岳紀行文集 日本アルプス　小島烏水／近藤信行編
雪中梅　末広鉄腸／小林智賀平校訂
宮柊二歌集　宮英子／高野公彦編
新編 東京繁昌記　木村荘八／尾崎秀樹編
新編 山と渓谷　田部重治／近藤信行編
日本児童文学名作集 全二冊　桑原三郎／千葉俊二編
山月記・李陵 他九篇　中島敦
眼中の人　小島政二郎

新選 山のパンセ　串田孫一自選
小川未明童話集　桑原三郎編
新美南吉童話集　千葉俊二編
岸田劉生随筆集　酒井忠康編
摘録 劉生日記　岸田劉生／酒井忠康編
量子力学と私　朝永振一郎／江沢洋編
書物　森銑三／柴田宵曲
自註鹿鳴集　会津八一
窪田空穂随筆集　大岡信編
窪田空穂歌集　大岡信編
蠹魚の書 いろいろ 他十三篇　尾崎一雄／高橋英夫編
奴隷 ―小説・女工哀史1　細井和喜蔵
工場 ―小説・女工哀史2　細井和喜蔵
森鷗外の系族　小金井喜美子
木下利玄全歌集　五島茂編
新編 学問の曲り角　河野与一／原二郎編
林芙美子紀行集 下駄で歩いた巴里　立松和平編

放浪記　林芙美子
山の旅 全二冊　近藤信行編
酒道楽　村井弦斎
文楽の研究 全二冊　三宅周太郎
五足の靴　五人づれ
尾崎放哉句集　池内紀編
リルケ詩抄　茅野蕭々訳
ぷえるとりこ日記　有吉佐和子
江戸川乱歩短篇集　千葉俊二編
怪人二十面相・青銅の魔人　江戸川乱歩
少年探偵団・超人ニコラ　江戸川乱歩
江戸川乱歩作品集 全三冊　浜田雄介編
堕落論・日本文化私観 他二十二篇　坂口安吾
桜の森の満開の下・白痴 他十二篇　坂口安吾
風と光と二十の私と・いずこへ 他十六篇　坂口安吾
久生十蘭短篇選　川崎賢子編
墓地展望亭・ハムレット 他六篇　久生十蘭

六白金星・可能性の文学 他十一篇　織田作之助
夫婦善哉 正続 他十二篇　織田作之助
わが町・青春の逆説　織田作之助
歌の話・歌の円寂する時 他一篇　折口信夫
死者の書・口ぶえ　折口信夫
折口信夫古典詩歌論集　藤井貞和編
山川登美子歌集　今野寿美編
汗血千里の駒 坂本龍馬君之伝　坂崎紫瀾　林原純生校注
日本近代短篇小説選 全六冊　紅野敏郎・紅野謙介・千葉俊二・宗像和重・山田俊治編
自選谷川俊太郎詩集
訳詩集 白孔雀　西條八十訳
茨木のり子詩集　谷川俊太郎選
第七官界彷徨・琉璃玉の耳輪 他四篇　尾崎翠
大江健三郎自選短篇
M/Tと森のフシギの物語　大江健三郎
キルプの軍団　大江健三郎
辻征夫詩集　谷川俊太郎編

石垣りん詩集　伊藤比呂美編
漱石追想　十川信介編
芥川追想　石割透編
荷風追想　多田蔵人編
自選大岡信詩集
うたげと孤心　大岡信
日本の詩歌 その骨組みと素肌　大岡信
詩人・菅原道真 —うつしの美学　大岡信
日本近代随筆選 全三冊　千葉俊二・長谷川郁夫・宗像和重編
尾崎士郎短篇集　紅野謙介編
山之口貘詩集　高良勉編
原爆詩集　峠三吉
竹久夢二詩画集　石川桂子編
まど・みちお詩集　谷川俊太郎編
山頭火俳句集　夏石番矢編
二十四の瞳　壺井栄
幕末の江戸風俗　塚原渋柿園　菊池眞一編

岩波文庫の最新刊

フロイト著／高田珠樹訳
日常生活の精神病理
知っているはずの画家の名前がどうしても思い出せない――フロイト存命中もっとも広く読まれた著作。達意の翻訳に十全な注を付す。
〔青六四二-一〕 **定価一五八四円**

エーリヒ・ケストナー著／酒寄進一訳
終戦日記一九四五
世界的な児童文学作家が、第三帝国末期から終戦後にいたる社会の混乱、戦争の愚かさを皮肉とユーモアたっぷりに描き出す。
〔赤四七一-二〕 **定価一〇六七円**

萩原朔太郎著
恋愛名歌集
萩原朔太郎（一八八六―一九四二）が、恋愛を詠った抒情性、韻律に優れた古典和歌の名歌を選び評釈した独自の詞華集。（解説＝渡部泰明）
〔緑六二-四〕 **定価七〇四円**

鵜飼信成著
憲法
戦後憲法学を牽引した鵜飼信成（一九〇六―八七）による、日本国憲法の独創的な解説書。先見性に富み、今なお異彩を放つ。初版一九五六年。（解説＝石川健治）
〔白三五-一〕 **定価一三八六円**

……今月の重版再開……

千葉俊二編
鷗外随筆集
〔緑六-八〕 **定価七〇四円**

木村浩編訳
ソルジェニーツィン短篇集
〔赤六三五-一〕 **定価一〇一二円**

岩波文庫の最新刊

ウォーラーステイン著／川北 稔訳
史的システムとしての資本主義

資本主義をひとつの歴史的な社会システムとみなし、「中核／周辺」「ヘゲモニー」などの概念を用いて、その成立・機能・問題点を描き出す。
〔青N四〇一-一〕 **定価九九〇円**

鈴木 淳編
高峰譲吉 いかにして発明国民となるべきか 文集

アドレナリンの単離抽出、タカジアスターゼの開発で知られる高峰譲吉。日本における理化学研究と起業振興の必要性を熱く語る。
〔青九五二-一〕 **定価七九二円**

大木志門編
島崎藤村短篇集

島崎藤村(一八七二-一九四三)は、優れた短篇小説の書き手でもあった。一一篇を精選する。人生、社会、時代を凝視した作家が立ち現れる。
〔緑二四-九〕 **定価一〇〇一円**

……今月の重版再開……

森 鷗外訳
アンデルセン **即興詩人**(上)
定価七七〇円
〔緑五-一〕

森 鷗外訳
アンデルセン **即興詩人**(下)
定価七七〇円
〔緑五-二〕

定価は消費税10%込です　2022.7